LE CŒUR AMÉRICAIN

DU MÊME AUTEUR

La Révolution conservatrice américaine, Fayard, 1983 ; Pluriel, 1984.
La Solution libérale, Fayard, 1984 ; Pluriel, 1985.
L'État minimum, Albin Michel, 1985.
L'Amérique dans les têtes, fascinations et aversions (en collaboration), Hachette Littératures, 1986.
La Nouvelle Richesse des nations, Fayard, 1987 ; Le Livre de Poche, 1988.
Les Vrais Penseurs de notre temps, Fayard, 1989 ; Le Livre de Poche, 1991.
L'État des États-Unis (en collaboration), La Découverte, 1990.
Sortir du socialisme, Fayard, 1990 ; Le Livre de Poche, 1992.
No a la decadencia de la Argentina, Buenos Aires, Atlantida, 1990.
Hacia un nuevo mundo, Buenos Aires, Emécé, 1991.
Faut-il vraiment aider les Russes ? (en collaboration), Albin Michel, 1991.
En attendant les Barbares, Fayard, 1992 ; Le Livre de Poche, 1994.
Le Capital, suite et fins, Fayard, 1994 ; Pluriel, 1995.
Le Bonheur français, Fayard, 1995 ; Pluriel, 1996.
Le monde est ma tribu, Fayard, 1997 ; Le Livre de Poche, 1999.
Une belle journée en France, Fayard, 1998.
La Nouvelle Solution libérale, Fayard, 1998.
La Langue française à la croisée des chemins (en collaboration), L'Harmattan, 1999.
Le Génie de l'Inde, Fayard, 2000 ; Le Livre de Poche, 2006.
Peut-on débattre en France ? (en collaboration), Albin Michel, 2001.
Le Progrès et ses ennemis, Fayard, 2001.
Les Enfants de Rifaa, musulmans et modernes, Fayard, 2003 ; Le Livre de Poche, 2005.
Made in USA, regards sur la civilisation américaine, Fayard, 2004 ; Le Livre de Poche, 2006.
L'Année du Coq, Chinois et rebelles, Fayard, 2006 ; Le Livre de Poche, 2008.
L'économie ne ment pas, Fayard, 2008.
The Empire of Lies, The Truth about China in the Twenty-First Century, Encounter, New York, 2008.
America: In Search of Happiness, Full Circle, New Delhi, 2009.
Economics Does not Lie, A Defense of the Free Market in a Time of Crisis, Encounter, New York, 2009.
Wonderful World, Chronique de la mondialisation I, 2006-2009, Fayard, 2009.
Journal d'un optimiste, Chronique de la mondialisation II, 2009-2011, Fayard, 2012.
The Beholden State : California's Lost Promise and How to Recapture It (en collaboration), Rowman and Littlefield, New York, 2013.

Guy Sorman

Le cœur américain

Éloge du don

Fayard

Couverture Atelier Christophe Billoret
© Getty

ISBN 978-2-213-67080-5

Éloge du don

Le débat entre socialisme et capitalisme, entre ce qui relève de l'État ou du marché, est indispensable dans toute société démocratique en quête de mieux-être. Mais, à se fixer sur cette seule controverse, on en oublie l'entre-deux qui ne relève ni de l'un ni de l'autre, et pas plus du socialisme que du capitalisme. Entre l'État et le marché il existe bien un espace social, politique, culturel, économique fondé ni sur l'autorité, ni sur le profit, mais sur le don. En Europe, ce « troisième secteur », comme on l'appelle en langage bureaucratique, que je préférerais nommer *tiers état* si l'appellation n'était déjà prise, est quasi introuvable. Le monde associatif, la charité laïque et religieuse, les coopératives, le mécénat, l'action humanitaire sont comme concédés aux hommes de bonne volonté, rétifs à la bureaucratie comme à l'argent, mais nul ne prétendrait que ce secteur représente, particulièrement en France, une *société civile* autonome au-dessus de la puissance publique et à l'écart de l'économie marchande. Les grandes organisations humanitaires françaises sont subventionnées par l'État, qui sélectionne les bénéficiaires, et des organisations internationales dont elles sont des filiales d'apparence privée. Les associations plus modestes sont, elles, des filiales dépendantes des communes qui les financent à condition que les élus approuvent leurs orientations. Aux États-Unis, l'histoire est autre, et la société civile, centrale. Nous proposons, dans cet ouvrage, de découvrir ce que l'on nomme là-bas le « secteur non profitable », au sens littéral du terme (*not for profit*) et que nous traduirons par « non lucratif », expression comptable que les Américains désignent plus communément comme *philanthropie* : l'amour de l'Homme, rien de moins, au cœur de l'Amérique et des Américains.

L'invention de la philanthropie

Les historiens de la philanthropie américaine datent son origine d'un sermon du pasteur John Winthrop aux passagers puritains du vaisseau *Arabella* en 1630. Dans ce texte bien connu des Américains, John Winthrop enjoint aux pionniers d'ériger une « Ville sur les hauteurs » *(a City Upon a Hill)* que le monde puisse contempler – citation souvent reprise pour légitimer l'« exceptionnalisme » américain – et de fonder cette société nouvelle sur le don. Selon Winthrop, Dieu a voulu que certains soient riches et d'autres pauvres, de telle manière que les uns restituent aux autres cette fortune venant de Lui seul, instaurant ainsi une société fraternelle.

Dans cette histoire de la philanthropie, le « saint patron », comme l'appelle l'historien Daniel Bornstein, est Benjamin Franklin. Après avoir fait fortune dans l'imprimerie, à quarante-deux ans, en 1750, considérant que les « loisirs sont le moment de faire quelque chose d'utile », il vendit son entreprise et alloua ses biens à des institutions collectives : hôpitaux, universités, bibliothèques et recherche scientifique. Pour la toute première fois, il déclare qu'il ne s'agissait plus de s'accommoder de la pauvreté, mais de la supprimer ; il aura aussi été précurseur en donnant à une fondation *(charity trust)* qu'il se sera interdit de diriger.

À la même époque et sous l'influence des mêmes idées – celles qui présidèrent à la rédaction de l'*Encyclopédie* – fut créée à Paris, en 1780, la Société philanthropique : elle avait pour objet la bienfaisance « efficace », sans fins pieuses, en particulier pour l'instruction populaire, la réforme des prisons, contre l'esclavage. Ses ambitions étaient identiques à celles de la philanthropie aux États-Unis, qui ont peu varié depuis les origines. Mais, en France, la Société philanthropique disparut dans les années 1840, sans doute parce que l'État y prenait alors le relais de la société civile sous l'influence du jacobinisme et du socialisme. Les rares œuvres philanthropiques à subsister en France – comme la Fondation Valentin-Haüy pour venir en aide aux malvoyants – sont les lointaines héritières de cette tradition ni religieuse, ni étatique.

Ce qui a à peu près disparu de France n'a cessé aux États-Unis de prospérer dans le sillage tracé par Benjamin Franklin. À l'orée du XXᵉ siècle, John D. Rockefeller va orienter la philanthropie de manière décisive en concentrant ses dons sur l'éducation et la recherche médicale qu'il estime les mieux à même d'alléger la pauvreté et de rendre la charité inutile ; tout comme Benjamin Franklin, il n'intervient jamais dans la gestion de ses fondations. Ainsi est née la philanthropie américaine moderne, désormais au cœur de la civilisation américaine, que ce cœur soit d'artichaut, de pierre ou bien artificiel : on ne comprendrait rien à cette civilisation sans prendre en considération ce cœur-là.

Telle qu'elle est comprise et exercée aux États-Unis, la philanthropie n'est donc plus de la charité, même si elle l'inclut : être philanthrope implique que l'on souhaite changer la société pour qu'en disparaissent la pauvreté, la maladie, la discrimination, l'inculture. Cette philanthropie dite « systémique » repose sur le don, don de soi et de son temps, volontariat et don financier à une association humanitaire *(public charity)*, à une fondation, à une Église, à un établissement éducatif. Pour mesurer son ampleur d'un seul coup d'œil, sachons que 90 % des Américains d'âge adulte consentent un don annuel : ils sont plus nombreux à donner qu'à voter ! Deux tiers d'entre eux accordent une part de leur temps à une œuvre philanthropique. Les écarts entre les contributions sont à la mesure des inégalités de revenus : au sommet, la Fondation Bill et Melinda Gates alloue trois milliards de dollars par an à des œuvres philanthropiques aux États-Unis mêmes et dans le reste du monde. À l'autre extrémité, il est commun que les salariés obtiennent de leurs employeurs quelques heures de liberté, rémunérées ou non, chaque mois, pour faire acte de volontariat, ou qu'à leur demande soit prélevée régulièrement sur leur salaire une contribution à l'œuvre de leur choix. Au total, cet univers non lucratif représente 10 % de l'économie américaine et 10 % des emplois. Dans les comparaisons internationales du don, seule la Grande-Bretagne apparaît de manière significative : c'est elle que l'on trouve aux origines lointaines du don aux États-Unis. Partout ailleurs, la philanthropie est insignifiante. Un Français donne en moyenne quatre fois moins qu'un Américain (deux cent quatre-vingts euros par ménage) et un Américain donne par surcroît de son temps. Cette générosité américaine permet aux organisations aidées d'être totalement indépendantes des fonds publics.

À l'origine du don

Pourquoi les Américains donnent-ils ? Économistes et sociologues font la distinction entre le don altruiste de celui ou celle qui dit « oui » à une cause et le don passif de celui ou celle qui n'ose pas dire « non ». Une économiste de Berkeley, Ulrike Malmendier, a démontré comment le marketing par démarchage, téléphone, courrier et internet influençait ce second altruisme involontaire. Mais, avant tout, depuis la naissance de cette nation, on donne parce que tout le monde donne, et l'on apprend à se porter volontaire depuis le plus jeune âge. John D. Rockefeller, en son temps le plus riche des Américains, commença à verser aux œuvres charitables dès l'âge de seize ans, avec son premier salaire. Ne pas donner serait ne pas être tout à fait américain. Le Président des États-Unis se doit d'être exemplaire : en 2013, Barack et Michelle Obama ont donné cent mille dollars, soit le quart de leurs revenus, à une fondation de soutien aux familles de militaires, Fisher House Foundation. On donne parce que l'on est croyant : 90 % des Américains croient en un Dieu créateur, et la moitié des dons philanthropiques vont aux Églises, ou plus exactement transitent par les Églises qui gèrent des œuvres sociales et éducatives. On donne par altruisme, à supposer que ce sentiment existe hors de la famille rapprochée, ce dont les anthropologues disputent à l'infini. À en croire une étude expérimentale réalisée à l'université de Bethesda, dans le Maryland, on donne aussi par plaisir : l'acte de donner déclencherait les mécanismes neuronaux de la réponse hédonistique. Pour repasser de la nature à la culture, admettons, ainsi que l'a écrit Claude Lévi-Strauss, que le don est consubstantiel à toute culture, mais qu'à tout don correspond une contrepartie symbolique : cette structure-là se retrouve bien dans la société américaine. L'altruiste qui donne désire édifier une société meilleure et est aussi en quête de reconnaissance sociale.

Lorsque l'un des pionniers de la philanthropie contemporaine, Andrew Carnegie, qui fit fortune dans la sidérurgie, finança au début du XXᵉ siècle la création de six cents bibliothèques, voulait-il élever le niveau culturel des Américains ou inscrire son nom au fronton de ces édifices ? Les deux, probablement. L'important est que ces bibliothèques furent édifiées et qu'elles remplissent toujours leur office. De la philanthropie on doit juger comme on le ferait de l'économie de marché : les sentiments qui animent l'entrepreneur relèvent de son « intérêt bien compris », mais le résultat final est la prospérité globale à laquelle aboutit la somme des égoïsmes. Voyageant à travers les États-Unis en 1831, s'interrogeant sur la prolifération des associations laïques et religieuses, précurseurs des fondations contemporaines, Alexis de

Tocqueville y voyait la manifestation de cet « intérêt bien compris » : la somme des intérêts conduisait à une amélioration du bien commun. Tocqueville perçut aussi dans la vitalité de ce monde associatif l'expression d'une société civile forte. Il écrivit : « Les Américains s'unissent sans cesse (…), ils s'associent pour donner des fêtes, fonder des séminaires, élever des églises, répandre des livres, envoyer des missionnaires aux antipodes ; ils créent, de cette manière, des hôpitaux, des prisons, des écoles (…). Partout où à la tête d'une entreprise nouvelle vous voyez en France le gouvernement (…), comptez que vous apercevrez aux États-Unis une association » *(De la démocratie en Amérique)*. À l'origine du peuplement des États-Unis, les Américains n'attendaient rien de l'État, puisqu'il n'y avait pas d'État : la société civile vint en premier et devait, par nécessité, organiser des institutions collectives. Un siècle plus tard, au temps de Tocqueville, parce que les Américains n'attendaient toujours pas que l'État résolve tous leurs problèmes ni ne réponde à toutes leurs aspirations, ils se constituaient en associations, aujourd'hui fondations, pour apporter des solutions inédites à leur désir de progrès social : la croyance au progrès infini est le fondement de toute philanthropie.

Au nom du bien

L'État est aujourd'hui omniprésent aux États-Unis, contrairement à une légende répandue en Europe, mais il n'a toujours pas réponse à tout, parce qu'il est perçu comme lointain, coûteux, lent et bureaucratique : on l'aime peu. Le capitalisme ? Son dynamisme est reconnu par tous ou à peu près, mais le profit étant son moteur, on ne saurait lui confier les missions qui méritent d'échapper autant au profit qu'à l'autorité publique. La philanthropie américaine recouvre donc à peu près tout ce qui relève des multiples religions, de la solidarité sociale lorsque le marché et l'État sont défaillants, de la culture quand elle n'est pas commerciale, de la santé et de la recherche médicale de pointe quand les entreprises paraissent trop lentes ou timorées, de l'éducation supérieure pour atteindre à l'excellence. Nous n'en concluons pas que les résultats de la philanthropie sont nécessairement supérieurs à ceux du marché ou de l'État. Parfois, elle défaille, comme l'État, comme l'économie de marché : fraude fiscale et mauvaise gestion y cohabitent avec les meilleures intentions. Bien des fondations sont inefficaces, ce qui fait prospérer une vaste littérature sur le « management » du secteur non lucratif : preuve de son importance et prise de conscience de gaspillages, en particulier chez les plus grands (comme nous le verrons pour la Fondation Bill et Melinda Gates). Mais on peut affirmer que la philanthropie ne nuit jamais.

Puisque les philanthropes veulent améliorer le système, ils prennent parti. Tandis que des fondations créent des écoles, des bibliothèques, des universités, d'autres luttent contre la discrimination, contre l'obésité ou contre le tabagisme. Si le progrès est le but de la philanthropie américaine, une certaine idée du bien en constitue le moteur : la philanthropie est l'expression de la société civile combattante au service du progrès et du bien, ou de ce que les Américains considèrent comme tels. Au nom du progrès et du bien aussi les philanthropes américains infiltrent les débats

politiques et économiques. Ceux qui estiment le capitalisme menacé mènent campagne contre la fiscalité,
les syndicats et les réglementations publiques ; ceux
qui estiment le capitalisme abusif financent des actions
militantes contre le 1 % de patrons « super-riches » qui
abusent des 99 % d'Américains « moyens ». Des fondations privées contribuent aux batailles politiques,
financent des *think tanks* (boîtes à idées) idéologiques,
soutiennent causes partisanes et candidats, interfèrent
avec les décisions des tribunaux, des assemblées élues,
des gouverneurs et du Président. Aux États-Unis, la
démocratie ne se réduit pas au seul jeu des institutions
publiques : il est admis que la société civile s'en mêle
et alimente le marché des idées politiques – un marché
presque comme les autres. Sur ce marché, les débats
s'organisent autour d'une droite dite « conservatrice »,
qui épouse les contours du Parti républicain, et d'une
gauche dite « progressiste » ou dite « libérale », qui
soutient le Parti démocrate. Les « conservateurs »
souhaitent ramener l'État fédéral à ses fonctions
minimales, tandis que les « progressistes » soutiennent
les interventions publiques. *Liberal* en américain étant
l'équivalent de social-démocrate en Europe, nous
n'utiliserons ici que les termes conservateur et progressiste, sachant qu'à l'intérieur de ces deux familles
de pensée cohabitent bien des nuances, de radicales à
modérées. Le socialisme ? En tant que mouvement
politique organisé, il n'existe plus depuis les années
1940.

Enfin, les États-Unis étant une puissance impériale,
et les Américains, se considérant, à tort ou à raison,
comme porteurs de valeurs universelles, leur philanthropie s'est étendue au reste du monde : les pasteurs

évangélisent, les fondations exportent de nouvelles techniques agricoles (la révolution verte en Inde et en Afrique sont *made in USA*), distribuent des remèdes contre le sida et la malaria, soutiennent des mouvements démocratiques. Nous nommerons cela l'impérialisme du bien, aussi constitutif des États-Unis que l'est la philanthropie intérieure, laïque et religieuse.

Par-delà l'État providence

Dès lors que les États-Unis constituent une civilisation distincte, quelle urgence y a-t-il à s'intéresser maintenant à cette philanthropie si singulière ? Son actualité tient à ce que l'on appelle la « crise de l'État providence ».

Tous les États en Europe ont outrepassé leurs capacités contributives à la solidarité sociale, à l'éducation supérieure, à la culture non commerciale ; la complexité même de nos sociétés ne permet plus aux États, et à peine plus aux collectivités locales, de répondre au plus près aux exigences des citoyens. Les institutions publiques, de par leur nature même, ne peuvent pas non plus expérimenter des approches nouvelles en ces domaines : la loi devant être la même pour tous, elle prohibe les expériences et interdit – du moins publiquement – les échecs.

Le marché ? Les entreprises lucratives ne sauraient s'intéresser à des domaines qui ne peuvent ni ne doivent générer des profits. Dans nos sociétés libres, il est souhaitable que tout ne soit pas dicté par le pouvoir et que tout ne soit pas à vendre : il reste donc à découvrir ou à redécouvrir ce que, chez nous aussi, peut la société civile. En ces domaines, elle fut naguère très active ; mais l'État s'est substitué à elle, s'emparant du champ social, éducatif et culturel au nom de la justice, de l'égalité, de la laïcité. Ce qui, en Europe, subsiste de société civile et de monde associatif vivote, nous l'avons dit, grâce à des subventions publiques et sélectives, bien plus qu'aux dons des militants. Aux États-Unis, au contraire, les déductions fiscales dont bénéficient les institutions philanthropiques sont générales : il est interdit à l'État de juger de l'opportunité d'agir dans tel ou tel secteur. Ces avantages fiscaux américains ne jouent d'ailleurs pas, nous le verrons, le rôle déterminant qu'on leur attribue en Europe : l'élan sociétal pour la philanthropie en est le véritable ressort. Il existait des fondations aux États-Unis avant les déductions fiscales, et elles pourraient perdurer sans elles.

En Europe, si l'on envisage que la société civile relaie partiellement l'État providence défaillant, la restauration du volontariat, l'illustration du don, l'imagination des fondations exigeraient sans doute quelque encouragement fiscal ou légal. Mais ni une déduction fiscale ni une subvention ne suffiront à restaurer la société civile ou la foi dans un progrès social sans l'État. Sans doute la connaissance concrète de ce que la philanthropie peut apporter serait-elle un catalyseur plus déterminant puisque celle-ci est avant tout une « servitude volontaire ». On ne suggère pas ici de copier ce qui se pratique aux États-Unis, ni d'en importer un modèle non reproductible, mais connaître ce qui se pratique là-bas conduira peut-être à sonder nos propres cœurs pour y retrouver une générosité assoupie.

CHAPITRE PREMIER

Les volontaires

Le 21 janvier 2013, sur les marches du Capitole, à Washington, Barack Obama prête serment devant huit cent mille personnes ; ce second mandat présidentiel suscite moins d'enthousiasme que le premier, quatre ans auparavant, la foule est deux fois moindre, mais reste néanmoins considérable. La date de la cérémonie a été choisie pour coïncider avec une fête nationale, le *Martin Luther King Day*. Ce jour-là, en hommage au leader noir assassiné, les Américains se portent volontaires pour des tâches d'intérêt public : l'entretien d'un parc, le nettoyage de l'espace public, la rénovation d'une école. Sur l'esplanade qui fait face au Capitole, le *Mall*, espace dédié aux héros de l'histoire américaine, les partisans d'Obama étaient encadrés par quelque vingt-cinq mille volontaires, ceux qui souhaitaient participer à l'investiture s'ajoutant à ceux qui entendaient honorer la mémoire de Martin Luther King. Cette mobilisation de masse était l'œuvre d'une organisation non lucrative, Greater DC Cares (DC, District of Columbia, est la dénomination administrative de la capitale). Greater DC Cares, explique son directeur Greg Roberts, n'emploie que onze personnes rémunérées par les dons de quelques grandes entreprises de Washington. Onze personnes pour recruter vingt-cinq mille volontaires ?

La pratique du volontariat est si bien ancrée dans la mentalité américaine qu'il n'est guère besoin de démarcher les bonnes volontés : celles-ci se manifestent en nombre. Chaque candidat s'inscrit sur un site web où il indique ses compétences et ses préférences. Chacun recevra un tee-shirt (« Très important, le tee-shirt », dit Greg Roberts, surtout lorsqu'il est lié à un événement significatif) et une feuille d'instructions sur ses responsabilités. Un bon outil informatique, simple et clair, est la clé d'une mobilisation réussie. Il se trouve qu'à l'initiative du président George Bush, en 1990, une fondation basée à Atlanta, Points of Lights, a créé et gère une base de données nationale, et les sites web auxquels peut se rattacher toute organisation. Points of Lights rend le volontariat simple, accessible et bon marché. À Washington, dit Greg Roberts, les jeunes sont particulièrement disponibles : telle est la tradition, mais les écoles exigent aussi cent heures de volontariat chaque année pendant les trois années précédant l'obtention du baccalauréat *(high school degree)*. Cette exigence, fréquente aux États-Unis, est indispensable pour accéder aux grandes universités. Le volontariat commence jeune : à l'école élémentaire, on se dévoue pour assurer quelques tâches collectives ; au lycée, on rejoint une organisation qui assiste les pauvres, les personnes âgées ; à l'université, on crée une association philanthropique. La plupart des enfants, adolescents, étudiants américains passent par ces étapes successives, initiatiques et constitutives de la citoyenneté – mais la citoyenneté d'une société civile.

On peut remarquer, à l'occasion de l'investiture d'Obama, combien les jeunes immigrés récents s'étaient portés volontaires : pour eux, c'était une occasion inespérée de se mêler à d'autres Américains de leur génération, issus de toutes les classes sociales et de toutes les cultures, qu'en temps ordinaire ils ne croisaient jamais. Par-delà sa nature philanthropique, le volontariat est une école d'intégration qui forge la nation américaine : se porter volontaire, c'est devenir américain, à l'image d'un Président métis qui, avant d'entrer en politique, s'était « américanisé » lui aussi en se portant volontaire *(community organizer)* dans les quartiers noirs de Chicago. Sitôt après la cérémonie, Barack Obama s'est d'ailleurs rendu dans une école élémentaire où il a consacré une heure à repeindre les étagères de la bibliothèque. En France où l'intégration des jeunes immigrés paraît laborieuse, demande Greg Roberts, « utilisez-vous le volontariat pour fonder une culture commune ? »

Des mains vertes par milliers

À New York, au début des années 1980, il était impossible pour Elizabeth Rogers, dite Betsy, de traverser Central Park bien qu'elle habitât en face ; au mieux se risquait-elle à une promenade à sa lisière, jamais après le coucher du soleil. Ce jardin de quatre cents hectares qui occupe le centre de Manhattan était alors le terrain des amateurs de drogues dures, de la prostitution sauvage et du crime ordinaire. Retour à la nature ? Pas vraiment : jamais le parc n'avait été un vestige laissé à l'état sauvage de ce que fut Manhattan avant l'expulsion des tribus indiennes qui y pratiquaient l'agriculture. À l'origine, Central Park est une œuvre composée par deux paysagistes majeurs, Frederick Law Olmsted et Calvert Vaux : en 1860, ils créèrent là un paysage artificiel, faisant transporter par la force de l'homme et des chevaux d'énormes rochers venus du Connecticut, perçant des avenues, plantant des forêts, des bosquets, creusant des lacs reliés entre eux par des canalisations souterraines. À l'époque de sa création, le parc se situait au nord de la partie habitée de Manhattan, au niveau de la 59e Rue, tandis que les habitations s'arrêtaient à la 38e Rue. C'est la gestion désastreuse de la ville dans les années 1960-1980 qui transforma le parc en jungle. Jusqu'à ce que Betsy Rogers, paysagiste de profession, s'en mêle et organise une réaction citoyenne caractéristique de ce pays où la société civile prend le relais des pouvoirs publics quand ils se révèlent incompétents ou corrompus.

Trente ans plus tard, nous avons retrouvé Betsy Rogers, un matin d'octobre, sous une pluie fine, équipée d'un ciré vert et de gants de jardinage. Elle dirigeait un groupe de douze volontaires de tous âges, pareillement équipés d'un vêtement siglé de la mention *Volunteer* et du logo *Central Park Conservancy*.

Central Park Conservancy fut fondé en 1980 à l'initiative de Betsy Rogers. Il lui revient aussi d'avoir dressé le plan de restauration du parc et persuadé le maire, Edward Koch, d'en confier la cogestion à la ville et à une fondation. Il ne manquait qu'une bonne fée indispensable à toute aventure philanthropique : Richard Gilder, riche financier, apporta dix-sept millions de dollars à cette fondation qui prit le nom qu'on lui connaît. Enfant, Gilder se promenait dans le parc ; fortune faite, il habitait toujours à proximité et se désespérait de le voir à l'abandon. Depuis 1995, la fondation le gère entièrement.

Nous voici à l'œuvre à la lisière de Harlem, zone où nul ne se serait aventuré avant 1990 : du nord du parc, la ville est comme invisible, dissimulée derrière des futaies de hêtres, un lac et des rochers. Les volontaires consacrent trois heures par semaine à désherber, débroussailler, veillant à préserver les phlox et les buddleias qui ont pris racine spontanément et ajoutent aux coloris du sous-bois. Formée par vingt ans d'expérience, Betsy Rogers guide et surveille ceux qui ne feraient pas la distinction entre bonnes et mauvaises herbes. Sans ces volontaires, la ville devrait recruter cinquante jardiniers supplémentaires, fonctionnaires à temps plein ; elle n'en aurait pas les moyens : sans doute se contenterait-on d'entretenir quelques grandes allées comme avant 1980, rien de plus. Grâce aux sept cents volontaires, chaque coin et recoin de Central Park est un jardin parfait où ne traîne aucun déchet, d'où chaque végétal malvenu est immédiatement extirpé. Le parc ne coûte rien aux contribuables.

Comme on l'a vu précédemment à Washington, les volontaires ne manquent pas : il s'en présente trop. Tous passent un « entretien d'embauche », avant d'être retenus ou pas, par un bureau des volontaires situé à l'angle de la 5e Avenue et de la 123e Rue ; ce bureau n'emploie que six personnes salariées par le conservatoire, les volontaires les plus expérimentés encadrant les plus récents. Les retraités sont majoritaires, mais il se trouve aussi bien des jeunes mères de famille passionnées de jardinage et de botanique ; la plupart habitent autour de Central Park, mais il en vient d'autres quartiers : habitués, joggeurs, cyclistes ou simples amoureux du parc. L'engagement est sérieux, tout volontaire doit prévenir d'une absence éventuelle ; peu manquent à l'appel, rares sont ceux qui disparaissent en cours d'année ou courent le risque d'être exclus du corps des volontaires. « Nous traitons les volontaires comme des employés, mais sans les rémunérer », dit Douglas Blonsky, directeur du conservatoire. Le volontariat est vécu à la fois comme un engagement et comme un honneur. « Nous rendons à la communauté ce que la communauté nous apporte », dit Elizabeth Rogers – un leitmotiv que l'on va retrouver dans toutes les organisations philanthropiques, laïques ou religieuses.

Comme le volontariat est en progression constante, le conservatoire lui confie des tâches de plus en plus nombreuses et diverses : guides pour les visiteurs, personnel d'accueil, observateurs discrets de la sécurité et des comportements asociaux. Central Park est devenu un des lieux les plus sûrs de New York, les volontaires signalant la moindre anomalie aux quelques policiers affectés au parc. La contrepartie de tant de beauté et de sécurité est un succès excessif : trop de visiteurs (quarante millions par an), trop de promeneurs, trop de joggeurs, trop de cyclistes pèsent sur une nature vulnérable. Lorsqu'un emplacement se trouve trop exposé, les volontaires y plantent un drapeau rouge exhortant les promeneurs à se tenir à distance. L'avertissement est respecté, ce qui est significatif du mélange de civisme et de pression sociale caractéristique des États-Unis, contrastant avec l'Europe où nous ne respectons les règles de police qu'assorties d'une sanction. Aux États-Unis, cette

sanction n'est pas nécessaire : les codes de bonne
conduite sont intériorisés par le plus grand nombre.
La population canine en est une autre illustration : les
chiens, à New York, sont presque aussi nombreux que
les habitants et leurs déjections immédiatement recy-
clées par leurs maîtres. À Central Park, ils sont tenus
en laisse, sauf dans des lieux spécifiques et à des
heures matinales. Nul ne contrevient à ces interdits,
théoriquement punis par des amendes élevées (deux
cent cinquante dollars) ; mais nul ne fraude (trois pro-
cès-verbaux de police pour tout New York en 2011),
chacun surveillant autrui. Le consensus garantit le respect des règles sans que la police ni les volontaires
aient à s'en mêler.

Chaque année, quelque soixante mille donateurs,
sollicités par un autre comité de volontaires – celui
des « leveurs » de fonds –, contribuent au conservatoire. « Ce qui ne représente que 15 % des riverains »,
regrette Blonsky, chiffre inférieur à ce qui lui paraîtrait souhaitable. Au total, dons et volontariat représentent 85 % du budget de Central Park Conservancy
(quarante-six millions de dollars), le solde, modeste,
étant apporté par la ville. Grâce à ces dons, le parc
est agrémenté de bancs, de lampadaires restaurés,
de grilles conformes à l'original, en particulier celle
qui entoure le Réservoir Jacqueline Kennedy, le plus
grand lac du parc. Ce modèle de gestion privatisée
d'un parc urbain – une révolution conceptuelle dans
les années 1980 – est maintenant copié par la plupart
des grandes villes américaines. Avec des succès
variables : à New York aussi, mais à Brooklyn, Prospect Park, également dessiné par Frederick Law
Olmsted, est géré par un comité de voisinage sans

bénéficier des ressources dont profite Central Park. Il est vrai qu'autour de celui-ci habitent les Américains les plus fortunés ; ce n'est pas le cas à Brooklyn...

Cette inégalité de traitement des espaces publics engendre des rancœurs. Quand John Paulson, riche financier de Wall Street, a donné cent millions de dollars, au début de 2013, au Central Park Conservancy, loin d'être remercié pour son geste il fut accablé par toute la presse new-yorkaise. Pourquoi accroître les ressources de Central Park alors que Paulson était lui-même originaire d'un autre quartier, le Queens, où les jardins publics sont à l'abandon ? Mal inspiré, Paulson prétendit qu'en renforçant l'indépendance de Central Park il permettait à la municipalité de concentrer les ressources publiques sur les espaces négligés par les philanthropes. Il est vrai qu'on ne saurait à la fois tout attendre des philanthropes et, dans le même temps, se plaindre de leurs choix !

Réduire la philanthropie aux dons financiers revient d'ailleurs à négliger l'essentiel : de même que le don de temps fait vivre Central Park, chaque année, des Américains – soixante-cinq millions en 2012, soit 27 % des plus de seize ans – se portent volontaires au profit d'une institution charitable : cette participation augmente sans cesse, en particulier parmi les moins de quarante ans. Si l'on considère qu'une heure vaut vingt dollars, les Américains donnent au total au secteur à but non lucratif cent soixante milliards de dollars en sus de leurs contributions financières, lesquelles avoisinent 1,2 trillion de dollars, soit 10 % du produit de l'économie américaine.

Les missionnaires de l'éducation

En 1985, à l'âge de vingt-quatre ans, la Texane Wendy Kopp, à la veille d'obtenir le prestigieux diplôme de l'université de Princeton, s'interrogea sur son destin : rejoindre une grande compagnie financière de Wall Street ou un cabinet d'avocats, ce que faisaient tous ses camarades de classe, donnerait-il un sens à sa vie ? Elle en douta : plus qu'une carrière, il lui fallait se trouver une mission. Éduquée dans une famille prospère de Dallas, passée par les meilleures écoles, réussir à Princeton avait été pour elle une simple formalité. Mais, au cours de ses études, elle avait découvert que pour les rares étudiants de Princeton issus de milieux modestes, souvent Noirs ou Hispaniques, mal préparés par un enseignement public de qualité médiocre, se hisser au niveau moyen des étudiants privilégiés exigeait des efforts considérables. Il était injuste, s'indigna Wendy Kopp, que la réussite universitaire fût déterminée par les origines. Comment rétablir l'égalité des chances ?

Elle se souvint alors de John F. Kennedy : parmi les initiatives qui avaient soulevé l'enthousiasme de la génération antérieure, le Président avait créé le Corps de la Paix. Les volontaires du Peace Corps, service civique détaché dans les pays pauvres, étaient recrutés parmi les meilleurs étudiants des grandes universités. Pourquoi pas un nouveau Peace Corps, mais ici même, et pour les Américains ? se demanda Wendy Kopp. Comme il lui fallait rédiger une thèse avant d'obtenir son diplôme, elle transforma ce pensum en un manifeste pour la création d'un corps

de volontaires qui enseigneraient dans les lycées
(high schools) les plus déshérités des États-Unis, les
quartiers difficiles du Bronx ou de La Nouvelle-
Orléans, les campagnes du Rio Grande peuplées
d'immigrés récents ne parlant pas anglais. La thèse
était paradoxale : sauver les écoles publiques en péril,
là où des enseignants certifiés avaient échoué, en
dépêchant sur place des étudiants tout juste diplômés
dans des disciplines n'ayant rien à voir avec l'éducation, certainement brillants mais sans expérience et
sans formation. Son intuition se vérifia : l'engagement
des volontaires allait réussir là où les professionnels
avaient échoué.

À Princeton, la thèse de Wendy Kopp fut approuvée
par un jury dubitatif, mais nul n'imagina que l'idée
deviendrait réalité : le président du jury de thèse lui
demanda où elle trouverait le financement nécessaire
à un projet aussi fantasque. Sans mesurer les difficultés
qui l'attendaient, Wendy Kopp décida de transformer
sa thèse en actes. Elle adressa des centaines de lettres,
suivies d'appels téléphoniques, à toutes les grandes
entreprises américaines et à toutes les fondations
s'intéressant à l'éducation. La fraternité des anciens
élèves de Princeton joua en sa faveur. Le président de
la Banque Morgan Stanley lui prêta des bureaux gratuits à Manhattan. Le premier chèque significatif vint
de Ross Perot, riche entrepreneur de Dallas et philanthrope : Wendy Kopp raconte comment, reçue par
Perot, elle décida de ne quitter son bureau qu'après
avoir obtenu cinq cent mille dollars. Perot céda ; on
supposera que la belle allure d'aristocrate sudiste de
Wendy Kopp aura contribué à persuader le philanthrope. Wendy put créer à New York la fondation qui
allait gérer sa mission : Teach for America (TFA).

D'emblée, Wendy Kopp vit grand : elle ne se contenterait pas de dépêcher çà et là quelques volontaires symboliques en des lieux déshérités. Il fallait que Teach for America soit un mouvement national, ce qu'il est devenu grâce à l'esprit missionnaire qui anime les membres de la fondation, grâce au dévouement de nombreux étudiants, à la pratique du volontariat et à la générosité des philanthropes. Les principes de Teach for America s'énoncent aisément : des recruteurs sur les campus des meilleures universités proposent aux étudiants diplômés en juin de partir dès septembre enseigner pour deux ans dans des écoles défavorisées sélectionnées par la fondation. Les directeurs de ces écoles sont demandeurs, parce qu'ils n'ont pas réussi à recruter suffisamment d'enseignants pour la rentrée ou parce que le niveau de leurs enseignants leur paraît médiocre. TFA met à leur disposition des jeunes diplômés dans toutes les disciplines ; ils n'ont certes pas d'expérience pédagogique, mais sont enthousiastes, engagés dans une cause. À partir des candidatures spontanées recueillies sur les campus, la fondation sélectionne : en 1990, première année de fonctionnement de TFA, sur deux mille candidats, cinq cents furent retenus et envoyés « en mission ». Parmi eux, 40 % étaient afro-américains ou hispaniques. Wendy Kopp estimait que cinq cents volontaires était le seuil symbolique pour que Teach for America ressemble à un mouvement national. En 2012, vingt mille candidats se sont portés volontaires (dont 15 % des diplômés de Princeton), huit mille sont partis enseigner en septembre dans le Bronx, le New Jersey, le Texas, Los Angeles – tous dans des districts scolaires défavorisés : au total trente-neuf villes et districts ruraux. Après la destruction des bas quartiers de La Nouvelle-Orléans par l'ouragan Katrina en 2005, la restauration des écoles par des entrepreneurs privés sous contrat avec l'État sera devenue, pour Teach for America, un lieu de mission prioritaire et exemplaire.

Avant de partir, les « missionnaires » passent l'été en formation pédagogique rapide et intensive sous la tutelle d'enseignants chevronnés, passionnés par l'œuvre de TFA. Au cours de leurs deux années de mission, les volontaires sont payés au salaire minimum d'un professeur intérimaire, soit dix fois moins que ce qu'ils auraient gagné dans une entreprise accessible grâce à leur diplôme. TFA ne s'occupe ni de leur transport ni de leur logement : le missionnaire s'en débrouille.

TFA, qui avait commencé comme un rêve improbable, géré par des jeunes femmes et des jeunes gens d'à peine plus de vingt ans, est devenu une institution. Avec un bilan mesurable : quantifier est en effet indispensable pour que la mission perdure, les soutiens philanthropiques l'exigent. Les donateurs qui avaient pris des risques en 1990 (comme Ross Perot) exigent des preuves au fur et à mesure que TFA grandit. Celles-ci sont apportées par des cabinets d'expertise comme Kane, Parsons and Associates. Il en ressortait en 2010 que 90 % des directeurs d'école ayant accueilli des volontaires de TFA considéraient que ceux-ci avaient métamorphosé l'enseignement par leur engagement personnel auprès des élèves et une volonté farouche de hisser tous les enfants au niveau de l'entrée à l'université (*college* est l'équivalent du premier cycle universitaire en France). Ces enseignants amateurs dépêchés par TFA ne recourent pas à des méthodes pédagogiques particulières : ils sont seulement plus engagés, travaillent plus et se fixent pour objectif le succès. Partout où ils enseignent, ils améliorent les scores des élèves : dans de nombreuses écoles où ils interviennent, la proportion d'élèves admissibles à l'université passe de zéro à 100 %. Sans doute, pour des diplômés de Yale, Cornell ou Princeton, l'échec est-il une notion inacceptable. Depuis 1990, sur les vingt mille missionnaires passés par TFA, 60 % sont restés dans l'enseignement auquel ne les destinait pas leur diplôme. Nombre d'entre eux ont créé des écoles publiques sous contrat (charter schools), des écoles privées, ou sont devenus administrateurs de districts, la circonscription qui gère les écoles publiques.

Vu d'Europe, on s'étonnera que ce corps ne soit pas géré par la puissance publique ni financé par l'État fédéral, contrairement au Peace Corps qui perdure avec des effectifs modestes. Mais, aux États-Unis, l'enseignement est une responsabilité locale, publique ou privée. Et, de tradition, l'innovation sociale vient du troisième secteur : la voie choisie par Wendy Kopp n'est donc pas exceptionnelle. Mais avoir une idée non commerciale et la mettre en œuvre exige un talent particulier pour lever des fonds. Wendy Kopp raconte comment, les dix premières années, l'essentiel de son temps fut consacré à dénicher des philanthropes pour assurer le salaire modeste d'une douzaine de collaborateurs et financer la formation des « missionnaires » dans le bref laps de temps entre l'obtention de leur diplôme et leur premier cours. Le succès aidant, les philanthropes qui avaient accordé des locaux gratuits, des aides en nature, puis des prêts, des dons annuels, renouvelables ou pas, ont en fin de compte partiellement doté la fondation en capital. Lorsqu'une institution philanthropique reçoit une dotation en capital, il lui revient de placer ces fonds soit elle-même, soit en les confiant à un fonds d'investissement spécialisé (Fidelity et Vanguard sont les deux principaux établissements financiers aux États-Unis gérant les dotations à but humanitaire) ; l'organisation philanthropique peut ensuite utiliser à sa guise les produits de ces placements.

À Teach for America, lever des fonds reste nécessaire afin que l'aventure perdure, mais l'essentiel provient désormais des philanthropes locaux dans les villes où enseignent les volontaires. Un parmi tous les donateurs, l'État fédéral contribue, certes, mais si les donateurs privés sont fiables, l'État fédéral, lui, ne l'est pas : les aides publiques annuelles, note Wendy Kopp, sont renouvelées – ou pas – en fonction des contraintes budgétaires et de l'humeur des bureaucrates chargés du dossier. Sévère envers les gestionnaires de l'aide publique, Wendy Kopp n'idéalise pas pour autant toute philanthropie privée. Quand les donateurs sont des individus, ils donnent parce qu'ils lui font confiance ; il n'en va pas de même pour les fondations institutionnelles du type Ford ou Rockefeller. Avec elles, souligne Wendy Kopp, il faut en passer par des procédures lourdes, constituer des dossiers qui répondent aux normes de la fondation donatrice plus qu'ils ne décrivent le projet aidé. Ces grosses fondations se révèlent aussi bureaucratiques que l'État, gérées par des managers hautains qui ne répondent de leurs choix devant personne, si ce n'est à un conseil d'administration lointain et peu informé.

Depuis 2007, Teach for America est devenu, à la surprise de Wendy Kopp elle-même qui ne l'imaginait certes pas au départ, une entreprise mondialisée : Teach for all. Fascinés par le succès des volontaires américains, des directeurs d'école de vingt-six pays – Népal, Bangladesh, Chine, Grande-Bretagne, Liban, etc. – ont demandé à Wendy Kopp d'apporter son assistance technique pour y reproduire à l'identique le modèle de Teach for America. Et ça marche : dans tous ces pays, Wendy Kopp découvre que les principes qui valent pour l'Amérique s'appliquent à toutes les cultures, suscitant le même enthousiasme et conduisant aux mêmes améliorations dans la gestion des écoles et les résultats scolaires.

Wendy Kopp exporte, mais elle apprend aussi : des expériences pédagogiques qu'elle découvre au cours de ses pérégrinations sont intégrées, me dit-elle, dans les cours dispensés aux Américains. Ce qui est certainement exact, mais il est aussi important pour elle que son Peace Corps nouvelle manière ne soit pas perçu comme le fut son prédécesseur au temps de John F. Kennedy : une manifestation de l'impérialisme américain ; nous retrouverons plus tard, chez les missionnaires baptistes, la même volonté de passer de l'impérialisme à l'échange.

Il est un pays au moins où Wendy Kopp a échoué à transférer son expérience du volontariat pédagogique : la France. Conviée par des enseignants du secteur privé, elle a été rapidement éconduite par les administrations scolaires. Qu'un étudiant enthousiaste puisse faire mieux, dans une école difficile, qu'un professeur certifié, voilà qui n'est pas français. Il m'aura fallu expliquer à une Wendy Kopp interloquée que ce qui est bon pour les États-Unis était parfois bon pour le reste du monde, mais rarement pour la France, ou du moins pour les bureaucraties qui prétendent représenter ce pays et n'admettent pas que la société civile puisse contribuer au progrès collectif.

Quand je demandai à Wendy Kopp, laquelle, parmi toutes les qualités nécessaires pour réussir, fut la plus décisive, elle répondit : « Un certain talent pour naviguer dans la psychologie complexe des donateurs. » C'est là un paradoxe quasi permanent de la philanthropie aux États-Unis : le meilleur projet n'aboutit pas toujours, mais celui qui séduit les philanthropes, oui. En témoigne ce qui suit : l'aventure exemplaire d'une école de Harlem, qui a captivé Wall Street.

CHAPITRE II

De Wall Street à Harlem

Manhattan, ville debout, est orientée nord/sud. Au sud règne l'argent ; au nord, un univers plus chaotique. Wall Street, au sud, concentre le plus grand nombre de super-riches au monde : une nouvelle classe sans équivalent dans l'histoire contemporaine. Harlem, qui commence au nord de Central Park, est le quartier de tous les maux : pauvreté, violence, drogue, familles décomposées, jeunes incarcérés, chômage et obésité pathologique. Harlem, dit Geoffrey Canada, directeur de l'école Promise Academy et d'un projet philanthropique connu sous le nom de Harlem Children's Zone, est « une marque, tout comme Wall Street, mais une marque négative ». À l'angle de la 125e Rue et de Madison Avenue, au siège de Harlem Children's Zone, Canada montre à ses visiteurs une carte de Manhattan où les désordres de la société se superposent avec précision. Là où résident les plus pauvres, se retrouvent les taux les plus élevés de crimes, d'incarcérations, de sous-éducation, de mères célibataires et d'obésité. Cette carte de la déshérence sociale recouvre celle des origines : les pauvres, violents, ex-prisonniers et obèses sont à peu près tous noirs.

Geff Canada aussi est noir, issu d'une famille dis-
persée du Bronx. Dans les années 1960, il a connu et
pratiqué la violence, puis a échappé au déterminisme
local par l'éducation : diplômé de Harvard, le voici
enseignant à Harlem. Ce directeur d'école svelte et
élégant, d'une soixantaine d'années, ne déparerait pas
dans un conseil d'administration de Wall Street :
Canada est devenu celui par qui Harlem change. Le
destin des jeunes du quartier bascule grâce à ses innovations pédagogiques, et plus encore parce qu'il a
scellé une relation privilégiée entre le nord et le sud
de la ville. Harlem Children's Zone, œuvre de Canada,
a été rendue possible grâce au soutien sans faille de
la Fondation Robin des bois, un groupe de philanthropes de Wall Street exceptionnellement riches. Robin
des bois ? Une appellation imaginée par autodérision
par Paul Tudor Jones, son fondateur, l'un de ces
financiers fortunés. L'alliance de Robin des bois et de
Geff Canada métamorphose le quartier où opère HCZ,
et, par-delà ce quartier, leur alliance change les termes
du problème noir ; peut-être le résoudra-t-il.

Ce qu'il reste du problème noir

Le problème noir ne se pose plus avec la même
acuité qu'il y a une génération. Un tiers des vingt-cinq
millions de Noirs américains a rejoint les classes
moyennes, en partie grâce à une politique des quotas :
elle leur réserve des places dans les universités, la
fonction publique, les entreprises sous contrat avec
l'État. Cette discrimination inversée *(affirmative action)*,
appliquée par des magistrats qui pourchassent le

racisme, a conduit à une surreprésentation des Noirs dans la fonction publique où ils s'intègrent plus aisément que dans le monde de l'entreprise. Cette discrimination inversée n'a jamais fait l'unanimité ni chez les Noirs ni chez les Blancs, parce qu'elle s'oppose à l'idée que les Noirs sont des Américains comme les autres ; il n'empêche : quelles que soient les controverses philosophiques, politiques et juridiques qu'elle suscite, l'*affirmative action* a désamorcé le problème noir en cooptant les élites qui étaient tentées par la violence. Ceux qui ne sont pas cooptés ont malheureusement été abandonnés à leur sort : quand ils accèdent aux classes moyennes, les Noirs quittent leur ghetto d'origine pour rejoindre des quartiers plus favorisés. Ceux qui restent à Harlem et dans les immeubles sociaux *(projects)* de New York ne côtoient plus ceux qui sont parvenus à s'en échapper. De retour à Harlem, après Harvard, pour y enseigner, Geff Canada constitue une exception.

Deux tiers des Noirs restent donc à la périphérie : ils se perçoivent comme différents, sont perçus comme autres, et tous les indicateurs sociaux les repèrent comme tels. L'élection de Barack Obama n'y a rien changé : elle a confirmé qu'un Noir qui s'élève dans la société cesse d'être un modèle pour ceux qui demeurent en bas. À cette persistance du problème noir toutes les théories ont été appliquées : les Noirs seraient victimes de leur histoire, d'un héritage qui ne passe pas, victimes de la discrimination raciale, voire autovictimes ; ils seraient prisonniers d'une culture marginale qui se perpétue dans des pratiques, voire des musiques (hip-hop, rap) qui les isolent en permanence. Certains sociologues (Robert Julius Wilson, de l'université de Chicago, en particulier) attribuent la pauvreté des Noirs à la désindustrialisation de l'Amérique qui les prive des emplois manuels qu'ils occupaient naguère ; d'autres considèrent que les nouveaux immigrants prennent la place des Noirs en acceptant des salaires inférieurs que ceux-ci estiment indignes d'eux. D'autres encore, comme l'ancien sénateur Patrick Moynihan et le sociologue Nathan Glazer, ont imputé à la multiplication des mères célibataires les comportements asociaux qui marginalisent les enfants. Il se trouve même des essayistes conservateurs comme Charles Alan Murray pour expliquer que le quotient intellectuel des Noirs se dégraderait d'une génération à l'autre en raison de leur isolement génétique ! Ces théories sont circulaires, puisque toutes reviennent à exposer que les Noirs sont pauvres parce qu'ils le sont !

Robin des bois à Harlem

Geoffrey Canada propose une approche différente qui relie l'analyse et la solution. Il constate – ce que nul ne conteste – que les Noirs pauvres obtiennent dans l'ensemble des résultats scolaires inférieurs à la moyenne des Américains aux tests nationaux de mathématiques et d'anglais qui permettent ou non d'entrer à l'université. Pour remédier à ce décrochage connu et admis depuis vingt ans, les gouvernants de toutes tendances, à l'échelle fédérale et locale, ont multiplié les programmes de rattrapage du type cours du soir et du dimanche : sans succès significatif. L'échec, dit Canada, s'explique par les sciences cognitives : tout se joue dans les premières années de la vie, voire dès les premiers mois. Il a été amplement démontré que le score en anglais d'un élève de sept ans était en partie déterminé par le nombre de mots qu'une mère utilise en s'adressant à son enfant. Si cette mère est célibataire, peu éduquée, peu disponible, elle expose son enfant à un vocabulaire indigent et le condamne à végéter au bas de l'échelle cognitive pour le restant de son existence.

Pour y remédier, Geff Canada a créé au cœur de Harlem, dans une zone de quatre-vingt-dix-sept *blocks*, un réseau d'animateurs sociaux qui repèrent ces mères le plus tôt possible, parfois seulement enceintes : les animateurs leur proposent de monter sur ce que Canada appelle le tapis roulant *(conveyor belt)* de Harlem. Ce concept est essentiel dans la méthode de Canada. Pour les avoir gérés lui-même dans les années 1990, il avait observé que les nombreux programmes publics pouvaient être séparément efficaces mais n'étaient pas reliés entre eux. Un enfant bénéficiait, à un moment donné, d'un programme judicieux de rattrapage scolaire ou de pédagogie contre la toxicomanie, mais, dans l'entre-deux, l'absence de continuité annulait le bénéfice d'assistances dispersées. Canada en a conclu que pour sauver des enfants mal dotés par la vie, il convenait de tresser un maillage serré, concentré sur tout un quartier, afin que nul ne passe entre les mailles du filet de secours.

Dès l'âge de six mois, dans Harlem Children's Zone, les enfants se voient offrir des places de crèche où ils seront stimulés et pris en charge ; puis le cycle éducatif ne s'interrompt jamais, jusqu'à ce que les enfants entrent à l'université. Le cœur du système est le lycée *(high school)*, dénommé Promise Academy, ouvert en 2004 grâce aux dons de Robin des bois. Cette école fait rêver les mères de Harlem : tous les élèves qui en sortent seront qualifiés pour entrer à l'université. Le niveau du chômage aux États-Unis évoluant en relation directe avec celui des études, la quasi-totalité des élèves de niveau universitaire trouveront un emploi qualifié ; passer par Promise Academy offre la garantie que l'enfant échappera à la misère noire.

Comment Promise Academy obtient-elle des résultats similaires à ceux des meilleures écoles privées, onéreuses, de New York (de l'ordre de quarante mille dollars de frais de scolarité annuels) ? Promise Academy est ce que l'on appelle une *charter school*, une école publique sous contrat avec la ville. Dans ces établissements, le directeur bénéficie d'une liberté totale en matière de pédagogie, de programmes, de durée des cours, de gestion du corps enseignant. Une *charter school* coûte plus cher aux parents que l'école publique de base, mais les droits d'inscription restent modérés, sous contrôle des pouvoirs publics. À Promise Academy, les frais sont pris en charge par la Fondation Robin des bois. La demande étant plus élevée que le nombre de places disponibles, celles-ci sont attribuées par loterie. Pour s'assurer qu'aucune sélection n'opère en amont de cette loterie, les animateurs de HCZ démarchent les parents, particulièrement les Noirs et les Hispaniques bénéficiaires d'aides sociales : ils les aident à remplir les formalités administratives et les incitent à se porter candidats. Dans un souci d'équité et afin que les résultats de la Promise Academy aient valeur universelle, non biaisés par une sélection a priori, Canada tient à ce que les candidats à la loterie représentent véritablement la population locale de Harlem. Cette singulière loterie, qui permet ou non d'accéder à Promise Academy et détermine le destin des enfants, a fait l'objet d'un documentaire célèbre aux États-Unis, *Waiting for Superman*. L'espoir de Canada est que l'expérience se révèle assez convaincante pour que le modèle soit répliqué dans tous les quartiers pauvres – « tous les Harlem pas nécessairement noirs », dit-il, en sorte que le nombre de places devienne suffisant pour tous et la loterie, superflue.

Passée la loterie, les enfants chanceux de Harlem accèdent à la plus belle école du quartier : tout y est clair, propre, calme, au rebours des écoles publiques alentour. L'enseignement est fondé sur trois principes élémentaires : travail, discipline, aucune excuse. Les résultats s'avèrent excellents. Le temps passé en cours à Promise Academy est supérieur de 50 % à ce qu'il est dans les écoles publiques, voire le double pour les élèves qui ont besoin de cours de rattrapage le soir et le dimanche. Chaque classe se voit assigner des scores à atteindre en anglais et en mathématiques. Si ces scores ne sont pas atteints, que croyez-vous qu'il arrive ? Le professeur est renvoyé. Canada en licencie beaucoup : « Je leur explique, dit-il, qu'ils ne sont pas de mauvais bougres, mais qu'ils ne sont pas adaptés à ce qu'on attend d'eux. » Tenir les enseignants pour responsables de l'échec des élèves : telle est la clé de Promise Academy et de sa pédagogie. Seul le statut de *charter school* permet à Canada de congédier des enseignants qui, ici, ne sont pas syndiqués : aux yeux des syndicats de professeurs qui contrôlent à peu près toutes les écoles publiques aux États-Unis, l'alliance de Geoffrey Canada et de Wall Street est évidemment diabolique.

La philanthropie comme investissement

Sans Wall Street, sans la Fondation Robin des bois qui finance 60 % du budget, pas de Harlem Children's Zone. Mais HCZ, rétorque Canada, est un investissement rentable pour Wall Street : il adhère à la *quant philanthropy*, la philanthropie quantifiée, à la mode à New York, qui mesure les résultats du don et le justifie, tendance dont Robin des bois est le moteur. Nous y reviendrons.

Comment calculer le retour sur investissement d'un don de Manhattan sud à Manhattan nord ? Considérons, dit Canada, la situation présente : le coût collectif, payé par le contribuable, du manque d'éducation des Noirs est gigantesque. Un quart des jeunes Noirs passent par la prison, générant un coût d'incarcération de cinquante mille dollars par an et par détenu. Le manque d'éducation explique le grand nombre de mères célibataires sans ressources, prises en charge par les services sociaux publics, bénéficiaires de l'aide alimentaire publique *(food stamps)*, avant de devenir obèses, diabétiques et de peupler les services d'urgence des hôpitaux publics. Les jeunes Noirs sans éducation commettent la majorité des larcins et des crimes aux États-Unis ; ils en sont également les premières victimes, eux aussi à la charge des services d'urgence. En supposant que Promise Academy, dont le prix de revient par enfant est deux fois supérieur à celui d'une école publique, conduise tous les élèves au seuil de l'université, le bénéfice pour la société sera à l'évidence supérieur au coût de cette éducation performante.

Ces résultats ont été mesurés par deux économistes de Harvard, Roland Fryer et Will Dobbie. Leur étude rappelle que tous les tests cognitifs menés aux États-Unis montrent qu'entre enfants blancs et noirs il n'existe évidemment aucune différence d'aptitude avant l'âge de deux ans. À partir de deux ans, les enfants noirs accusent, en moyenne, dans leurs tests un retard significatif en anglais et en mathématiques. Cet écart ne cesse de s'aggraver en cours de scolarité. Pour les enfants noirs qui parviennent au seuil de l'université, le handicap est insurmontable ou n'est surmonté artificiellement que par la discrimination inversée : les universités recrutent des étudiants de cultures minoritaires en leur faisant passer des tests de niveau inférieur à ceux des Blancs.

Ces résultats statistiques s'appliquent bien entendu à des groupes, pas à un individu en particulier ; notons aussi que certains pédagogues d'obédience progressiste contestent la validité de scores qui ne reposent que sur deux critères, et ne prennent pas en considération d'autres aspects du développement scolaire des enfants. Les mêmes critiques imputent généralement le retard d'aptitude scolaire des jeunes Noirs à l'environnement social au sens large, rarement à l'enseignement en tant que tel : telle est l'idéologie dominante et politiquement correcte en sciences sociales. Mais Fryer et Dobbie ont bousculé cette croyance en se fondant sur l'expérience de Harlem Children's Zone. Il résulte de leur étude que les élèves sélectionnés par la loterie sont comparables en tout point à la moyenne des élèves des écoles publiques de Harlem : même origine sociale, même type de famille, même niveau scolaire au départ. Au terme de six années à Promise Academy, les tests d'anglais et de mathématiques révèlent une déviation positive de 20 % au profit de Promise Academy. La pédagogie de Promise Academy, concluent Fryer et Dobbie, suffit à elle seule à combler l'écart habituellement constaté entre enfants blancs et noirs. L'environnement social ne serait pas une explication valide du retard scolaire des Noirs ; seule l'école en serait responsable.

À cette révélation dérangeante, le lobby des enseignants du secteur public résiste. Ceux de Harlem, dit Canada, ont choisi de ne rien voir : aucun n'est jamais venu visiter Promise Academy qui, par ailleurs, reçoit des enquêteurs du monde entier. Les enseignants des écoles publiques, conclut Geoffrey Canada non sans une certaine générosité, sont si habitués à l'échec que celui-ci est devenu la norme. Son espoir ? Que, les preuves s'accumulant, HCZ génère une masse critique suffisante pour qu'à Harlem ce soit le succès qui devienne la norme.

Ces futurs diplômés déserteront-ils le quartier, comme le font d'ordinaire les bénéficiaires de la discrimination inversée ? Peut-être pas : Harlem s'embourgeoise, ses maisons de briques brunes sont maintenant convoitées par de jeunes familles blanches. Harlem, dit Canada, pourrait devenir une marque positive.

Harlem sans Wall Street

L'ambition de Geff Canada et son succès lui valent de ne pas faire l'unanimité à Harlem. Son école obtient certes des résultats extraordinaires, mais, observe Cheryl Pemberton, une jeune femme philanthrope et afro-américaine qui habite le quartier, « avec autant d'argent, qui n'obtiendrait pas de tels résultats ? » Le vrai talent de Canada ne serait-il pas que savoir lever des fonds ? C'est ce que laisse entendre Cheryl. Mais elle lui reconnaît le mérite d'être resté parmi les siens alors qu'il aurait pu prétendre à des fonctions publiques ou privées plus prestigieuses.

Un reproche plus sérieux lui est fait : Canada laisserait croire aux Noirs que la philanthropie ne peut être gérée que par des Blancs fortunés au bénéfice de Noirs dépendants. Geff Canada, nouvel Oncle Tom ? C'est là une accusation traditionnelle contre les Noirs qui collaborent avec les Blancs. Cheryl Pemberton a préféré créer sa propre fondation, administrée par des femmes noires de Harlem pour d'autres femmes noires, afin de démontrer combien la philanthropie est aussi un droit des Afro-Américains, que ceux-ci sont capables de créer leurs propres institutions charitables et que, pour ce faire, il leur suffit de puiser dans leur longue tradition d'entraide.

« La solidarité, explique-t-elle, a toujours existé entre hommes noirs et entre femmes noires, mais nous avons rarement eu l'intelligence d'utiliser les avantages juridiques et fiscaux que la loi américaine accorde aux institutions non lucratives. » Faute d'y recourir, la philanthropie noire reste cantonnée à quelques ensembles de logements sociaux, avec les moyens modestes que concèdent les autorités locales, comme la mise à disposition de locaux communautaires. Mais il se trouve que Cheryl travaille dans une vénérable fondation située au cœur de Manhattan, dédiée aux malvoyants : Lighthouse international. Grâce à son activité professionnelle, elle a découvert les ressources qu'offre le Code des impôts, et créé Five Pearls, la Fondation des Cinq Perles, faisant le lien entre les institutions légales de la philanthropie américaine et ce qu'elle estime être la tradition de solidarité afro-américaine. Cinq Perles ? La désignation renvoie à cinq femmes noires, étudiantes à l'université Howard, à Washington (une université noire) ; en 1920, elles y créèrent la première « sororité » noire, inspirée par les fraternités, jusque-là exclusivement blanches et masculines, des étudiants américains. À la différence des fraternités blanches, plus notoires pour leurs beuveries que pour leur générosité, que les étudiants quittent au sortir de l'université, les sororités noires sont devenues des clubs sociaux que l'on n'abandonne jamais ; à condition d'adhérer à leur charte, on peut aussi les rejoindre sans passer par l'université. La Fondation des Cinq Perles est donc une branche locale de la sororité d'origine désignée par les lettres grecques Zeta Phi Beta (toutes les fraternités et sororités américaines ont adopté ce mode de désignation) : entre eux, les membres s'appellent les Zetas.

Les jeunes femmes qui administrent les Cinq Perles sont afro-américaines ; toutes sont membres de la sororité où elles se sont connues au cours de leurs études, ou l'ont rejointe plus tard ; toutes sont acquises aux principes de solidarité et de générosité inscrits dans la charte de Zeta Phi Beta ; toutes appartiennent à une nouvelle bourgeoisie professionnelle noire ; toutes habitent Harlem où coexistent des cités défavorisées et quelques familles appartenant à la nouvelle classe moyenne noire. La répartition professionnelle des animatrices de Five Pearls est à l'image de cette nouvelle classe : les deux tiers travaillent pour des institutions publiques, dans l'enseignement, les services sociaux de la ville, et une minorité dans des entreprises privées. La séance du conseil d'administration des Cinq Perles où je suis convié, dans les locaux communautaires d'un complexe de logements sociaux, entre la 123ᵉ Rue et Lexington Avenue, s'ouvre et se clôture par une prière collective, une invocation à Dieu assez œcuménique pour que tous les membres présents s'y retrouvent : catholiques, méthodistes, baptistes, et même une musulmane qui se joint sans réticence à ses consœurs. « Nous croyons toutes en un Dieu unique », commente Cheryl Pemberton, étonnée que je puisse être interloqué par cette commune ferveur.

Depuis que Cinq Perles a été reconnu par l'administration fiscale comme fondation – une procédure administrative simple qui aboutit en moins d'un an –, il est devenu plus aisé, pour ses membres, d'obtenir des dons en argent et en nature de la part d'institutions publiques et de donateurs privés : ces dons sont déductibles des revenus des donateurs. Mais, pour l'essentiel, les financements restent fournis par les membres en fonction de ce qu'exigent leurs projets. Le principal d'entre eux est un programme d'aide aux jeunes femmes enceintes du quartier, très jeunes et souvent sans soutien de famille ; une fois par semaine, par groupes de quinze (une « cohorte »), des médecins et aides-soignantes expliquent à ces futures mères quels sont les attitudes, démarches et soins indispensables pour garder leur enfant et éviter qu'il naisse prématuré. Les candidates à ce programme éducatif, appelé « Nid de cigogne », sont repérées par les membres des Cinq Perles (une centaine de femmes qui habitent sur place) et orientées vers la fondation par l'hôpital central de Harlem. Pour inciter ces futures jeunes mères à assister au programme, à l'issue de chaque séance la fondation leur remet des bons d'achat pour des vêtements et des équipements indispensables aux bébés que l'on espère voir parvenir à terme. « Notre critère de succès, dit Sharon LaDay, qui dirige ce programme, est le nombre de bons d'achat distribués : quand notre centre de distribution de vêtements est dévalisé, nous savons que nous sommes sur la bonne voie. »

La « bonne voie » se poursuit jusqu'à l'adolescence : les Cinq Perles ont créé un club social pour enfants et adolescents – les Archonettes – où l'on enseigne les « bonnes manières ». Sans ces bonnes manières, ne serait-ce que comment se tenir à table, explique Sharon LaDay, les jeunes femmes noires ne pourront pas s'intégrer à la société américaine. « Le but ultime des Cinq Perles, précise-t-elle, est de permettre à chaque jeune fille *(young lady)* de Harlem de devenir, à terme, une "citoyenne américaine ayant réussi". »

Les administratrices des Cinq Perles ne sont pas conservatrices : toutes se situent dans le camp démocrate, elles soutiennent avec ferveur le Président Obama, mais elles n'envisagent pas de bouleverser la société américaine. Elles ne se mobilisent pas pour changer l'*American way of life*, mais pour augmenter le nombre de celles qui pourront y accéder : cela fait trente ans que le mouvement révolutionnaire des Black Panthers a déserté Harlem, cédant la place à la philanthropie et à l'œcuménisme.

À l'inévitable question sur la motivation des Cinq Perles, les réponses sont conformes à ce que déclarent tous les animateurs de la philanthropie en Amérique, qu'ils soient super-riches ou à peine fortunés : « La joie que j'éprouve à aider mes sœurs, dit Sharon LaDay, est ma principale récompense. » « Nous créons une dynamique qui améliore la société. » « Améliorer la condition humaine », lit-on dans les statuts des Cinq Perles. Andrew Carnegie, en son temps roi de l'acier, ou Bill Gates, roi du nôtre, ont apporté la même réponse à la même question. Mais, à la différence de Carnegie ou de Gates, Cheryl et Sharon, qui consacrent tout leur temps libre à Cinq Perles, n'en retirent aucun prestige ; elles ne bénéficient d'aucune notoriété hors de leur cité, et n'en attendent aucune. Devrait-on considérer qu'il s'agit ici d'altruisme à l'état pur ?

Nous verrons que les philanthropes suivants, qualifiés d'« entrepreneurs sociaux », n'ont pas cette modestie : eux veulent « produire » du bien en appliquant les méthodes du management capitaliste.

CHAPITRE III

L'entrepreneur social

Le 26 décembre 1985, George McDonald, directeur du marketing d'une société de textile, débarquait comme chaque matin de son train de banlieue à Grand Central, à New York. Deux policiers l'interpellèrent, non pour quelque délit, mais pour identifier le corps d'une femme d'une soixantaine d'années surnommée Mama Doe. Doe est le nom que les autorités américaines confèrent à tout inconnu et à ceux dont on ne souhaite pas divulguer le nom. Mama, figure emblématique de Grand Central, vivait dans une hutte en carton – là où se trouve aujourd'hui la boutique élégante d'Apple – et exerçait sur les autres sans-abri une sorte d'autorité morale. À son accent, on devinait qu'elle venait d'Europe centrale ; rien de plus. Sous l'influence de la pensée progressiste de l'époque, les règlements de police interdisaient d'expulser Mama Doe et de lui poser la moindre question. En 1985, les portes cochères de Manhattan, les marches des églises étaient occupées par une faune mêlant sans-abri, drogués et malades mentaux en liberté ; la criminalité urbaine y était la plus élevée des États-Unis ; les entreprises partaient pour le New Jersey

voisin, et les habitants plus fortunés, pour le Connecticut.

George McDonald avait été repéré parce que,
passant devant Mama Doe, il glissait toujours une
aumône dans sa sébile ; il identifia son corps tuméfié
et son visage couperosé. Cette lugubre rencontre à la
morgue de Grand Central fit basculer sa vie en même
temps qu'elle devait modifier le regard porté par les
New-Yorkais sur les sans-abri.

Après le décès de Mama Doe, McDonald se joignit
à une association catholique pour distribuer des sand-
wiches aux sans-domicile-fixe. « Cette expérience,
dit-il aujourd'hui, m'a permis de mieux connaître le
peuple des paumés » : de nombreux drogués, une
majorité d'anciens taulards tout juste sortis de prison,
des chômeurs sans protection sociale, des malades
mentaux que la mode psychiatrique invitait à remettre
en circulation. McDonald constata combien le plus
grand nombre souhaitait revenir à la vie normale des
Américains ordinaires : tous ou presque désiraient un
emploi, n'importe lequel, pour se fondre dans cette
normalité. Ainsi naquit dans son esprit le projet du
Doe Fund, une « entreprise sociale » de retour à l'emploi
destinée aux handicapés de la vie.

La Fondation Doe

Trente ans plus tard, à l'angle de la 86e Rue et de
Lexington Avenue, sept heures du matin : tous les
jours sauf le dimanche débarquent d'un camion de
nettoyage une douzaine d'hommes en uniforme bleu.

Sur leur vêtement de travail on peut lire la devise du Doe Fund : *Ready, willing and able* (Prêt, volontaire et capable). Ces hommes passeront la journée à nettoyer le quartier, chaussée et trottoirs, ramenant propreté et sécurité à l'un des carrefours les plus fréquentés de New York où convergent les lignes de métro. Auparavant, ce quartier ressemblait plus à une déchetterie qu'au « block » commerçant qu'il est devenu. Les riverains en sont reconnaissants aux nettoyeurs de Doe qu'ils saluent et qu'ils financent : les équipes de nettoyage sont employées par une entreprise sociale non lucrative, une institution qui ne relève ni du service public financé par le contribuable, ni du capitalisme. L'entreprise sociale est un entre-deux, un « troisième secteur » qui fonctionne comme une entreprise, mais financée par des dons : chaque année, dix mille donateurs versent à Doe quelque douze millions de dollars. Les contributions les plus modestes sont de l'ordre de mille dollars, et certaines fondations accordent jusqu'à cinq cent mille dollars. L'objectif de Doe n'est pas de faire des profits, ce qui lui est légalement interdit, mais de rendre un service collectif. C'est une illustration d'un principe repéré par Alexis de Tocqueville : l'initiative privée aux États-Unis n'est pas en contradiction avec le bien collectif, elle peut y contribuer là où l'État est absent, défaillant ou sans imagination. Le propre de l'entreprise sociale est d'expérimenter des solutions inédites en réponse à des situations complexes qui paraissent sans issue. Les paumés de Grand Central correspondaient à cette définition avant que McDonald n'imagine sa solution, imparfaite, certes, et controversée, comme nous le verrons, mais qui, nul ne le conteste, rétablit de la dignité humaine et sauve des vies.

Celle de Santos, par exemple. D'origine portori-
caine, après seize ans de prison pour un meurtre commis au cours d'une rixe dans le Bronx, il n'avait
connu, au sortir de son incarcération, que la dérive,
le monde de la drogue et les abris de nuit qu'offre la
ville de New York. Dans ces abris sévissent, dit-il,
un climat de violence et un manque d'hygiène qui
lui faisaient regretter sa cellule. Il tenta de suivre
quelques programmes publics de désintoxication dans
des hôpitaux publics de la ville : le taux de succès y
est notoirement nul. Trouver un travail ? Tout entretien d'embauche échouait dès que Santos faisait état
de son passé judiciaire. Jusqu'au jour où un conseiller
social de la ville l'orienta vers Doe tout en l'avertis-
sant que ce serait « dur ».

Dans les abris publics et centres de désintoxication
gérés par la ville, aucune question n'est posée aux
paumés, on ne leur impose rien. Cette liberté absolue
du sans-abri est la traduction administrative de l'idéologie qui prévaut depuis les années 1970 : le sans-abri
a droit à sa liberté, comme tout citoyen. Il s'agit là
d'une sorte de « libéralisme » poussé à l'extrême, que
George McDonald ne partage pas : Doe a été fondé
sur le principe inverse. Les « apprentis » *(trainees)*
recueillis par la fondation ont des obligations : suivre
une formation, travailler, payer pour cette formation
et pour leur logement.

Santos s'est présenté au Centre Doe de Harlem, en
haut de l'avenue Frederick Douglas, proche de la
frontière avec le Bronx. Ce n'est pas un quartier paisible : des jeunes gens y déambulent jour et nuit, s'y
adonnant à des trafics en tout genre. Le Centre Doe,

installé dans une école désaffectée, paraît un havre de tranquillité, de propreté et de sécurité : on n'y entre qu'après avoir franchi un portail de détection des armes. Pour Santos, les deux premiers mois au Centre Doe furent rudes. Partageant sa chambre avec un apprenti plus ancien, il a redécouvert les contraintes d'une vie « normale » : se lever de bonne heure, se coucher tôt, respecter le couvre-feu de dix heures du soir, nettoyer sa chambre, se vêtir convenablement, subir un test quotidien de détection des drogues. Les journées sont consacrées à la formation au nettoyage des rues, à l'extermination des rats d'égout, mais aussi à la cuisine, à l'informatique, à la conduite pour ceux qui n'ont pas de permis. Doe s'interdisant de sélectionner ses apprentis, les deux premiers mois opèrent un tri entre ceux qui iront au terme du parcours de réinsertion et ceux qui démissionneront : 60 % restent, dont Santos, grâce, dit-il, à l'humanité de l'encadrement.

Les cadres, souvent d'anciens taulards, savent parler à leurs apprentis, comprennent leur souffrance ; ils les aident à franchir un parcours par étapes qui rappelle les réunions d'associations américaines du type Alcooliques anonymes. Chez Doe, on parle, on se parle, on s'écoute : en s'écoutant les uns les autres, dit Santos, on apprend la tolérance et la sociabilité. « Dieu aussi, dit Santos, m'a aidé : Il a voulu que je suive ce parcours. » Doe, une entreprise de conversion religieuse ? Parmi les nombreux apprentis que j'y ai rencontrés – il en séjourne quatre cents pour neuf mois en moyenne –, Santos est le seul à avoir invoqué Dieu. Pour les autres, la religion, bien qu'omniprésente dans la société américaine, constitue une affaire privée. Naze Griffin, le directeur du Centre, me dit :

« Nous sommes au cœur de Harlem, quartier à forte densité de prédicateurs, mais nous n'en laissons entrer aucun » : ils sont priés de laisser leur documentation à l'entrée du Centre. Lui-même catholique affiché, George McDonald souhaite que la religion ne joue aucun rôle dans le parcours de réinsertion.

Cette laïcité est plutôt exceptionnelle aux États-Unis. Quelques raisons légales l'expliquent : la Fondation Doe percevant des aides publiques, tout prosélytisme religieux lui est interdit en raison de la stricte séparation des Églises et de l'État. En pratique, bien des fondations et associations charitables ne tiennent pas compte de ce « mur » de séparation théorique. Partout aux États-Unis, nombreuses sont les œuvres de réinsertion des prisonniers, qui invitent la religion dans leur démarche : à Los Angeles, il revient à un jésuite, le père Greg Boyle, de proposer aux gangsters libérés un service gratuit d'effacement des tatouages sur le visage et les mains. Ces tatouages distinctifs des gangs de la ville interdisent en pratique de trouver un travail honnête. Un certain José, protégé du père Greg, m'a assuré qu'après plusieurs séances « l'alliance de Jésus et du laser » lui rendrait figure humaine et lui vaudrait un billet de retour dans la société.

À New York, Doe inculque plutôt la religion du travail. De ses premiers jours de labeur, Santos conserve un souvenir positif. Ne fut-il pas embarrassé de se retrouver un beau matin, en uniforme bleu, à l'angle de la 96e Rue, à passer la journée à vider des corbeilles et à laver les trottoirs ? À sa propre surprise, c'est l'inverse qui se produisit. Lui qui, depuis des années, évitait le regard de l'autre et que l'autre évitait de regarder, se vit confronté à ses semblables : eux le regardaient, lui souriaient, le saluaient. On sait, dans ce quartier, qui sont les apprentis de Doe, on sait aussi que les saluer contribuera à leur réinsertion. En stage, Santos avait appris qu'il convenait de répondre : dire bonjour marquait une étape dans son retour à la vie normale. Le premier jour, il s'y contraignit ; les jours suivants, ces salutations réciproques lui vinrent tout naturellement. « Habiller les apprentis d'un uniforme visible, clairement identifié, explique McDonald, releva d'un choix stratégique » : le retour dans la société exigeait que ces hommes retrouvent une visibilité, pour eux-mêmes et dans le regard des autres.

Pour son travail de nettoyeur des rues, Santos est rémunéré, légèrement au-dessus du salaire minimum. Avec ce revenu il est incité par les cadres de Doe à ouvrir un compte en banque et un livret d'épargne ; il doit aussi payer son logis et ses repas. En gérant son budget au plus juste, ce qui constitue une autre étape dans le parcours de réinsertion, Santos parvient à épargner deux cents dollars par semaine. Au terme de son stage, qui ne doit pas dépasser un an – une règle de Doe –, il ne se retrouvera pas à la rue, sans ressources. Gérer son budget, redécouvrir la valeur des choses et épargner ont redonné à Santos, dit-il, confiance en lui-même.

Au terme de son parcours, il reste à franchir l'étape ultime, celle pour laquelle il a rejoint la fondation : travailler. Ce qui n'est plus hors d'atteinte. Doe reçoit de nombreuses offres d'emplois pour les apprentis, les employeurs potentiels considérant qu'un an passé dans cette institution est une garantie de sérieux, et, pour d'anciens prisonniers et drogués, la preuve de leur volonté de retour à la vie active. Le jour de notre rencontre, Santos hésitait entre un emploi d'agent de sécurité et un autre de concierge de nuit ; il est devenu agent de sécurité.

L'histoire de Santos est représentative de la moyenne des apprentis de chez Doe. Mais tous n'auront pas suivi le parcours jusqu'à son terme. Le taux de réinsertion chez les anciens, mesuré un an après leur retour à la vie normale, est de l'ordre de 60 %, réussite exceptionnelle compte tenu de la population concernée et de l'absence de sélection des candidats. Doe est pourtant une entreprise sociale controversée, de même que l'est McDonald, son fondateur, qui a l'audace de se déclarer catholique et conservateur.

La rédemption par le travail

McDonald se vante de croire en la rédemption par le travail, à l'économie de marché et au capitalisme. Mais, à New York, catholique et conservateur n'est pas une étiquette bien acceptée dans les milieux de la réinsertion sociale. L'obligation faite aux apprentis de travailler et de payer leur abri est contestée par les progressistes new-yorkais : ils y voient une atteinte à la liberté du sans-domicile-fixe. « Les apprentis de Doe sont volontaires ! » rétorque McDonald. Il est également fier de gérer Doe comme une entreprise, selon des méthodes de management empruntées à l'économie de marché, et avec une exigence de résultats chiffrés : « Les donateurs, dit-il, ont le droit de mesurer l'utilité sociale de leurs dons. » Doe emploie à temps plein un économiste chargé d'évaluer ce rendement social.

Comme Geff Canada, McDonald s'inscrit dans le mouvement général de « quantification » de la philanthropie qui gagne les fondations américaines. Cette tendance a pris de l'ampleur depuis la crise financière de 2008 ; l'exigence de rendement est accentuée par les collectivités publiques, les administrations fédérales et locales qui subventionnent les entreprises sociales. En sus des dons privés, Doe reçoit des aides de la ville de New York, la loi municipale obligeant la ville à loger les sans-abri : comme beaucoup d'entreprises sociales, Doe est de ce fait, pour partie, un sous-traitant de la collectivité publique. Doe répond aussi à des appels d'offres pour des opérations de nettoyage urbain ou de dératisation, en concurrence avec des entreprises privées qui font le même métier. Les critiques de Doe observent que l'entreprise sociale, bénéficiant du statut d'institution non lucrative, ne paie pas d'impôts locaux ni fédéraux, ce qui fausse la concurrence avec le secteur privé. L'objection vaut pour tout le secteur non lucratif aux États-Unis où les institutions caritatives et religieuses exercent souvent quelques activités marchandes : l'administration fiscale arbitre ce mélange des genres en tolérant les activités lucratives à condition qu'elles restent périphériques et cohérentes avec l'objet principal de l'institution. McDonald ajoute qu'en concurrence avec des entreprises privées parfois il emporte le marché, parfois il le perd ; si la fiscalité était déterminante, ne devrait-il pas emporter *tous* les marchés publics ?

Le raisonnement ne convainc pas absolument : nous verrons comment, depuis 2013, une commission d'enquête sur la philanthropie, présidée par le député de Louisiane Charles Boustany, s'interroge sur la distorsion de concurrence qu'engendre la fiscalité des fondations.

Qu'il s'agisse de Doe ou de toutes les entreprises sociales bénéficiant du statut d'entreprise non lucrative, il est difficile de prendre parti : leur utilité sociale mérite-t-elle ou non une exemption fiscale qui risque de fausser la concurrence ? Autour de ces entreprises sociales, quand elles collaborent au service public, plane une autre zone d'ombre : les accointances politiques. Il appert que McDonald soutient Michael Bloomberg, maire de New York, la ville qui lui passe des contrats. Admettons que la corruption soit tout aussi constitutive de la société américaine que le volontariat et le don. Par-delà ces controverses, la contribution sociale de Doe n'en est pas moins incontestable, parce qu'elle sauve des individus en perdition et que ceci est bel et bien mesurable.

Le prix de la réinsertion

« On gère mal ce que l'on ne sait pas mesurer » : c'est un des principes essentiels du Doe Fund. À la demande de McDonald, un expert en criminalité de Harvard, Bruce Western, a quantifié l'impact sur le crime du programme de réinsertion de Doe. Western a comparé un échantillon de « diplômés » de Doe rendus à la vie civile avec des groupes d'anciens prisonniers libérés sur parole dans la ville de New York, mais non passés par Doe. Les profils de tous – origine culturelle et raciale, types de condamnation – sont en principe identiques. Trois ans après être sortis de prison, le taux de récidive est inférieur de 60 % chez les anciens de Doe par rapport à un groupe témoin qui n'est pas passé par cette formation. En comparant le coût de la formation Doe avec ce que coûte aux contribuables l'incarcération d'un individu, le bénéfice collectif apporté par Doe dépasse de 21 % le prix d'une détention. Cette estimation brute ne prend pas en compte les avantages moins aisément quantifiables, pour l'individu concerné comme pour la société entière, d'une absence de récidive.

Une autre expertise, menée par le cabinet comptable Marks, Paneth & Schron, a tenté de dépasser l'analyse des coûts et bénéfices directs de Bruce Western en intégrant dans un bilan tous les coûts de Doe, dons et contributions publiques, et en mettant en regard tous les avantages du programme, jusques et y compris l'amélioration de l'environnement urbain. Ce type d'analyses comptables des comportements sociaux sont constantes aux États-Unis. Il en ressort ici un surplus de 3,31 dollars pour chaque dollar investi : tel serait le bénéfice social net de Doe.

Enfin les managers de Doe suivent au jour le jour les résultats de leur programme pour l'ensemble de l'institution et pour chaque apprenti : toute défaillance du système de réinsertion est repérable grâce à cette « comptabilité sociale analytique ».

Compte tenu du taux de réinsertion réussie par Doe, on peut estimer que chaque apprenti réinséré dans la vie active revient à huit mille dollars pour les donateurs privés et publics : est-ce trop ? Certains critiques de McDonald, dans les milieux progressistes, estiment que son salaire et celui de son épouse, impliquée dans l'organisation, sont trop élevés : deux cent mille dollars par an. McDonald gagne ce qu'il gagnerait à la tête d'une entreprise commerciale gérant un chiffre d'affaires de cinquante millions de dollars, ce qui est le budget annuel de Doe. « L'entrepreneur social, se défend McDonald, est un entrepreneur qui, au lieu de vendre des biens ou des services commerciaux, produit du bien collectif, de la qualité de vie. » L'argument est recevable, et sa rémunération se situe dans la moyenne de ce que perçoivent les dirigeants des grandes institutions philanthropiques : selon une enquête de la Fondation Charity Navigator menée auprès des trois mille plus grandes fondations américaines, le salaire moyen d'un président est de cent cinquante mille dollars, sensiblement inférieur à ce qu'il serait dans le secteur privé.

Mais la vertu première des entreprises sociales qui, à mon sens, légitime leur statut d'entreprises non lucratives, est leur capacité d'innover, d'expérimenter, voire d'échouer. Ce droit à l'expérimentation n'est guère permis au service public quand il est géré par des élus avec les ressources des contribuables : l'État n'ayant pas droit à l'erreur, quand il se trompe il se condamne en général à persévérer. À l'inverse, l'entrepreneur social participe du cycle de la création destructrice chère à l'économiste Schumpeter : il peut disparaître, faire faillite, être évincé du marché par d'autres entrepreneurs sociaux plus novateurs ou moins onéreux. L'utilité ultime de l'entreprise sociale tient à cette obligation d'innover, de réussir, sous peine de disparaître, ce qui amende en définitive le destin des plus déshérités. La société américaine est évidemment imparfaite, mais les entrepreneurs sociaux l'améliorent.

Cette société serait-elle préférable si, comme dans l'Europe social-démocrate, l'État gérait à peu près tout ce qui relève de la solidarité, sans laisser grand place à l'initiative privée ? On l'ignore, puisqu'il est impossible de comparer des civilisations si distinctes que l'Europe et les États-Unis, et qu'aux États-Unis nul n'imagine que l'État puisse se substituer à l'initiative privée. L'entrepreneur social, cet hybride intercalé entre l'État et le marché, est indissociable de la civilisation américaine : il ne pourrait devenir une source d'inspiration en Europe que dans l'hypothèse où les systèmes publics de solidarité sombreraient dans la faillite ou feraient peser sur les budgets européens un insupportable fardeau.

En sommes-nous si éloignés ?

La grande effervescence

Des entrepreneurs sociaux, il en existe aux États-Unis des dizaines de milliers, plus peut-être, car nombreux sont les volontaires qui méconnaissent l'expression ; ajoutée récemment au vocabulaire philanthropique par l'un d'eux, Bill Drayton, que nous rencontrerons plus tard. Ces entrepreneurs sociaux ont eu un jour une idée pour réparer la société ou l'améliorer, et sont passés à l'acte. Nombre d'entre eux sont des retraités, la retraite étant considérée aux États-Unis comme une nouvelle vie où il convient de se consacrer au volontariat et à la mise à disposition de son capital de connaissances (ou d'argent), au bénéfice des plus jeunes qui en ont besoin.

Souvent la ferveur religieuse qui irrigue la société américaine détermine la vocation de l'entrepreneur social. Michael Dippy, jeune avocat à Orlando, en Floride, se souvient d'avoir été interpellé par son pasteur, un dimanche, à la sortie de l'office. Ce pasteur lui demanda d'identifier au sein de sa communauté une défaillance insupportable à laquelle nul n'avait jusque-là réfléchi et de consacrer son temps libre à la réparer. Dippy se remémora la visite d'un client d'origine cubaine : après s'être fait voler ses pièces d'identité, il s'était trouvé dans l'incapacité de prouver qu'il était légalement entré aux États-Unis. Au terme d'un parcours kafkaïen, ce sans-papiers involontaire perdit alors son emploi, son assurance sociale, son logement, l'accès à son compte en banque. Il fallut à Michael Dippy plusieurs jours de démarches, solliciter plusieurs administrations pour que son client recouvre son identité et la preuve qu'il était bien celui qu'il prétendait être.

Michael Dippy fut également choqué de découvrir que des sans-papiers, décédés dans la rue ou dans des abris charitables, étaient inhumés anonymement sans que leur famille eût été informée, parce qu'ils n'avaient pas sur eux de papiers d'identité, la loi américaine n'imposant le port d'aucun.

Ayant ainsi distingué ce problème auquel nul n'avait songé, Michael Dippy a créé une entreprise sociale, un bureau d'avocats soutenu par des dons philanthropiques qui restaure à titre gratuit l'identité perdue d'environ trois cents clients par mois. Il se trouve aux États-Unis, estime-t-il, dix-sept millions de personnes incapables de prouver leur identité, qui ne peuvent pas passer leur permis de conduire, pas inscrire leur enfant à l'école, pas être couverts par la Sécurité sociale, pas ouvrir un compte en banque. L'entreprise sociale fondée par Michael Dippy n'emploie que deux personnes :

elles ont créé un modèle type de recherche d'identité (IDignity) qu'elles espèrent voir répliquer en d'autres villes où les sans-papiers sont légion.

Michael Dippy figure au nombre des entrepreneurs sociaux à qui, chaque année, le Manhattan Institute for Policy Research, une fondation conservatrice, accorde un prix qui facilite le développement de ces actions souvent individuelles et impécunieuses. La cérémonie, qui se tint en l'occurrence à New York le 14 novembre 2012, reflétait bien l'imagination de ces entrepreneurs sociaux. Le Manhattan Institute distingua Marc Goldsmith, patron en retraite d'une entreprise de cosmétiques, qui s'attache à réduire le taux de récidive des jeunes prisonniers incarcérés dans la colonie pénitentiaire de Rikers Island. Marc Goldsmith rend visite aux prisonniers dès le premier jour de leur détention et leur propose de participer à un programme de formation intitulé GOSO *(Go out, Stay out)*, qui fait appel aux talents singuliers des jeunes prisonniers : il persuade les dealers de drogue de devenir agents commerciaux, les trésoriers des cartels de devenir comptables... À leur sortie de prison, ceux qui sont tentés de reconvertir leur talent naturel en une activité similaire mais légitime suivent une formation et des stages que Goldsmith déniche grâce à son réseau d'affaires. Le taux de récidive des anciens prisonniers passés par GOSO n'est que de 20 % contre 60 % en moyenne pour la population de Rikers Island.

Dans la même veine – l'esprit d'entreprise au service de la réinsertion des mal partis de la vie –, Suzanne McKechnie Klahr, conseil en management à

Palo Alto, en Californie, a eu l'idée de réduire le nombre considérable des élèves « décrocheurs » qui abandonnent le lycée en cours d'études *(drop out)* en les aidant à créer leur propre entreprise tout en restant au lycée. Suzanne a constaté que la plupart de ceux qui abandonnent l'école le font parce qu'ils s'y ennuient et ont par ailleurs besoin d'un « petit boulot » pour survivre. Avec le soutien philanthropique d'entreprises de la Silicon Valley comme Google et Cisco, Suzanne a créé l'entreprise sociale In Business to learn, qui inculque aux élèves tentés de « décrocher » les rudiments de la création d'entreprise. À la suite d'accords passés avec dix-huit établissements publics de la région, assister à un cours dispensé par In Business to Learn dispense partiellement du lycée. En 2012, 80 % des élèves qui s'étaient engagés à suivre l'enseignement de cette entreprise sociale ont obtenu leur baccalauréat, et 80 % d'entre eux sont entrés à l'université.

Citons aussi Daniel Reingold qui détecte les abus commis sur des personnes âgées dépendantes, souvent par des membres de leur propre famille : un mal absolu ignoré de nos sociétés, parce que le plus souvent invisible. Ancien procureur, Reingold a créé un modèle de repérage des abus qu'il met à disposition des postiers, livreurs, concierges d'immeubles, personnels soignants, guichetiers de banque – tous ceux qui pourraient passer à côté d'une personne âgée sans remarquer qu'elle est maltraitée, parce qu'elle-même veillera en général à le dissimuler. En complément de ce repérage, Reingold a ouvert, grâce à des dons privés, une entreprise sociale de premiers secours, et les moyens légaux de préserver les intérêts des victimes.

La récompense ultime remise au cours de cette cérémonie – le Prix de la Fondation William Simon (un ancien ministre de Richard Nixon) – fut accordée à Brian Lamb, fondateur de C-Span, une chaîne de télévision non lucrative, exempte de publicité, dont l'audience n'est jamais mesurée. C-Span rend compte en continu de tous les débats politiques, fonction essentielle dans la démocratie américaine. « C-Span, déclara Brian Lamb, est entièrement financée par la philanthropie, elle couvre l'action du gouvernement sans percevoir un cent du gouvernement. » Propos très applaudi par une assemblée à dominante conservatrice. « J'ignorais, conclut Brian Lamb, que j'étais un entrepreneur social, mais depuis que j'ai découvert l'expression, je sais enfin ce que je suis. »

De la philanthropie comme idéologie

Il faut rendre à Bill Drayton, déjà cité, ce qui lui appartient : la formule « entrepreneur social » est sa création. « Les mots définissent une société », dit-il. Aux États-Unis, le secteur philanthropique a toujours été désigné de manière négative : « non profitable », comme si la norme devait être le profit et que la philanthropie constituait en soi une aberration. En Europe, ce troisième secteur est dit « non gouvernemental », comme si l'État était juste, et la philanthropie une anomalie. De part et d'autre de l'Atlantique, la philanthropie est définie en creux par opposition au capitalisme (en Amérique) et à l'État (en Europe). L'observation de Bill Drayton est judicieuse, et la mutation sémantique qu'il propose va donc au-delà d'une question de vocabulaire : l'entrepreneur social deviendrait la norme tandis que l'État et le capitalisme seraient relégués à la périphérie. Cette révolution porte : Drayton peut mesurer dans les médias – le *New York Times* en particulier – la progression constante de l'expression qu'il a forgée. Elle se substitue peu à peu à « *non profit* » et à « non gouvernemental ».

Il préconise aussi, avec un succès appréciable dans les médias sociaux, l'expression « communautés de citoyens » pour désigner ceux qui se rassemblent en vue de financer et gérer des institutions philanthropiques. Il faut par ailleurs dire entrepreneur social plutôt qu'entreprise sociale, précise-t-il, car ce qui, selon lui, est décisif, ce n'est pas la forme juridique qu'adoptent les communautés de citoyens : l'entrepreneur social peut aussi bien diriger une fondation, une association ou une entreprise capitaliste. L'important, c'est la motivation de cet entrepreneur et le résultat de son action.

La motivation ? Selon Drayton, il s'agit de l'empathie : l'amour du prochain par opposition à la quête du profit qui prévaut chez l'entrepreneur capitaliste, et à la quête de pouvoir qui l'emporte chez le bureaucrate et l'homme politique. À le suivre, ce que produit l'entrepreneur social est le changement de la société vers un plus grand bonheur collectif.

Figure de proue de la philanthropie aux États-Unis, sujet de plusieurs biographies dithyrambiques, Drayton serait-il le gourou d'un mouvement qu'il a nommé mais – précise-t-il – qu'il n'a pas lui-même inventé ? Gourou est sans doute le terme approprié, puisque c'est en visitant l'Inde à la fin des années 1970 qu'il a découvert la misère du monde : la fondation qu'il a créée à la suite de ce voyage initiatique porte le nom

d'un ancien souverain d'il y a quelque deux millé-
naires, le roi Ashoka, censé avoir été tolérant envers
toutes les religions. Un gourou inattendu, cependant :
diplômé de Harvard, ancien cadre dirigeant de l'entreprise de conseil McKinsey, Drayton a conservé de sa
première vie des petites lunettes de comptable, un costume strict, un discours méthodique, et sa carte du
Harvard Club à New York où il reçoit. Ashoka est
devenue une fondation majeure, présente dans une
douzaine de pays, animée par trois mille *fellows* – terme
difficile à traduire, admet Drayton : le *fellow* est un
disciple d'Ashoka, un entrepreneur social, un acteur
du changement *(game changer)*, une sorte de missionnaire.

« L'entrepreneur social, résume Drayton, n'est pas
ma création, mais relève d'un constat. » Vers 1980, il
lui est apparu avec évidence que le monde basculait
vers un ordre nouveau : auparavant, les sociétés occidentales et celles tout juste décolonisées hésitaient
entre capitalisme et socialisme ; or ni l'un ni l'autre
ne satisfaisaient les aspirations des générations mon-
tantes : spontanément, dans le monde entier, des communautés de citoyens ont alors dépassé ce dilemme
pour devenir des entrepreneurs sociaux. Drayton se
serait contenté de repérer le phénomène et de le qualifier à la manière dont Adam Smith avait repéré
l'économie de marché décrite dans *Recherche sur la
nature et les causes de la richesse des nations* en
1776, et à la manière dont Alexis de Tocqueville avait
repéré la société démocratique dans *De la démocratie
en Amérique*. Soit ! Mais Bill Drayton, me semble-t-il,
fait l'impasse sur les bases financières de l'entrepreneur social : sans l'entrepreneur capitaliste avide de
profit personnel, où les philanthropes trouveraient-ils

les fonds nécessaires à leur volonté de changer ou améliorer le monde ? Et sans les bureaucrates affamés de pouvoir, qui garantirait l'État de droit permettant de faire le bien dans un cadre juridique et politique relativement stable ?

Fabriquer de l'empathie ?

Bill Drayton a contourné ces objections triviales pour passer du statut d'analyste à celui d'idéologue de la philanthropie. Dès lors que celle-ci est fondée sur l'empathie, pourquoi ne pas développer ce sentiment chez le plus grand nombre en l'« enseignant » dès l'enfance ? Certains disciples d'Ashoka au Canada et aux États-Unis sont devenus, par-delà leur activité d'entrepreneurs sociaux, des pédagogues en empathie. Ils interviennent dans les écoles pour tenter de réduire la violence entre élèves. À partir d'expériences initialement conduites à Toronto, au Canada, par une *fellow* d'Ashoka, Mary Gordon, et son association Racines de l'empathie, Drayton a imaginé qu'il était possible de former à l'empathie plutôt qu'à l'agressivité de tout jeunes enfants. Avec l'accord de directeurs d'écoles à Oakland, en Californie – ce laboratoire américain de l'innovation –, des *fellows* développent ou estiment développer dans les écoles élémentaires, par des jeux collectifs, le sentiment d'empathie qui, selon Drayton, évacuera la soif de pouvoir et d'argent. Devraient en naître, par éducation et contagion, des générations toujours plus nombreuses d'entrepreneurs sociaux.

Quelle est la validité scientifique de cet enseignement de l'empathie ? Des études d'évaluation seraient

en cours à l'université de Stanford, pour l'heure sans
résultats concluants. En admettant le bien-fondé de
cette démarche, les nouveaux « empathiques » seront-ils
jamais autre chose que des minorités dans un monde
dominé par le lucre et la violence ? « Les minorités
actives changent le monde », répond Drayton. Un grand
entrepreneur capitaliste peut faire passer un pays de
la misère à la prospérité ; de même, un entrepreneur
social pourrait réorienter le monde vers la générosité,
la solidarité, le bonheur.

Le bonheur est un refrain, chez Drayton : inévitablement, on pense à la Déclaration d'indépendance de
1776 qui confère aux citoyens américains ce droit au
bonheur *(pursuit of happiness)*. Mais Bill Drayton ne
se réclame pas de Jefferson, auteur de cette formule ;
son modèle est Ignace de Loyola, fondateur de l'ordre
des Jésuites. « Une poignée de jésuites, en cinq siècles,
dit-il, a changé le monde par la raison et par l'éducation. » Entre Ashoka et Loyola, on chavire ! « Ce ne
sont là que des sources d'inspiration », me rassure
Drayton.

Ashoka n'est pas organisée comme l'ordre des
Jésuites : aucune hiérarchie n'y règne, la fondation est
« fluide » et tient par ce que Drayton appelle la « fibre
éthique » *(ethical fiber*, terme anglo-indien à l'origine) de ses *fellows*. Comment devient-on *fellow*
d'Ashoka ? Les *fellows* se « reconnaissent entre eux »,
mais, avant d'accéder à ce statut, il leur faut se sou-
mettre à quelques tests psychologiques administrés
par Drayton et à une batterie d'entretiens avec des
collaborateurs d'Ashoka acquis à la cause. La plupart
des fondations évaluent des programmes ; Ashoka
sélectionne des individus avec l'ambition de créer une

élite d'« acteurs du changement ». Ashoka ne finance pas des actions, mais accorde une bourse, pendant trois ans, à ceux qui veulent – et vont – changer le monde.

J'ai décliné l'offre de rejoindre cette compagnie, car la démarche de Drayton suppose de changer l'homme, ce qui, dans l'histoire de l'humanité, n'a jamais produit d'heureux résultats. Mais une certaine propension à l'excès traverse toute la société américaine : avant de rencontrer Bill Drayton, je ne concevais pas que des philanthropes prétendent incarner le bien plutôt qu'aspirer à sa simple recherche.

CHAPITRE IV

La révolution quantique

La Bourse américaine échappe au règne de la raison. Dans ses annales, le 9 octobre 1987 est connu sous le nom de Lundi noir : ce jour-là, les cours s'effondrèrent de 22 %, baisse sans précédent, y compris lors de la crise de 1929. L'événement reste inexpliqué : aucun signe ne l'annonçait. Les hypothèses les mieux reçues relèvent de la science physique plutôt que de l'analyse économique : pour faire simple, disons que la Bourse, comme le climat, est un lieu où convergent des millions de phénomènes débouchant de temps à autre sur une « catastrophe » inévitable.

Pourtant, à Greenwich, dans le Connecticut, un gestionnaire de fonds âgé de trente-sept ans, Paul Tudor Jones, avait anticipé le krach en observant les méthodes de transaction boursière qu'autorisait la nouvelle puissance des ordinateurs ; ces techniques, estimait-il, conduiraient inéluctablement à un accident du système, sans raison économique. Deux ans plus tard, les cours de Bourse retrouvèrent leur niveau antérieur au krach. Paul Jones, qui venait de créer son fonds de gestion, Tudor Investment, avait joué son va-tout à la baisse : le Lundi noir multiplia sa mise par trois, faisant de lui l'un des financiers les plus riches des États-Unis, et, depuis, l'un des *traders* les plus recherchés.

Dans le monde de la spéculation boursière, il suffit de gagner une fois pour attirer une clientèle que l'on gère ensuite sans prendre de risques : Paul Tudor Jones appartient à cette catégorie qui, après avoir fait sauter la banque, ne remet jamais les pieds au casino, de manière à conserver une réputation de génie.

Robin des bois à Wall Street

Mais Paul Tudor Jones n'est pas qu'un financier chanceux. Né dans le Tennessee au sein d'une famille pieuse, c'est sur le marché du coton de La Nouvelle-Orléans qu'il a appris son métier de négociant : « Le marché du coton, dit-il, était encore plus brutal que la Bourse. » Imprégné des valeurs évangéliques du Sud, confronté à la misère des Noirs et des petits Blancs, le jeune Paul accompagnait les leaders noirs dans leurs marches revendicatives ; avec les paroissiens de son Église il se portait volontaire pour distribuer vêtements et repas gratuits aux humbles du Tennessee. Hanté par les visions apocalyptiques que dispensent les pasteurs sudistes, Paul perçut dans ce Lundi noir l'amorce d'une ère où la fracture entre riches et pauvres ne cesserait de s'aggraver. Sa prévision s'est en partie vérifiée : les pauvres aux États-Unis ne sont pas devenus plus pauvres, mais, comme en Europe, le fossé entre riches et pauvres s'est élargi. L'enrichissement de ceux qui ont accès aux marchés financiers a contribué à ce grand écart contemporain.

Confrontés à l'inégalité, les Européens, qui s'en indignent, sont tentés de passer au socialisme ou à la révolution. Pour Paul Jones, la philanthropie est la solution, ou du moins constitue un progrès, à condition qu'elle soit efficace, différente de celle qu'administrent les grandes fondations de type Ford, Carnegie, Rockefeller. Il considère que celles-ci sont fossilisées, plus aptes à rémunérer leurs administrateurs qu'à répandre la justice sociale. Ce qui, après enquête, me paraîtra une critique excessive : les philanthropes médisent souvent les uns des autres.

Avec un groupe de quatre complices, trois autres gérants de fortune et un administrateur des services sociaux de New York, David Saltzman – tous alors âgés d'une trentaine d'années –, Paul Jones décida de révolutionner la philanthropie en y introduisant les méthodes de la finance. « Les institutions charitables, explique-t-il vingt-cinq ans plus tard, sont satisfaites lorsqu'elles accumulent de gros budgets et dépensent le plus possible : la dépense est le critère de leur réussite, soit une démarche inverse de celle de l'entreprise. » Paul Jones préfère mesurer le résultat *(output)* et pas la dépense *(input)*. Quel défi pour la philanthropie !

En économie productive, tout se mesure en dollars (ou en euros) : un dollar est un dollar quelle que soit l'activité concernée. Mais comment mesurer le bénéfice d'un sans-logis relogé, d'un drogué désintoxiqué, d'un enfant scolarisé qui, sans une aide charitable, n'aurait pu rester à l'école ? En théorie, il est possible de répondre : les économistes s'évertuent depuis longtemps à quantifier toutes les actions humaines, à évaluer le prix d'une vie ou le bénéfice induit par une

année d'école supplémentaire. Aucune institution philanthropique n'a jamais fonctionné sur ces bases arith-
métiques : pourquoi cette rationalisation de l'action
philanthropique serait-elle soudain nécessaire ?

« Les ressources affectées à la philanthropie, répond
Paul Jones, sont limitées par définition, comme le
sont toutes ressources. Il est légitime, et respectueux
envers les donateurs comme envers les récipiendaires,
que ces ressources rares soient affectées par priorité
aux interventions dont le résultat mesurable sera le
plus élevé. » Ne pas mesurer ce résultat conduirait au
gaspillage des dons au profit de ceux qui n'en ont pas
nécessairement le plus grand besoin, et par conséquent
à la privation d'aide pour ceux qui la mériteraient le
plus.

À partir de cette exigence, et puisque rien de comparable n'existait, Paul Jones a créé une institution
neuve, la Fondation Robin des bois, que nous avons
déjà évoquée à Harlem : David Saltzman en assure la
direction depuis l'origine. La dénomination, provoca-
trice, est un défi à toutes les institutions existant à
New York : en 1987, il en existait déjà quelque six
mille qui luttaient contre la pauvreté, et, pour se distinguer, les initiateurs de Robin des bois ont exclu de
se mettre en avant. Paul Jones n'entendait pas créer
une Fondation Paul Jones ; il avoue ne pas comprendre la vanité qui conduit des donateurs à inscrire
leur nom au fronton de tous les musées de la ville. Il
ne souhaitait pas non plus créer une fondation dotée
d'un capital mais qui se satisferait d'en dépenser une
faible fraction : au minimum 5 %, comme l'exigent la
tradition et le Code des impôts (moyennant une
complexité juridique et comptable dans laquelle nous
n'entrerons pas). Selon Paul Jones, toute situation

d'urgence exige de lever des fonds sans délai pour les distribuer sur-le-champ.

Depuis sa création, Robin des bois collecte chaque année dans les cent cinquante millions de dollars, pour l'essentiel auprès des gestionnaires de fortune de Wall Street, et les redistribue à 100 %. Cette reversion intégrale est une caractéristique de Robin des bois, rare dans le monde philanthropique où frais de fonctionnement et investissements publicitaires réduisent de beaucoup les montants redistribués. Robin des bois redistribue tout parce que les membres de son conseil d'administration – « très généreux », souligne David Saltzman – prennent à leur charge les frais de fonctionnement de la fondation. Ceux-ci sont importants : vingt-cinq chercheurs de haut niveau, installés dans des bureaux confortables sur Broadway, travaillent à la mise en œuvre du principe fondateur de telle manière que les dons de Robin des bois soient « les plus efficaces au monde ». Cette ambition se traduit par un « système » mis au point par Michael Weinstein, économiste employé à temps plein par la fondation.

Quantifier sans relâche

La mission de Weinstein consiste à dépenser cent cinquante millions de dollars par an pour faire reculer la pauvreté à New York. Cette somme relativement limitée exige de faire des choix. Comment choisir ? La plupart des philanthropes, dit Weinstein, se laissent guider par « l'instinct, la passion, l'illusion ». Or ce qui est accordé à une cause est mécaniquement retiré à une autre : c'est injuste. Comment s'assurer que les fonds distribués obéiront au critère de plus grande efficacité ? Pour répondre à cette attente des donateurs, Michael Weinstein a mis au point un système qu'il appelle RM, *Relentless Monetization*, que l'on traduira par « la quantification sans relâche ».

« Toute action philanthropique, estime-t-il, est mesurable, puisqu'elle suppose une sortie d'argent pour le donateur et un avantage matériel pour le récipiendaire », comme l'accès à l'école, une meilleure hygiène, un logement plus décent, l'accès à de nouveaux services : ces bénéfices-là sont quantifiables. Les donateurs des fondations ordinaires se contentent de mesurer leurs efforts en dollars dépensés, ce qui est on ne peut plus facile, sans estimer le résultat par bénéficiaire, dont la mesure est complexe et peut se révéler embarrassante. Évaluer risque de mettre au jour des actions charitables inutiles au profit de récipiendaires qui seraient loin d'être les plus nécessiteux, voire des actions contre-productives. Dans le monde humanitaire, avancer sans connaissances chiffrées permettrait, selon Weinstein, de gagner en bonne conscience et en réputation pour des raisons métaphoriques, et non pas en raison d'une efficacité pratique. Ce refus du chiffrage, ajoute-t-il, « noble en apparence », risque de conduire au déni de sa propre inutilité. La quantification serait donc nécessaire par probité intellectuelle ; elle est toujours possible ; elle permet de vérifier l'adéquation des résultats obtenus aux ambitions des donateurs.

Quel est le retour sur investissement d'un dollar engagé pour faire reculer la pauvreté ? N'y avait-il pas un meilleur investissement possible pour que ce retour sur investissement soit supérieur à celui qui a été obtenu ? Voici un exemple de quantification effectué par Michael Weinstein :

Considérons que la Fondation Robin des bois souhaite améliorer la santé des enfants d'un quartier défavorisé de New York. Telle que calculée par la fondation, l'intervention la plus rentable sera celle qui permettra d'augmenter la proportion d'enfants qui obtiendront leur diplôme de fin d'études au lycée. Pour quelle étrange raison le baccalauréat améliorerait-il la santé mieux que, par exemple, n'y parviendrait une visite médicale périodique ? La quantification apporte la réponse : toutes les évaluations dont on dispose montrent qu'un bachelier gagnera, au cours d'une vie de travail, au moins six mille cinq cents dollars de plus par an qu'un non-bachelier, soit l'équivalent d'un capital de cent vingt mille dollars s'il était versé par avance. Par ailleurs, selon une estimation de Peter Muennig, de l'université Columbia, un bachelier vit en moyenne 1,8 année en bonne santé de plus qu'un non-bachelier, parce qu'il aura exercé un métier moins pénible et disposé de plus de ressources pour veiller à sa santé. Reste à quantifier la valeur d'une année de vie : les statistiques du service de santé britannique l'estiment, pour la Grande-Bretagne, à environ cinquante mille dollars par an, chiffre qui sert à mesurer le recours ou non à certains soins ultimes. À partir de ces bases approximatives et toutes discutables, mais qui permettent des estimations, le baccalauréat rapportera quatre-vingt-dix mille dollars, soit 1,8 année de vie supplémentaire en bonne santé, sachant qu'une année de vie vaut cinquante mille dollars. À ce bénéfice il convient d'ajouter cent vingt mille dollars, gain supplémentaire au travail que génère le baccalauréat.

Au total, tout investissement philanthropique conduisant au baccalauréat un étudiant qui n'y serait pas parvenu sans aide extérieure produit un bénéfice social de deux cent dix mille dollars. L'apparente complexité du calcul vient de ce que l'on additionne des revenus, aisément mesurables en dollars, à des bénéfices moins aisément quantifiables tels que la vie ou la santé : mais les compagnies d'assurances sont fondées sur ce type de calcul.

Le but du système RM n'est pas d'aboutir à des chiffres incontestables, mais de proposer aux donateurs un ordre de grandeur qui justifie ou non d'investir dans un programme conduisant – ou pas – à un allongement de la scolarité. Tout investissement philanthropique inférieur à deux cent dix mille dollars par étudiant rapportera plus qu'il n'aura coûté ; il restera à comparer cette hypothèse avec d'autres formes d'interventions poursuivant le même but, et à sélectionner le programme au plus fort taux de retour. La quantification permet de procéder à des arbitrages de sorte à placer au mieux les ressources rares de la philanthropie. Cet exemple illustre aussi comment la philanthropie se distingue de la charité : la philanthropie moderne, raison d'être de la plupart des fondations, tente de modifier les structures de la société pour en éradiquer la pauvreté et, à terme, ne plus devoir faire l'aumône ; alors que la charité est conservatrice, la philanthropie prétend transformer ou à tout le moins améliorer la société.

En pratique, une organisation philanthropique ne financera pas un étudiant, mais un groupe. Si un don accordé à une école permettra de conduire dix étudiants supplémentaires au diplôme de fin d'études, le bénéfice social cumulé dans la lutte contre la pauvreté s'élèvera à 2,1 millions de dollars. Voilà qui justifie le don à une école telle que Promise Academy, à Harlem, soutenue par Robin des bois. Est-il certain qu'en l'absence de dons le résultat obtenu dans cette école n'aurait pas été équivalent ? Une difficulté majeure, dans la philanthropie efficace, consiste à comparer l'action avec l'inaction : dans le cas des écoles de Harlem, la comparaison, sans être parfaite, est possible avec les autres écoles du quartier à recrutement équivalent, dont les résultats sont effectivement inférieurs à ceux de Promise Academy, comme nous l'avons constaté au chapitre précédent.

Contre les succès d'apparence

Le système RM permet aux philanthropes d'effectuer des choix éclairés sans pour autant les y contraindre ; il permet aussi de mesurer les échecs, ce que peu d'organisations font ou avouent. Voici un exemple de programme inutile financé par Robin des bois avant que le RM ne révèle une faille a priori évidente pour personne : ce qui confirmerait qu'en philanthropie les bonnes intentions ne sont pas forcément bonnes conseillères.

Contrairement à ce que laisse entendre une légende tenace en Europe, les services sociaux aux États-Unis sont développés, mais compliqués : les administrations locales, d'État, fédérales, additionnent des programmes d'aide aux nécessiteux selon des critères d'attribution différents, à des guichets administratifs éparpillés. Robin des bois a pris l'initiative en 2002 de créer des guichets uniques d'assistance appelés

Single Stop, qui regroupent des travailleurs sociaux, des avocats, des conseillers fiscaux. Ont été créés des logiciels permettant, pour chaque individu s'adressant à ce guichet unique, de savoir d'emblée à quoi il a droit : remise d'impôt, services gratuits, bons d'alimentation, séances de formation...

En 2006, la Fondation Robin des bois a décidé de manière apparemment judicieuse d'implanter un Single Stop dans la prison la plus peuplée de New York, Rikers Island : avec treize mille prisonniers, c'est la plus vaste colonie pénitentiaire du monde développé. Deux tiers des prisonniers de Rikers Island récidivent dans les trois ans suivant leur libération et retournent en prison. À la Fondation Robin des bois, on a estimé pouvoir réduire ce taux de récidive en aidant les prisonniers à accéder à des services sociaux dont ils ignoraient jusqu'à l'existence : sortant de prison, ils devraient ainsi se sentir moins isolés, bénéficier de ressources minimales et d'assistance. Un tiers des entrants à Rikers Island bénéficiaient de programmes sociaux avant d'être incarcérés ; après l'installation de Single Stop dans la prison, deux tiers des sortants accédèrent en fin de peine à ces aides. N'était-ce pas la preuve du succès de Single Stop ?

Le succès parut en effet incontestable, jusqu'au jour où, par suite de travaux, les bureaux de Single Stop furent réduits de moitié : il fallut recevoir deux fois moins de « clients ». Cette réduction obligea Single Stop à tirer au sort entre ceux qui auraient accès au guichet unique et les recalés. Surprise : au terme de cette réduction du service, il apparut que la proportion de prisonniers en fin de peine sachant utiliser les services sociaux auxquels ils auraient droit était la même, qu'ils soient passés ou non par Single Stop. Quelle explication donner de l'échec d'un programme en définitive inutile ?

Robin des bois avait commis une erreur classique en sciences sociales : ceux qui se présentaient connaissaient leurs droits, ceux qui estimaient n'avoir aucun droit ne prenaient pas la peine de se présenter à Single Stop. Voilà comment une organisation philanthropique se félicitait d'un programme en apparence légitime qui, après une évaluation quantifiée, ne se révélait pas nécessaire.

Robin des bois n'a pas quitté pour autant Rikers Island ; en collaboration avec les autorités pénitentiaires, Single Stop démarche dorénavant ceux ou celles qui sont le moins à même de se présenter au guichet unique – souvent des jeunes filles ou des mères célibataires –, alors que la clientèle spontanée était plutôt composée d'hommes adultes, plus sûrs de leurs droits.

Le système RM débusque les programmes inutiles ; il incite aussi à la modestie en ne surévaluant pas les résultats obtenus.

Dans un esprit voisin de Single Stop, Robin des bois finance des services fiscaux gratuits à destination des populations pauvres. Aux États-Unis, remplir soi-même une déclaration d'impôt sur le revenu est une tâche impossible : il faut en passer par l'assistance d'un expert ou recourir à des sites web de conseils payants. Bien remplir cette déclaration est certes une contrainte, mais peut donner droit à des remises fiscales, à des subventions, en particulier pour les salariés modestes, à condition de se frayer un chemin dans ce labyrinthe. Robin des bois offre gratuitement ce service à des contribuables modestes de New York, en particulier des immigrés sans papiers : ceux-ci ignorent souvent, s'ils paient des impôts, que l'illégalité de leur situation ne leur interdit pas de recevoir les avantages réservés aux salariés à bas revenus. Ce service d'assistance a permis en 2011 à dix mille contribuables aidés de récupérer plusieurs millions de dollars. N'est-ce pas là un excellent investissement philanthropique à mettre au crédit de Robin des bois, pour le plus grand profit de cette population pauvre ?

De nouveau les apparences sont trompeuses ; en procédant par comparaison avec d'autres groupes non assistés, la méthode RM a conduit à réviser à la baisse l'impression de succès. Deux tiers des sommes recouvrées par le truchement de ces déclarations fiscales l'auraient été de toute manière, parce que les clients de Robin des bois n'ont fait que profiter d'un effet d'aubaine. Sans Robin des bois, la plupart se seraient adressés à un autre service gratuit, par relation ou par internet. Le retour sur investissement obtenu par la fondation devait en fait être réduit de deux tiers.

La critique de Soros

Dans le milieu de la philanthropie, le système RM suscite plus de réactions hostiles que de discussions critiques. Des éloges ? On ne les entend pas. L'hostilité se comprend : la quantification sous-entend que bien des interventions humanitaires sont conduites à l'aveugle, sur la base d'informations approximatives, en cédant à la mode plus qu'à une nécessité sociale. La quantification peut jeter une lumière crue sur les choix d'un philanthrope principalement en quête de prestige ou de publicité pour lever des fonds supplémentaires. RM remet en cause tout ce qui est aléatoire, narcissique, léger, voire contre-productif. Mais il se trouve aussi des objections fondées contre RM.

Le critique le plus méthodique de la méthode Robin des bois est George Soros qui se trouve être aussi l'un des donateurs les plus généreux et les plus efficaces aux États-Unis. « La quantification des objectifs, dit-il, détourne les philanthropes de s'attaquer à certaines iniquités au seul prétexte que celles-ci ne seraient pas mesurables. » Il estime que des erreurs de mesure peuvent conduire à des résultats désastreux et cite comme exemple les programmes de vaccination en Afrique de la Fondation Bill et Melinda Gates : selon la journaliste réputée Laurie Garrett enquêtant pour *Foreign Affairs*, cette intervention aurait détruit les infrastructures villageoises préexistantes, la quantification de Gates négligeant le fait qu'il existait en Afrique quelque chose plutôt que rien.

Le directeur de la Fondation Soros à New York, Chris Stone, qui a longtemps enseigné le management des institutions non lucratives à Harvard, se montre encore plus sévère que Soros lui-même. Il estime qu'introduire la recherche du profit dans le monde philanthropique est la négation même de la philanthropie : « Si celle-ci devait fonctionner comme une entreprise, dit-il, en quoi les fondations seraient-elles nécessaires ? Quand on s'attaque à la pauvreté, à la discrimination, à la toxicomanie, à l'oppression, on ne sait pas, ajoute Chris Stone, ce qui marche ou pas. » On ne l'apprendra, dans le meilleur des cas, qu'après avoir expérimenté des approches inédites. Expérimenter, quitte à se tromper, selon Soros et Stone, est le devoir des philanthropes qui doivent garder à l'esprit que l'échec est plus probable que la réussite. « Comment quantifier, demandent-ils, ce que l'on ne connaît pas encore ? » Quand Soros, dans les années 1980, prit l'initiative de soutenir en Europe de l'Est la formation de journalistes indépendants qui, par la suite, contribuèrent à la démocratisation de leur pays et à la création d'une presse libre, cette intuition-là échappait à toute quantification. Du moins partiellement, car il lui fallut arbitrer ses dépenses, qui n'étaient pas illimitées, en faveur de certains pays et de certains individus plutôt que d'autres. « Je n'ai pas quantifié, me dit Soros, j'ai expérimenté et affiné mes choix stratégiques sur la base de mes succès et de mes échecs. » Il ajoute que la notion même de succès doit être elle-même sans cesse révisée : « La liberté de parole, qui fut une conquête dans les années 1990, est devenue récemment un instrument au service des démagogues et des ennemis de la démocratie libérale en Hongrie et en Russie. »

Soros et Stone reprochent également à la méthode quantitative d'ignorer la dimension humaine de la philanthropie, à la fois chez le donateur et chez le bénéficiaire. Du côté de ceux qui, après avoir accumulé des biens dans le monde quantifié de l'entreprise, passent à la philanthropie, disent-ils, pour gagner un monde où la quantification cède le premier rôle à l'amour du prochain ou à l'aventure spirituelle, quantifier conduirait à la négation du don, don de soi et don financier. De même, la quantification ne prendrait pas en compte le bénéfice psychologique que l'action philanthropique peut procurer à ses bénéficiaires : la Fondation Soros finance des cours du soir pour des écoliers, dans des quartiers violents de

Baltimore et de New York, sans en attendre au premier chef une amélioration des résultats scolaires, mais pour dispenser aux parents un inchiffrable sentiment de sécurité.

Il se trouve que la Fondation Robin des bois soutient aussi des cours du soir à New York, mais en essayant d'en évaluer l'impact scolaire : les deux approches se complètent-elles, ou entrent-elles en conflit ? En 2013, les deux fondations ont signé un armistice et choisi de soutenir ensemble, dans les écoles de New York, des programmes de rattrapage pour les enfants défavorisés, nommés After School ; chaque fondation se livrera à une évaluation selon des méthodes distinctes, mais toutes deux rationnelles.

Confronté à la critique de Soros et Stone, Weinstein y perçoit moins une condamnation de la quantification qu'une incitation à l'améliorer. RM est un instrument imparfait, mais « qui, à l'heure actuelle, demande-t-il, propose autre chose qui garantisse la meilleure affectation possible des ressources rares de la philanthropie ? » Un aveu personnel : pour avoir longtemps dirigé une organisation humanitaire en France, Action contre la Faim, j'aurais aimé bénéficier, en ce temps-là, des méthodes de Weinstein. Mais la critique de Soros me paraît aussi fondée dans la mesure où la quantification risque d'orienter les choix par priorité vers des actions aisément mesurables...

Le système RM n'est pas la solution ultime censée guider les choix de tout philanthrope, mais c'est une forte incitation à réduire le gaspillage. Pour nous en tenir aux États-Unis, la mesure est une évolution d'autant plus désirable que, parmi toutes les institutions américaines, les institutions philanthropiques

sont les seules à agir à leur guise, sans répondre à
quelque contre-pouvoir. Le Président est limité par
le Congrès, le Congrès par la Cour suprême, et tous
le sont par la liberté des médias... Mais, sous prétexte
qu'il agit avec son propre argent, un philanthrope peut
en faire ce qu'il veut, y compris soutenir des actions
oiseuses ou néfastes. Nul ne peut lui demander de
comptes : le Département des impôts se borne à
constater le respect des formes comptables auxquelles
le Code fiscal contraint les institutions non lucratives. Le système RM n'impose pas un contre-
pouvoir extérieur, puisque ce sont les donateurs qui
conviendront d'y recourir ou non ; au moins introduit-
il une esquisse d'autocontrôle. Par-delà son aspect
arithmétique, RM est une injonction à s'abstenir, en
conscience, de gaspiller des fonds par des projets qui
semblent bons, alors qu'il en est de meilleurs.

CHAPITRE V

Les super-riches

Dîner entouré par des œuvres de Rembrandt, Vermeer ou La Tour a un prix : de l'ordre de vingt mille dollars par couvert. Les convives portent smoking et robes du soir. Je n'aperçois aucun Noir, mais repère un couple asiatique : cette soirée new-yorkaise reflète la sociologie de l'argent. Certaines tables moins onéreuses, à l'écart des Rembrandt, ne valent que cinq mille dollars par personne ; la cuisine est la même : sans surprise. On ne sert pas de vin rouge, seulement du blanc : le sommelier m'explique qu'une tache de rouge sur un Vermeer est ineffaçable ; un blanc causerait moins de dégâts. Les convives sont sobres mais, en portant des toasts, il est arrivé qu'on éclabousse des toiles inestimables.

Personne n'assiste à ce dîner d'automne du musée Frick, sur la 5ᵉ Avenue, pour la gastronomie. Ni pour admirer des œuvres qui, dans la journée, sont accessibles à tout visiteur ordinaire. Le dîner est un rituel qui sert à financer le musée, l'un des plus prestigieux de la ville. Il honore ceux qui, en plus de payer leur couvert – ou une table à laquelle on convie des amis fauchés, mais de quelque renommée culturelle –, offrent au musée des œuvres ou des collections remarquables.

Ce soir d'octobre 2012, on célébrait un banquier d'origine allemande : Henry Arnhold. Arnhold avait échappé aux nazis en 1938 en emportant aux États-Unis une collection de porcelaine de Dresde du XVIIIᵉ siècle. À quatre-vingt-onze ans – âge vénérable, certes, mais pas le seul nonagénaire dans l'assistance –, Arnhold offrait au Frick ce patrimoine extraordinaire, enrichi au fil de sa carrière de banquier. Ce don fut applaudi par trois cents convives et couvert d'éloges par le conservateur du musée. Pour héberger la collection, une nouvelle galerie au nom de Henry Arnhold sera ajoutée, pour l'éternité, au musée. Ce soir-là, le banquier faisait son entrée dans l'immortalité en s'alignant sur la règle qu'Andrew Carnegie, fondateur de la philanthropie des milliardaires, s'était assignée à lui-même : « Il est indécent de mourir riche. »

Dans son allocution de remerciement, Arnhold donna rendez-vous à l'assemblée pour le dîner automnal de 2013 : il ne fait aucun doute que la plupart répondront à l'appel. Des bougies éclairaient les salles : leur éclat adoucissait les rides tout en renvoyant Vermeer et Rembrandt à leur atmosphère d'origine. Au cours de cette soirée, nul ne parlait d'argent : la conversation gravitait autour de l'art, qui semblait passionner tous les convives, certains sincères, d'autres moins. Peu importe : en philanthropie bien comprise, l'important est le résultat, pas la motivation. Le musée Frick est ouvert à tous et la collection d'Arnhold sera admirée par les passants depuis la 5ᵉ Avenue.

Un ministère de la Culture ferait-il mieux que ces super-riches ? Cinq pour cent des Américains – ceux qui ont un revenu annuel supérieur à un million de dollars – contribuent pour 45 % au total des dons en Amérique : ce sont eux que courtisent les directeurs de musées et d'opéras, et qui étaient au Frick.

Portrait d'un nouveau mécène

Stephen Schwarzman aspire lui aussi à l'éternité, pas dans l'au-delà, mais ici-bas et tout de suite. Juif laïc, il est plutôt attaché à sa bonne réputation qu'au paradis, à faire le bien et à voir son nom gravé dans la pierre de quelque édifice public. Cent millions de dollars pour acquérir cette forme-là d'éternité suffiront-ils ? Il vient, en 2012, de donner cette somme à la Bibliothèque centrale de New York, bel édifice classique de Manhattan. « Tout nouveau riche, a écrit Tom Wolfe, chroniqueur sarcastique de la société new-yorkaise, a l'ambition de financer l'une des quatre vieilles et vénérables institutions de la ville : la Bibliothèque, le musée Frick, l'Opéra et le musée d'Art moderne. » Schwarzman a rejoint l'aristocratie du don, mais aussi de la vanité du don : la principale salle de lecture portera son nom. Il s'en défend : c'est uniquement pour « aider les enfants pauvres, dit-il, qu'il finance la Bibliothèque ». Pour nombre d'élèves mal logés, la Bibliothèque constitue en effet une salle d'étude de substitution. Pour la même raison, il finance les écoles catholiques. N'est-ce pas une cause chère aux conservateurs ? Mais non, proteste-t-il : « Ce sont les meilleures écoles de New York : 90 % de leurs élèves entrent à l'université. »
Parmi toutes les communautés religieuses ou culturelles présentes aux États-Unis, les Juifs sont les philanthropes qui donnent le plus, y compris à des causes

et institutions hors de leur appartenance. En raison de leur prospérité ? De leur petit nombre ? Experte du sujet, Julie Sandorf, présidente de la Fondation Revson, estime que les Juifs ont le goût (ou la manie) de l'universel, dicté par un principe que tous partagent même lorsqu'ils sont athées : le devoir de réparer le monde – en hébreu *Tiqqún olam*. Symbolique de cette attitude, la Fondation Revson (créée par le propriétaire des cosmétiques Revlon) ne peut consacrer, selon ses statuts, qu'un quart de ses ressources à des causes juives ou sionistes.

Riche et puissant, Schwarzman n'a pas pour habitude qu'on lui porte la contradiction : « Ce n'est plus un entretien, mais une psychanalyse ! proteste-t-il. Mes choix, jure-t-il, ne sont pas plus sentimentaux que confessionnels : en aidant les enfants pauvres, j'améliore la communauté dans laquelle je vis, ce qui aboutit à moins de violence et à plus de prospérité. » Avant de donner et après, il évalue le « retour » sur investissement : son don induit un bénéfice collectif, y compris pour lui. Il donne aussi « parce qu'il a beaucoup reçu » : enfant juif pauvre, il fut assisté par des organisations caritatives qui lui permirent d'entrer à Harvard. « La philanthropie, dit-il, est comme une chaîne de solidarité qui lie les générations entre elles et ne doit jamais s'interrompre. » Les super-riches aiment bien cette image ; je ne cesserai de l'entendre répéter dans ce milieu.

Comment peut-on si aisément signer un chèque de cent millions de dollars ? Créateur du fonds d'investissement Blackstone, Stephen Schwarzman possède la cinquante-troisième fortune des États-Unis, estimée à six milliards de dollars en 2013 par le magazine *Forbes*, mais il ne se considère pas comment « vraiment » riche. Me voyant interloqué, il se définit plutôt comme « un entrepreneur qui a eu de la chance ». Consciemment ou pas, il reprend là, sous une forme laïque, une théorie calviniste qui a été historiquement déterminante dans la philanthropie américaine : celle du *stewardship* ou intendance. Selon cette théologie popularisée au XIXe siècle par les baptistes, les riches ne seraient que les « gardiens » momentanés de la fortune qui transite entre leurs mains. John D. Rockefeller, fervent baptiste, fut un adepte de cette interprétation de la richesse ; elle le détermina à se défaire de l'essentiel de sa fortune.

« La chance, dit Schwarzman, pourrait tourner », ce qui l'incite à travailler sans relâche pour consolider une fortune dont il profite peu. Ce « sentiment d'insécurité », dit-il, le distingue de l'aristocratie d'argent qui a hérité de son patrimoine. Une aristocratie à vrai dire insignifiante aux États-Unis : 97 % des super-riches – ceux qui possèdent plus de cent millions de dollars – ne sont pas des héritiers, mais des *self made men*. Schwarzman, qui « pèse » plusieurs milliards de dollars, est bien représentatif de cette nouvelle classe qui, en tant que groupe significatif, n'existe qu'aux États-Unis. Les œuvres philanthropiques de Stephen Schwarzman constituent la seule manifestation visible de sa fortune. Lui-même est un personnage discret, peu charismatique, trait assez commun chez les financiers ; à la différence des barons de l'industrie qui furent les super-riches de jadis, les financiers contemporains, plus à l'aise avec les chiffres qu'en société, n'ont nul besoin d'être des meneurs d'hommes. Ils contredisent aussi le sociologue Thorstein Veblen, pionnier sur le sujet : en 1899, dans sa *Théorie de la classe de loisir*, celui-ci avait repéré pour la première fois aux États-Unis une classe de super-riches (il n'utilisait pas ce terme, mais celui de *Leisure Class*) qui se distinguait par son goût immodéré pour une consommation ostentatoire *(conspicuous)*. Devrait-on inverser la proposition de Veblen et observer que les nouveaux super-riches, s'ils sont authentiques, se distinguent des anciens par leur relative discrétion ?

Henry Arnhold, Stephen Schwarzman sont-ils sincères ? La question mérite d'être posée, mais fait-elle sens ? Ces philanthropes sont certes généreux, mais cherchent à accumuler du capital social tout autant que des capitaux financiers, à restituer à la société une part de ce qu'ils ont reçu, sans dissocier la réussite en affaires et le don, constitutif de la carrière d'un grand entrepreneur américain. Au demeurant, les motivations sont-elles de quelque importance, si les résultats sont justes ? Le philosophe anglais Bernard de Mandeville avait répondu dans un texte fondateur de la pensée libérale, publié en 1714 et intitulé *La Fable des abeilles* : « À la vanité des hommes on doit plus d'hospices et de maisons de charité qu'à leur vertu. » À suivre Mandeville et ses disciples, d'Adam Smith à Tocqueville et Hayek, par quelque « main invisible » la société se trouve améliorée non parce que les hommes le souhaitent, mais parce que tel est le résultat inespéré de leurs actes additionnés : des vices privés naît la vertu publique. Mieux vaut donc que Stephen Schwarzman soutienne les bonnes écoles catholiques plutôt que les abandonner, et qu'il agrandisse la Bibliothèque plutôt que la laisser dépérir, faute d'argent public. En attend-il quelque reconnaissance ?

« Les Américains, dit-il, détestent les super-riches, ils les haïssaient déjà du temps de Carnegie ou de

Rockefeller. » Une hostilité qui oscille : en période de stagnation, cette vague que Schwarzman appelle « populiste » enfle. En 2011, le mouvement des Occupants de Wall Street (Occupy Wall Street) imposa le slogan des « 99 % contre 1 % » – Schwarzman appartenant aux 1 % –, accusés d'influencer la démocratie à leur seul avantage. Lui estime qu'il contribue à la vitalité de l'économie, sans imaginer un instant que ses actions philanthropiques le rendront sympathique ou même tolérable aux yeux des 99 %. Il ne cherche qu'à « améliorer » la société, à perpétuer la « chaîne de solidarité », affirmation à la fois très arrogante et modeste...

Philanthropies d'hier et d'aujourd'hui

Dans son autobiographie *L'Évangile de la richesse*, publiée en 1889, Andrew Carnegie raconte qu'il devait toute son éducation à la fréquentation des bibliothèques publiques, celle de son village natal d'Écosse, puis celles de Pittsburgh où s'installa sa famille. Quand, à cinquante ans, fortune faite dans l'acier, il entreprit de tout redistribuer, ses premiers dons permirent d'édifier des bibliothèques en Écosse, à Pittsburgh et à New York : les villes cédaient le terrain, puis Carnegie finançait la construction et le fonctionnement. Aux États-Unis, il fonda ainsi près de deux mille bibliothèques, dont quatre-vingt-neuf à New York, qui assument toujours la même fonction qu'au début du XIXe siècle. Toutes débordent d'un public jeune, studieux, le plus souvent issu de l'immigration récente. « Exactement comme il y a cent ans ! », s'exclame

Julie Sandorf, présidente de Revson, déjà citée. Ces bibliothèques de quartier, ajoute-t-elle, sont les seuls lieux aux États-Unis où « nul ne vous demande de l'argent, nul ne vous réclame une pièce d'identité, mais où l'on vous demande : Que puis-je faire pour vous ? » Pour les enfants mal logés en quête d'un livre pour faire leurs devoirs et d'ouvrages qu'ils ne pourraient acheter, les bibliothèques de quartier restent le lieu par excellence de l'intégration en Amérique. Seules les élites équipées de tablettes électroniques, dont les enfants naviguent sur le web et étudient dans des écoles privées confortables, ne fréquentent pas ces bibliothèques de quartier. « Il ne faut pas confondre, souligne Julie Sandorf, *les* bibliothèques et *la* Bibliothèque » – celle que Schwarzman finance, la Bibliothèque centrale de la 42ᵉ Rue, est plutôt réservée aux chercheurs et à la bourgeoisie de Manhattan, alors que les philanthropes ignorent par trop, déplore Julie Sandorf, le rôle que continuent à jouer celles de quartier. Faute de ce soutien, celles-ci se délabrent et perdent leur public : « Les pauvres aussi, dit-elle, sont sensibles à la qualité de l'architecture et au confort. »

Revson ne bénéficiant pas du dixième des ressources financières d'un Stephen Schwarzman, Julie Sandorf a réfléchi et découvert que nombre de ces bibliothèques de quartier disposaient de droits à construire (en hauteur, en particulier) et qu'il leur serait possible de négocier leur rénovation en contrepartie de la surélévation d'un immeuble au-dessus d'elles. Ce faisant, Julie Sandorf a le sentiment que la Fondation Revson remplit sa véritable mission de catalyseur d'une amélioration systémique de la société, plutôt que de signataire de chèques pour la plus grande gloire du donateur. Telle est ma conclusion, car elle-même ne se permettrait pas de critiquer un Stephen Schwarzman dans le milieu si restreint de la philanthropie new-yorkaise. Elle se contente de remarquer qu'il existe plusieurs formes de philanthropie : Revson et Schwarzman en représentent les deux pôles, celle des fortunes acquises contre celle des fortunes récentes, que l'on pourrait qualifier de « parvenues » sans que le mot implique un jugement de valeur.

Certains restent anonymes, d'autres pas

Stephen Schwarzman fera graver son nom sur un mur de la Grande Bibliothèque : Charles Isherwood, célèbre critique culturel, a qualifié de « graffiti des philanthropes » cette manie des donateurs américains de faire inscrire leur nom sur tout ce qu'ils financent. Dans les annales de la philanthropie new-yorkaise, la famille Everett se rendit tristement célèbre en 1978 pour avoir annulé ses dons au Zoo des enfants faute d'un accord avec la Commission municipale chargée du site sur la taille des lettres à graver sur un linteau de granit. Les Everett exigeaient que leur nom figurât en caractères de douze centimètres, on ne leur en accordait que six. De même, en 2013, un entrepreneur texan des médias, Scott Ginsburg, a exigé en justice la restitution de 7,5 millions de dollars donnés dix ans plus tôt à son ancienne université, Georgetown, à condition que son nom fût donné à la salle des sports de la faculté de droit. L'université n'avait pas respecté cette clause, Ginsburg ayant entre-temps été condamné pour fraude fiscale ; pour autant, Georgetown n'avait pas rendu l'argent...

À l'inverse, un certain Charles Feeney, inconnu du grand public, invisible dans les médias, est l'un des plus généreux philanthropes des États-Unis. Après avoir fait fortune en créant – ce que tout le monde connaît – les boutiques hors taxes des aéroports, il a transféré ses biens à une institution, Atlantic Philanthropy, basée aux Bermudes non pas tant pour échapper à l'impôt que pour se soustraire à la curiosité. Atlantic Philanthropy est l'un des plus importants donateurs aux universités et aux hôpitaux, à condition que l'origine du don ne soit mentionnée nulle part. Anonymous, que l'on voit sur certains bâtiments d'utilité publique, est parfois – mais on ne saurait le vérifier – la signature de l'énigmatique Charles Feeney. En 1995, l'université Columbia hésita même avant d'accepter un don d'Atlantic Philanthropy, le mécène ne voulant pas révéler son identité et les récipiendaires s'interrogeant sur l'origine peut-être douteuse de cette offre. Charles Feeney a également décidé de tout dépenser de son vivant, car il ne souhaite pas que sa fondation lui survive et devienne – ce qui arrive – une bureaucratie sans autre véritable objet que de faire vivre ses administrateurs. Nous verrons plus loin, avec les Fondations Ford, Cummings et Pew, comment ce type d'administrateurs ignorent parfois la volonté du fondateur jusqu'à trahir l'objet initial de leur fondation. Si Feeney croit en l'éternité – il est catholique – ce n'est donc pas par des graffitis qu'il entend y accéder.

Presque aussi discret que Feeney, George Soros consacre depuis 1979 (sa première intervention de soutien aux dissidents d'Europe de l'Est) la moitié de sa fortune à des causes humanitaires : soit dix milliards de dollars sur trente-cinq ans. Lorsque, en

2010, Bill Gates et Warren Buffett s'engagèrent publiquement à dépenser la moitié de leur fortune de leur
vivant et tentèrent de rallier à cette cause le plus grand
nombre de super-riches (quarante milliardaires tous
riches et surtout très célèbres signèrent leur proclama-
tion, sur quatre cents milliardaires recensés aux États-
Unis), George Soros ne répondit pas à l'appel,
puisqu'il l'avait déjà fait sans jamais s'en vanter.
À l'image de Feeney, il signe rarement ses dons : ceux-
ci restent anonymes ou apparaissent sous la signature
de l'Institut pour la Société ouverte. La Société
ouverte est le principe que Soros a emprunté à son
maître, le philosophe austro-anglais Karl Popper :
pour lui, ce principe l'emporte sur l'identité de qui
finance sa mise en application.

De l'origine des super-riches

Au cours de l'hiver 2011-2012, une cohorte de
manifestants bigarrés occupa le quartier des affaires
de Manhattan et popularisa le slogan des « 99 % contre
1 % » : 1 % des Américains au sommet de la pyra-
mide des patrimoines et des revenus totalisant 30 %
du revenu national. La plupart d'entre eux paient un
impôt insignifiant de 15 % sur les plus-values qui
constituent l'essentiel de leurs revenus et sont moins
imposées que les salaires. Warren Buffett, deuxième
fortune des États-Unis après Bill Gates, reconnut alors
que sa secrétaire payait, toutes proportions gardées,
deux fois plus d'impôts que lui. Au sein de ces 1 %
de riches, 0,1 %, les vrais super-riches, représentent à
eux seuls 10 % du revenu américain ; leur fortune

progresse plus rapidement que celle des 99,9 %, y compris par temps de crise, depuis 2008.

À des degrés divers, tous les super-riches américains donnent à des causes grandes et petites. Pareille aristocratie du don est inconcevable hors des États-Unis, la philanthropie n'existant nulle part ailleurs à un tel degré et le groupe social que représentent les super-riches y étant d'ailleurs introuvable. Un richissime Saoudien, Russe ou Chinois à la fortune plus ou moins bien acquise, atteint le niveau de revenus des plus grands entrepreneurs et financiers des États-Unis, mais la philanthropie exige une masse critique, une société où l'émulation collective incite à donner. Dans le passé des États-Unis se rencontraient certes quelques fortunes comparables, mais Andrew Carnegie, Mellon ou John D. Rockefeller, qui inventèrent la philanthropie des riches, agissaient isolément, tandis que les super-riches d'aujourd'hui agissent souvent de concert, sur les mêmes projets : le sociologue Paul Schervish les qualifie d'« agents hyper-riches » du changement social.

Faut-il attribuer à la fiscalité le surgissement de cette classe ? Tel est l'argument principal de la gauche américaine. La modération de l'impôt a certainement renforcé les inégalités, mais elle n'explique pas la singularité d'un tel groupe. Cette richesse inédite est, me semble-t-il, pour l'essentiel une conséquence de la mondialisation : les super-riches dirigent des entreprises qui opèrent sur le marché mondial avec plusieurs milliards de clients réels ou potentiels. Le plus souvent, ils ont créé eux-mêmes ces entreprises – Google, Microsoft, Apple ou Spanx –, et les États-Unis en concentrent l'essentiel, qu'elles soient anciennes (General Electric, General Motors, Boeing, Morgan Chase) ou nouvelles. Cette concentration traduit une domination américaine qui remonte au début du XXᵉ siècle et que nul n'est parvenu à ébranler : les nations émergentes comme la Chine, l'Inde ou le Brésil progressent en tant que sous-traitantes des États-Unis, pas en tant que concurrentes directes.

Les créateurs et dirigeants des entreprises américaines mondialisées sont des stars : leurs salaires et bénéfices sont à la mesure de leur statut et de leur quasi-monopole. Au sein de ces super-riches ont surgi depuis une trentaine d'années les financiers de Wall Street, en particulier les gestionnaires de portefeuilles d'investissements : les dirigeants des vingt-cinq premiers fonds des États-Unis (Carlyle, Blackstone, Soros…) cumulent à eux seuls un revenu annuel supérieur à celui des présidents des cinq cents plus grandes entreprises américaines. L'industrie financière rapporte désormais davantage que l'industrie manufacturière.

Dans son ouvrage *Supercapitalisme*, l'économiste Robert Reich a expliqué comme suit cette prise de pouvoir des financiers sur les industriels. À partir des années 1980, les Américains, parce qu'ils s'enrichissaient et vivaient plus longtemps, sont devenus des investisseurs de masse : ils ont confié leur épargne et leur retraite à des gestionnaires de patrimoine qui extorquent aux entreprises des dividendes toujours plus considérables. Cette concentration de moyens financiers entre les mains de quelques intermédiaires fait leur fortune : il leur suffit de prélever une infime commission sur les sommes qu'ils investissent à la recherche du profit maximum, explique Robert Reich.

J'ajouterai que le succès de ces intermédiaires financiers s'est trouvé accentué par l'afflux des capitaux venus des économies émergentes qui, à tort ou à raison, confient leur trésorerie aux financiers américains : dans un monde instable, non exempt de turpitudes, Wall Street est perçu comme relativement sûr. À cette rente de situation des super-riches de Wall Street sur le marché mondial s'ajoute, depuis la récession de 2008, une rente politique qui a été dénoncée par un économiste de Chicago, Luigi Zingales : les prêts à taux zéro accordés par la Banque fédérale des États-Unis aux grandes institutions américaines de sorte qu'elles perdurent *(too big to fail)* reviennent à subventionner les entrepreneurs financiers qui, à leur tour, prêtent cet argent à un taux évidemment supérieur à zéro.

Tous ensemble, les super-riches, qu'ils soient entrepreneurs, manufacturiers ou financiers, exercent sur les dirigeants politiques, démocrates et républicains, un lobbying permanent : ils financent leurs campagnes électorales afin que la politique fiscale et monétaire américaine continue à les favoriser. Les super-riches investissent aussi dans des campagnes de communication pour laisser croire que le destin de l'économie américaine est tributaire du traitement de faveur qui leur est consenti. En 2012, les Super PACs (Political Action Committees) – des associations qui font campagne pour influencer les électeurs – étaient financés à 80 % par deux cents donateurs, tous super-riches.

On peut regretter qu'il n'existe pas de contre-épreuve possible mesurant la véritable utilité économique de ces super-riches ; au moins souhaiterait-on, comme le recommande Luigi Zingales, davantage de transparence et de concurrence au sommet.

Une méritocratie d'argent

Les super-riches, on l'a dit, sont rarement des héritiers, et à peu près tous ont obtenu de prestigieux diplômes dans les meilleures universités : le diplôme, aux États-Unis, reste la meilleure protection contre les aléas de l'économie, et les revenus sont généralement indexés sur lui. Alors que les Carnegie et Rockefeller avaient entamé leur carrière comme apprentis, la société américaine est devenue à son sommet une méritocratie universitaire. Les nouveaux super-riches doivent au départ leur ascension à un certain talent, jusqu'à ce que l'habileté et la chance prennent le relais. Cette méritocratie tend à se perpétuer : une reproduction des élites qui n'est en rien l'exclusivité des États-Unis. Mais, plus qu'ailleurs, elle doit à l'éducation plus qu'à l'héritage : les super-riches américains estiment qu'il faut donner le plus possible de son vivant et ne point trop laisser aux enfants. C'est là une tradition démocratique américaine inverse de la tradition aristocratique et rentière qui domine en Europe : les trois quarts des dons philanthropiques sont accordés du vivant des donateurs, le solde par testament.

Le fondateur de Carlyle, David Rubenstein, explique comment il a calculé ce qu'il lui fallait donner chaque année afin qu'à la fin de sa vie – qu'il fixe à quatre-vingts ans, compte tenu de son patrimoine génétique de Juif européen – il reste cent millions de dollars à chacun de ses trois fils : il lui faut se défaire de cinquante millions par an. Une de ses marottes consiste à louer en Chine des pandas qu'il confie à des zoos américains « pour le plus grand bonheur des enfants », dit-il. Mais au désespoir de ses héritiers qui voient fondre leur pactole.

Il faut, dit Schwarzman, laisser à ses enfants « assez pour vivre décemment, mais pas trop », de manière à les inciter à travailler par eux-mêmes. Comment calculer au plus juste ? Pour aider à surmonter ces douloureux arbitrages, il se trouve de nombreux avocats et conseillers financiers – une nouvelle activité florissante – qui gravitent autour des super-riches. Donner pour se faire pardonner : tel fut déjà jadis le choix de Rockefeller, l'homme le plus impopulaire de son temps, devenu, après ses premiers dons à la recherche médicale, une figure presque humaine aux yeux des Américains. Aujourd'hui, les 0,08 % des familles figurant au sommet de la hiérarchie de l'argent, revenus et patrimoines confondus, représentent 22 % de la totalité des dons philanthropiques : certainement plus que ce qu'ils verseraient par l'impôt s'ils y étaient contraints. Ce désintéressement volontaire les rend sinon aimables, du moins tolérables.

Rappelons qu'en dehors des États-Unis les super-riches, en règle générale, ne donnent rien, ou peu[1]. Leur excuse ? Ils paient des impôts. Mais nous verrons, en examinant le rôle de la fiscalité dans la philanthropie américaine, combien celle-ci est assez peu déterminante : en Amérique, le don est culturel, tout comme son absence en Europe.

---

1. Une exception française : Liliane Bettencourt, héritière de L'Oréal, soutient « à l'américaine » la création artistique et la recherche médicale.

CHAPITRE VI

Dallas

Les philanthropes new-yorkais ? « Vaniteux, voyants, arrogants », disent les super-riches de Dallas, ville que contrôlent mille familles à la fois fortunées et généreuses qui laissent, par leurs dons, les riches new-yorkais loin derrière dans cette compétition singulière. À en croire Richard Fisher, président de la Banque fédérale de Dallas et membre de cette communauté des mille, à Dallas « on s'enrichit par le labeur dans le pétrole et la finance, puis on donne par sens civique, les deux étant indissociables ; mais sans trop d'ostentation, parce que au Texas on est calviniste et conservateur ». Ce qui, nous allons le vérifier, n'est pas tout à fait de la forfanterie, et au plus loin des idées reçues sur le Texas telles qu'elles ont été popularisées par des feuilletons télévisés produits dans ces bastions du « progressisme » laïc que sont New York et Hollywood.

Dallas, capitale de la philanthropie ?

Le civisme des riches

Le 24 octobre 2012, un soir de pleine lune et de douceur de l'air, Dallas se retrouva soudain dotée d'un vrai centre-ville. Pour ceux qui avaient connu Dallas auparavant, le nord et le sud appartenaient à des univers différents séparés par une autoroute urbaine infranchissable. Qu'une ville n'ait pas de centre, de préférence avec un parc public, comme New York ou Chicago, nuisait à la qualité de la vie citadine comme à l'image de marque de Dallas. Ce défaut de fabrication était particulièrement insupportable à un négociant en énergie du nom de Kelcy Warren, président d'Energy Transfer : il avait commencé sa carrière comme manœuvre sur un champ de pétrole, jusqu'à amasser dix milliards de dollars aux alentours de ses soixante ans. Kelcy Warren, nouveau milliardaire « parvenu » en l'espace d'une génération, est plus caractéristique de Dallas que le « JR » du célèbre feuilleton télévisé. Depuis dix ans, Kelcy Warren s'était fixé pour « ambition civique », dit-il, de réunir les deux moitiés de la ville en faisant couvrir l'autoroute et édifier sur cette couverture un parc de trois hectares doté d'espaces de loisirs, de guinguettes et d'un auditorium où donner des concerts publics. L'inauguration du parc, en ce 24 octobre, a marqué l'aboutissement de cette vision. Le parc s'appellera Klyde Warren, du nom de son fils de dix ans ; pour l'habituer à devenir charitable à son heure, Klyde héritera de son père à condition de consacrer un jour par mois à nettoyer ce parc. Sur l'estrade en plein air d'où s'exprimaient les orateurs de la soirée, des allocutions toutes brèves et drôles (rédigées par des professionnels du discours), la place d'honneur revenait à Mme Warren. Dans la communauté philanthropique de Dallas, les maris accumulent les milliards tandis que les épouses et les veuves les dépensent. Les maris s'habillent sobrement – ni bottes en croco, ni couvre-chefs de cow-boys –, adoptent une allure plutôt puritaine, mais les épouses semblent passer leurs journées dans les salons de beauté : toutes en ressortent blondes.

Tous, à Dallas, riches et pauvres, donnent aux Églises, aux institutions charitables, aux écoles, mais rien de grand n'est possible sans le soutien des mille familles, la « communauté philanthropique » la plus fortunée et la plus engagée des États-Unis. Le maire de Dallas, Michael Rawlings, ancien président de Pizza Hut, assistait à l'inauguration du parc, mais ne fut pas convié à prendre la parole. Le parc baptisé Klyde Warren « en l'honneur de tous les enfants de Dallas », déclara sa mère, avait été voulu, conçu, financé et mené à bien par la communauté philanthropique au terme de dix ans d'acharnement et pour un coût de cent dix millions de dollars. Probablement vexé d'être tenu à l'écart, le maire m'expliqua en aparté que le parc avait tout de même exigé une coopération entre philanthropes et pouvoirs publics, ne serait-ce que pour obtenir les autorisations nécessaires et aménager les accès. Il n'empêche, Rawlings en convenait, que le mérite en revenait à la communauté philanthropique ; pour l'avenir, celle-ci s'engageait à financer la gestion du parc et son animation à raison de deux millions de dollars par an.

Les entrepreneurs fortunés sont, à Dallas, les premiers à se trouver à l'initiative d'actions en faveur des aménagements publics, des institutions culturelles, de l'éducation supérieure et de la solidarité sociale. C'est leur manière à eux de perpétuer la tradition texane du *barn raising*, quand toute la communauté villageoise s'entraidait pour que le nouveau venu puisse bâtir sa propre ferme. L'État du Texas est un État faible, disposant de peu de moyens : les maires s'en remettent à des managers urbains pour la gestion des villes, les Texans paient un impôt foncier, mais pas d'impôt sur le revenu, le gouverneur a autant de pouvoirs que la reine d'Angleterre, et les parlementaires du Texas ne se réunissent que six semaines par an, une année sur deux. Ce qui, dit-on au Texas, leur évite de commettre trop de sottises et de se lancer dans des dépenses inutiles...

La Sainte-Alliance du don et des affaires

Dallas est la « capitale américaine de la philanthropie, dit Richard Fisher : le civisme et la fortune sont ici indissociables ». L'inauguration du parc réunissait donc une communauté qui n'attend rien de l'État du Texas, moins encore de Washington, et qui, de fait, gouverne la ville : un millier de familles, toutes blanches, dans une agglomération de six millions d'habitants qui compte une moitié d'Hispaniques présents depuis plusieurs générations et 10 % d'Afro-Américains. Lors de la soirée inaugurale du parc Klyde Warren, j'observai que sur un millier de participants se trouvait un seul couple noir : le chef de la police locale et son épouse.

Comment rejoint-on cette communauté philanthropique ? Il ne suffit pas de signer un chèque, fût-il d'un million de dollars, explique Ray Hunt, l'homme le plus riche du Texas, pilier de l'*establishment* républicain aux États-Unis, patron d'une entreprise mondiale d'exploitation et de transport du pétrole et du gaz ; « appartenir à la communauté philanthropique exige un engagement constant, personnel autant que financier ». On attend du philanthrope qu'il participe aux innombrables comités qui gèrent les dons, se joigne aux dîners à répétition où on lève des fonds, soit généreux de son temps autant que de son argent, et manifeste une authentique passion pour le bien commun à Dallas.

« Le véritable philanthrope doit appliquer à ses dons les mêmes principes de bonne gestion qu'à sa propre entreprise », précise Bobby Lyle, président de Lyco Energy, exploitant de pétrole et de gaz. Lyle s'est particulièrement investi dans l'Armée du salut, organisation religieuse mondiale fortement représentée à Dallas, dont la vocation est de secourir les sans-abri. Avant que Bobby Lyle ne finance, puis ne rejoigne le conseil d'administration de l'Armée du salut, elle comptabilisait ses résultats en fonction du nombre de personnes secourues. Sous l'influence de Lyle, l'Armée du salut évalue dorénavant le nombre de personnes réinsérées dans une vie sociale normale, et plus seulement secourues, comme seul critère de succès. La philanthropie, dit Bobby Lyle, « améliore réellement notre société quand elle parvient à associer la charité chrétienne et le management ». Le management est devenu d'autant plus nécessaire qu'en 2002

Joan Kroc, veuve du fondateur de McDonald's, légua à l'Armée du salut un milliard et demi de dollars pour créer des centres d'accueil dans tous les États-Unis.

Parvenus et fiers de l'être

Sur la communauté philanthropique de Dallas on lit et on entend dire qu'elle serait l'équivalent contemporain de ce que furent les Médicis à Florence. Il n'existe pas à Dallas une institution culturelle majeure qui n'ait été créée et financée par des membres de cette communauté : le musée des Beaux-Arts, l'Orchestre symphonique, le musée Nasher de la sculpture, le musée Perot pour la science. Ce dernier a coûté cent soixante-quinze millions de dollars, dont cinquante apportés par Ross Perot Junior. Sur le mur d'entrée, on peut lire les noms de tous les donateurs : le *Who's Who* des affaires à Dallas. Le superbe pont qui franchit la rivière Trinity, au sud de la ville, conçu par l'architecte espagnol Santiago Calatrava, a été financé par Margaret McDermott, veuve centenaire et sémillante du fondateur de Texas Instruments, sur-nommée « la Reine mère » de la philanthropie au Texas. La grande université privée, Southern Methodist University, connue sous le nom de SMU Dallas, est portée par la communauté philanthropique. La Bibliothèque présidentielle George W. Bush – l'ancien Président habite Dallas depuis qu'il a quitté la Maison-Blanche – a été édifiée sur un terrain donné par Ray Hunt. Contrairement au reste des États-Unis où les institutions culturelles, universitaires et hospitalières sont plutôt dotées par des entreprises, à Dallas ce sont avant tout des individus ou des familles qui parrainent et paient.

« Nous ne sommes pas les Médicis, me contredit Ray Hunt, nous sommes des "parvenus" : nous avons édifié nos fortunes en partant de rien et en l'espace d'une seule génération. » Ce qui incite à la générosité : « Nous savons que nous avons eu de la chance. » Ce qui pousse aussi à donner, selon Hunt, c'est l'éthique protestante enracinée dans la mentalité texane. Dallas appartient à la zone de la Bible *(Bible Belt)*, comme en témoignent la densité des temples et églises de toutes dénominations et leur intense fréquentation. Quand on fait partie de la communauté philanthropique, commente Robert Decherd, directeur du quotidien local, *The Dallas Morning News*, il est de bon ton de ne pas verser dans les excès new-yorkais ou californiens : une certaine retenue est de rigueur. Les demeures des fortunés de Dallas sont certes colossales, disséminées dans les parcs qui entourent la ville, mais tout ici n'est-il pas gigantesque, et l'espace illimité ? Le manque de discernement architectural et le goût du pastiche, à l'intérieur comme à l'extérieur, à de rares exceptions près, montrent que les philanthropes de Dallas sont bien des parvenus dont le goût n'a pas été affiné par le temps. Les musées ont néanmoins été dotés par la communauté philanthropique des meilleurs chefs-d'œuvre de la période impressionniste ou de l'art contemporain ; ils ont été édifiés par des architectes de renom : Renzo Piano, Calatrava, Norman Foster. À l'évidence, ces « marques » ont été sélectionnées par des experts recrutés pour hisser la ville au statut de capitale culturelle. Dans les demeures privées des philanthropes, en revanche, les tableaux, sculptures et objets kitsch représentent plutôt la conquête de l'Ouest et la chasse aux bisons. Richard Serra, Donald Judd ou Mark Rothko sont bons pour les musées, pas pour chez soi ! La communauté philanthropique de Dallas, ça n'est pas les Médicis, du moins esthétiquement. En politique comme en économie c'est elle qui dicte le destin de la ville.

« Dallas est une création de nos entrepreneurs », explique Robert Decherd : sans eux, la ville n'aurait eu aucune raison d'exister. Ce n'est pas un port, comme Houston ; ce n'est pas un centre d'exploitation du pétrole, ni un ancien poste militaire, comme le fut Fort Worth pendant la guerre contre les Comanches ; ni même la capitale de l'État, qui est à Austin depuis le temps de la République indépendante du Texas (1837-1847). Dallas est l'œuvre d'éleveurs de bétail et de cultivateurs de coton reconvertis en entrepreneurs de haute technologie et d'ingénierie financière. Grâce aux améliorations constantes apportées par ses entrepreneurs, Dallas a attiré les sièges sociaux de grandes compagnies venues du Nord, comme ATT pour la téléphonie ou JC Penney pour la grande distribution. Les entrepreneurs de Dallas, ajoute Decherd, ont compris que les dirigeants des grandes entreprises mondiales, tout comme leurs cadres, sont attirés par des conditions de vie et de travail bien précises : un centre-ville attractif, une bonne université, une animation culturelle, de l'espace pour édifier des tours de bureaux, un aéroport international, et, si possible, pas de syndicats, peu d'impôts, encore moins de réglementations. Ce que Dallas offre. Et plus encore, paradoxalement, depuis l'assassinat du Président Kennedy, survenu en 1963 dans le centre-ville. « À partir de ce crime isolé, se souvient Ray Hunt, nous avons été dépeints par tous les médias américains comme une ville de sauvages. » La caricature a stimulé la communauté des entrepreneurs : la reconversion du centre en territoire culturel, constellé de musées exceptionnels et de salles de concert, remonte à cette tragédie dont elle a visé à effacer le souvenir.

La communauté philanthropique agit par patriotisme texan, mais aussi par intérêt bien compris. Comme le seul impôt local est l'impôt foncier, plus le nombre de bureaux s'accroît, plus la charge fiscale moyenne diminue. Les philanthropes embellissent leur propre cadre de vie en même temps qu'ils améliorent leur situation économique. « L'intérêt bien compris », écrivait Alexis de Tocqueville dans *De la démocratie en Amérique*, est un principe fondateur de la société américaine. Dans son esprit, cette notion était positive dès lors que la somme des intérêts particuliers contribuait au bien commun.

Comme Calvin au Texas

Chez les philanthropes fortunés, les montants donnés sont si importants que les donateurs vont jusqu'à en perdre la notion. Me trouvant dans le bureau d'un financier nommé Harold S., celui-ci me reçut en me tournant le dos, occupé à fixer deux écrans qui affichaient les cours de la Bourse et des matières premières. Sans me regarder, tout en répondant à mes questions, S. passait par téléphone des ordres d'acheter et de vendre. Incapable de bien comprendre

comment il est possible de s'enrichir de manière aussi
« ludique », je demandai à S. combien il « pesait ».
La question, à Dallas, n'a rien d'indécent : au sein de
la communauté philanthropique, chacun sait plus ou
moins quelle est la valeur en capital de tous les autres.
Cette valeur, qui évolue au jour le jour en fonction des
cours de Bourse, permet de se situer sur l'échelle sociale.
Ne sachant plus combien il valait, S. appela sa secrétaire : « Pamela, je vaux combien, aujourd'hui ? »
Quelques minutes plus tard, Pamela annonça que S.,
à cet instant, valait dix milliards de dollars. Je lui
demandai quelle somme, au cours de sa vie, il avait
consacrée à la philanthropie. Il l'ignorait : donner
relevait du domaine de son épouse et de leurs deux
filles, en charge de la fondation portant son nom.
Pamela fut appelée à la rescousse : au cours des dix
dernières années, la Fondation S. avait donné un
milliard de dollars.

Comment pareilles fortunes ont-elles surgi à
Dallas ? Ross Perot Junior, fils d'un ancien candidat cen-
triste à la présidence (en 1988, contre George Bush et
Bill Clinton ; Perot fut le premier à attirer l'attention
sur les périls du déficit budgétaire), propose une explication historique. Avant de rejoindre les États-Unis,
le Texas fut pendant dix ans une république indépendante : le sol et le sous-sol y appartenaient aux propriétaires privés, règle qui a été maintenue après
l'incorporation au sein de l'Union. Contrairement à la
situation prédominant dans les autres États, le gouvernement fédéral ne possède au Texas ni domaine
significatif, ni droit d'exploitation des ressources
naturelles : 2 % du sol y est fédéral, contre 86 % dans
le Nevada voisin. Les Texans, ayant imposé leurs

conditions à Washington, sont un peu les Saoudiens ou les Qataris des États-Unis. Cette propriété privée du sol et du sous-sol a généré d'immenses richesses. L'exploitation des ressources naturelles exigeait que fussent créées des infrastructures en matière de transport, ce qui a engendré une seconde vague de grandes fortunes. Ces fortunes devaient à leur tour être placées, ce qui a suscité une gigantesque activité bancaire et financière. Encore fallait-il, dit Ross Perot Junior, des entrepreneurs à la hauteur de ces défis : peu policé, peu gouverné, pas syndiqué, le Texas n'a cessé d'attirer des aventuriers qui sont devenus « de grands criminels ou de remarquables chefs d'entreprise ». Au sein de la communauté philanthropique, dit Perot Junior, nous sommes des *self made men* : il est rare de trouver à Dallas une fortune antérieure à deux générations, et « mieux vaut ne pas trop remonter dans les arbres généalogiques ! »

Chez les ancêtres de tout Texan fortuné on trouve un homme en cavale, fuyant la loi, la police, les créditeurs ou une épouse. Grâce à la philanthropie, on gomme ce passé obscur, on rend grâces à Dieu d'avoir fait fortune à Dallas, on restitue à la ville un peu de ce que la ville a donné, et on rejoint une sorte d'aristocratie discrète où l'argent n'est pas le contraire du bien. La hiérarchie sociale ultime, à Dallas, dit Margaret McDermott en sirotant des cocktails à base de martini et de vodka – sa recette de longévité personnelle –, n'est pas « celle du capital que l'on a accumulé, mais celle du capital que l'on a redistribué ». Elle-même ne sort plus de sa demeure que pour inaugurer les œuvres qu'elle finance.

Toute histoire d'argent a une morale : à Dallas, celle-ci est financée par Cary Maguire, président de la compagnie pétrolière Maguire Oil Company. Maguire préfère ne pas me parler de pétrole, mais décrit longuement, avec bonheur, la création, grâce à ses ressources personnelles, du Centre Maguire pour l'éthique et la responsabilité publique à l'Université méthodiste de Dallas. Les enseignants dotés par Maguire expliquent aux étudiants combien l'éthique est la meilleure manière de réussir dans les affaires privées comme dans la gestion publique : la preuve par l'argent, legs du calvinisme qui a voyagé jusqu'à s'ancrer dans les plaines du Texas. La foi, moteur de la philantropie ? Nous allons le vérifier plus encore chez les mormons de l'Utah.

CHAPITRE VII

La dîme

Donner chaque année dix pour cent de son revenu à son Église : seuls parmi les Américains, les mormons y consentent. Leur religion l'exige et à peu près tous s'y plient. Ce qui situe cette communauté singulière au faîte de la hiérarchie du don. À cette obligation théologique s'ajoutent les offrandes volontaires à bien d'autres institutions philanthropiques, mormones ou pas : ce que les Américains non mormons savent peu. Jusqu'à la candidature de Mitt Romney à la présidence des États-Unis en 2012, hors de leur mouvance les mormons restaient méconnus, leurs mœurs et leur foi souvent tournées en dérision. Il existe étrangement peu d'études sur cette communauté, en dehors des ouvrages d'apologie publiés par les croyants eux-mêmes. Mais, en se rendant au siège de l'Église de Jésus-Christ des saints des derniers jours, en écoutant sans juger a priori, on commence à comprendre qui ils sont et pourquoi ils donnent.

Chez les saints des derniers jours

Salt Lake City, capitale de l'Utah, est une ville sainte : les mormons, qui l'ont fondée en 1847, y attendent le retour imminent du Christ. Pas de manière passive, mais par leurs actions, leur foi, leurs dons à l'Église de Jésus-Christ des saints des derniers jours, et à tous ceux qu'ils s'évertuent à convertir avant le Jugement dernier. La philanthropie est ici une entreprise spirituelle, mais elle est gérée comme une entreprise humaine.

Au siège de l'Église, sorte de Vatican des mormons, Robert Porter administre les dons considérables des fidèles, d'un montant non divulgué. Costume noir, chemise blanche, cravate unie – la tenue uniforme des mormons –, Porter est un croisement de prêtre et de banquier : il est l'un des soixante-dix Anciens *(Elders)*, appelés par Dieu en une sorte de conseil d'administration de l'Église. Inspiré d'une assemblée de prêtres mentionnée dans l'Ancien Testament, le Conseil administre cette Église de douze millions de membres, dont sept aux États-Unis. Au sommet règne le président et prophète Thomas S. Monson, quatre-vingt-sept ans : on l'aperçoit de loin lors de grandes manifestations liturgiques qui se tiennent dans un hall de vingt-cinq mille places, au centre-ville, où se réunissent les mormons les plus éminents. Pour les croyants, le président-prophète est l'héritier de saint Pierre, le seul légitime ; il est assisté d'un premier cercle de douze Apôtres et du second cercle des Anciens, auquel appartient Porter. Cette hiérarchie, aussi masculine que celle de l'Église catholique, serait, à les croire, la véritable

Église chrétienne telle que Jésus-Christ l'aurait fondée ; les autres – catholique, protestante, orthodoxe et les innombrables dénominations qui ont proliféré aux États-Unis – seraient de regrettables hérésies.

L'Église véritable, celle des mormons, aurait ressuscité quand Joseph Smith, enfant illettré issu d'une famille de fermiers du nord de l'État de New York, fut appelé par Jésus-Christ en 1820 à la restaurer et à compléter la Bible. Ainsi furent confiées à Joseph Smith par l'ange Moroni, fils du prophète Mormon, des « tablettes d'or » rédigées dans une langue inconnue ; Smith les traduisit, puis les dicta à sa sœur. Ce *Livre de Mormon (Book of Mormon)* complète et clôt l'Ancien et le Nouveau Testament ; il en précise la théologie, la métaphysique et les rites. S'il n'était un livre saint, cet ouvrage incontestablement inspiré pourrait figurer au panthéon de la littérature américaine au même titre que *Moby Dick*, écrit à la même époque ; mais Melville n'a pas fondé de culte...

Du *Livre de Mormon* il ressort que Jésus-Christ, de son vivant, vint prêcher en Amérique du Nord. On en retiendra aussi que le temps des Prophètes n'est pas clos, ce qui autorise les dirigeants mormons à prophétiser de temps à autre : en 1889, la renonciation à la polygamie, qui permit à l'Utah d'être incorporé aux États-Unis en 1896, fut dictée par leur prophète. Selon le *Livre* et les *Révélations* qui le complètent, la vie est éternelle : elle a commencé auprès de Dieu, dont nous sommes les enfants, et se poursuivra auprès de Lui après notre mort. À condition d'accepter les rites mormons, en particulier le baptême par immersion totale ; pour ceux qui ont eu le malheur de naître avant les révélations faites à Joseph Smith, le baptême peut être administré par leurs descendants. De même que l'Église des mormons est centralisée à Salt Lake City et hiérarchisée comme l'aurait été celle du Christ, l'éternité, chez les mormons, est structurée en cercles concentriques, eux-mêmes subdivisés en fonction de leur proximité avec Dieu le Père.

Dans cette odyssée divine, Salt Lake City est la nouvelle Sion : après l'assassinat de Smith et la persécution de ses disciples, ce fut le terme du voyage, pour les « pionniers » mormons, par-delà le désert et les montagnes Rocheuses. Au bord du Grand Lac Salé, tel Moïse face à la Terre promise, Brigham Young, le second prophète, eut en 1847 la révélation que Là était la destination (*This is the place*). Plus chanceux que Moïse qui s'éteignit avant d'entrer en Canaan, Brigham Young a fondé à Salt Lake City un État devenu le plus prospère des États-Unis. Lui-même y fit fortune, entouré de ses quatorze épouses (le chiffre est controversé par les exégètes) ; sa vaste demeure est aujourd'hui accessible aux visiteurs, au voisinage du Temple qui, comme celui de Jérusalem au temps des Hébreux, occupe une place centrale dans la liturgie des mormons.

Bien des fidèles américains ne considèrent pas les mormons comme chrétiens, tandis que les mormons estiment pour leur part qu'ils sont les seuls chrétiens authentiques. Jésus est sans conteste au cœur de leur foi, abondamment représenté sur les tableaux hyperréalistes qui ornent les maisons de prière et les administrations ecclésiales. Ce Christ des mormons n'est pas représenté en croix, il est non pas souffrant, mais ressuscité, bronzé, musclé, aux allures de surfeur californien. Chez les mormons, on cultive son corps : on ne fume pas, on ne boit pas et on attache une importance singulière à sa forme physique. Il semble que ce soit la seule communauté aux États-Unis à n'être pas atteinte par l'obésité. À lire leurs *Révélations*, nous serons ressuscités au maximum de notre forme : autant l'entretenir ici-bas.

Chrétiens ou pas ? Puisqu'ils se déclarent tels, ils doivent bien l'être. Ce sont en tout cas les plus américains des chrétiens : l'Église mormone est la seule à être née aux États-Unis, sans aucun antécédent européen ; elle proclame que Jésus y a prêché, que c'est en Amérique qu'Il reviendra, et en Amérique que les tribus d'Israël se rassembleront avant la Parousie. À ce retour du Christ que les Mormons estiment imminent, il convient de se préparer par un strict respect des commandements et des rites. Le retour sera précédé de grandes catastrophes telles qu'en annonce l'Apocalypse de Jean : chaque famille mormone stocke à son domicile pour un an de réserves alimentaires, et l'on aperçoit dans Salt Lake City des silos à grain abritant l'équivalent de trois années de récolte.

Cette esquisse de la théologie des mormons, sans jugement et fidèle, je l'espère, est indispensable à qui veut comprendre pourquoi Porter, l'Ancien, est amené à gérer des milliards de dollars.

La contrainte volontaire

Chaque mormon qui respecte les commandements de son Église – ce qui vaudrait pour les deux tiers d'entre eux – donne à celle-ci, chaque année, un dixième de son revenu. Cette dîme est une obligation : la seule liberté concédée aux fidèles est d'en calculer eux-mêmes la base. Le dixième doit-il s'appliquer ou non aux plus-values en capital, aux cadeaux que l'on reçoit et autres gains exceptionnels ? L'Église ne le dit pas, considérant que chaque fidèle agit en conscience et que, de toute manière, Dieu voit, sait et juge. En pratique, les mormons remettent à leur évêque un chèque annuel du montant de la dîme ; les virements bancaires sont aussi acceptés. À l'approche de Noël, l'évêque convoque chaque membre de sa paroisse (le *Ward*, qui ne comprend jamais plus d'une centaine de familles) pour lui demander où il en est de son règlement. Les sommes collectées où que ce soit dans le monde sont intégralement remises aux autorités centrales de Salt Lake City, ce qui fait certainement de l'Église des mormons l'une des plus riches au monde, et des mormons, riches ou pauvres, les plus généreux donateurs de la société américaine.

Cette dîme n'est qu'un aspect de la philanthropie des mormons : s'y ajoutent, sans que ce commandement soit incontournable, les dons au Fonds du Jeûne (Fasting Fund), qui représentent l'équivalent monétaire de deux repas jeûnés chaque mois. Ce fonds-là soutient les interventions sociales de l'Église. Celle-ci en appelle aussi à la bonne volonté des mormons pour porter secours aux non-mormons atteints par quelque grande catastrophe naturelle ou un conflit militaire ; dans toutes ces circonstances, les missions humanitaires mormones sont sur la brèche.

Ajoutons que de riches mormons (Marriott, fondateur de la chaîne d'hôtels, John Huntsman et Mitt Romney, anciens gouverneurs de l'Utah et du Massachusetts), comme tout Américain fortuné, contribuent aux fondations, musées, universités de leur choix, que ces institutions soient mormones (telle l'université Brigham Young, à Provo) ou non.

Au sacrifice financier s'ajoute le don de soi : le volontariat, autant que la dîme, est constitutif de l'identité mormone. À l'âge de dix-neuf ans – ramené à dix-huit en 2012 –, tous les garçons partent en mission pour deux ans, le plus souvent hors des États-Unis. À l'âge de dix-neuf ans, les jeunes filles peuvent aussi se porter volontaires. Pendant cet apostolat, ils animent les communautés de mormons les plus éloignées de Salt Lake City et s'évertuent à convertir. Cet éloignement les conduit à découvrir le monde, à apprendre des langues étrangères et à se découvrir eux-mêmes : un mormon connaît le monde plus et mieux qu'un Américain moyen. Au cours de cette mission, tout contact autre qu'épistolaire avec la famille est banni. À son retour, le missionnaire est accueilli tel le fils ou la fille prodigue : il ou elle peut entamer ses études universitaires et se marier – jeune : à vingt ans, la plupart des mormons ont convolé entre eux ; alors que 45 % des Américains se marient hors de leur confession (50 % chez les juifs), il est exceptionnel qu'un mormon épouse un non-mormon, et, dans ce cas, une conversion accompagnera le mariage. Au cours de leur mission en exil, il advient évidemment que certains rompent avec les commandements de chasteté et d'abstinence de leur Église : une célèbre comédie musicale qui se donne sur Broadway depuis 2011, *The Book of Mormon*, décrit ces turpitudes avec jubilation. Les mormons reconnaissent ces écarts. L'Église tient des statistiques qu'elle ne publie pas, mais on estime que 80 % des missionnaires s'en retournent à leur communauté : score de fidélité élevé.

Je demandai à un jeune missionnaire revenu de Sicile, étudiant à Brigham Young, ce qu'il avait retenu de ses deux années de service. Sans hésiter, il me répondit qu'il avait appris à « mieux aimer Dieu et l'humanité, à mieux comprendre la Bible et le *Livre de Mormon* ». Sur la Sicile, rien.

Au fil de la vie d'un mormon, le volontariat ne cesse jamais : le clergé est volontaire, désigné par les autorités ecclésiales ou par Dieu, si l'on préfère. Chacun participe constamment à des actions charitables, à la vie de l'Église, ou occupe, à l'âge de la retraite, des emplois administratifs en son sein. Un mormon croyant et inactif, on n'en rencontre pas au cœur du pays mormon, ni en Utah, ni dans le Wyoming voisin où les communautés sont nombreuses.

Comment expliquer une si remarquable générosité ? « Vous voulez une explication sociologique ou bien théologique ? » me rétorque Ralph Hancock, professeur de philosophie politique à l'université Brigham Young. Pour lui, croyant et évêque, les mormons donnent parce qu'ils croient : à quoi bon chercher ailleurs ?

Si l'on est sceptique – situation de l'auteur envers les religions révélées –, le don des mormons obéit à des motivations complexes dont la foi n'est certes pas absente, mais s'y mêlent des considérations temporelles. La foi incite évidemment à donner, la dîme en particulier, puisque ce commandement rapproche du Premier Cercle de la Vie éternelle. La dîme est aussi une condition importante pour être digne d'accéder au Temple *(Temple worthy)* : les mormons ici-bas se répartissent entre ceux qui n'accèdent qu'aux églises et ceux admis à entrer au Temple. Dans le Temple – celui de Salt Lake City ou, plus récemment, ceux édifiés dans les pays où vivent des mormons – se pratiquent des rituels exclusifs fermés aux non-mormons. C'est dans les temples et seulement là qu'un évêque peut procéder à un mariage éternel – « scellé » pour l'Éternité – entre des époux qui resteront « inséparés », y compris au-delà de leur mort terrestre.

Mais dans l'ordre temporel, celui de la sociologie, intervient l'habitude : « On donne, admet Ralph Hancock, parce que nos parents donnaient, qu'autour de nous tout le monde donne, et que nous avons commencé à donner dès notre enfance. » Le fait que la plupart des mormons vivent entre eux – à Provo, 90 % de la population est mormone ; elle est de la moitié à Salt Lake City dont la prospérité attire des migrants de toutes les Amériques –, qu'ils se marient entre eux, qu'ils aillent à la messe tous les dimanches, qu'un évêque ait la charge d'une communauté restreinte, contribue à rendre les comportements uniformes. Le dissident est repéré, admonesté, voire exclu : bafouer ouvertement les commandements de l'Église conduit à l'excommunication. La dîme participe donc de la foi, mais aussi du contrôle social du groupe par lui-même, ou du désir de rester membre de cette communauté.

Existerait-il quelque avantage psychologique ou matériel à être mormon ? Règne au sein des communautés mormones une chaleur rayonnante, que ce soit en famille, entre voisins ou entre collègues. Les conflits ne sont pas inconnus, mais ils sont gérés, maîtrisés, comme les joies et les chagrins. Cette solidarité et l'éthique des mormons concourent à leur prospérité économique : être mormon garantit contre le chômage et la pauvreté. Il est remarquable que peu nombreux sont les mormons qui rompent avec leur communauté ; souvent, ceux qui en partent y retournent.

Entre la foi partagée, la solidarité psychique, la solidarité économique, comment départager les rôles ? On ne peut pas.

Le mystère reste entier

Quel est l'usage des fonds collectés par l'Église ? Porter, l'Ancien, ne communique aucun chiffre. Le budget est opaque : une fois l'an, un expert-comptable se contente de déclarer que les dépenses sont conformes au Code des impôts américain. Cette déclaration non vérifiée confère à l'Église son statut d'institution à but non lucratif et permet à chaque mormon de déduire de son revenu le montant de sa dîme et autres dons consentis à l'Église. Le don et son bon usage reposent donc entièrement sur la confiance des mormons en leur président-prophète, leurs douze Apôtres et leurs soixante-dix Anciens. Il est vrai qu'une assemblée aussi nombreuse ne saurait s'abandonner à d'amples malversations sans que cela transparaisse, tant les mormons sont surveillés par les médias américains qui leur vouent une faible sympathie. On objectera que les dirigeants mormons se cooptent entre eux ; eux répondent que Dieu les appelle. Ils ne mènent pas grand train. Prophètes, Apôtres et Sages ont une vie frugale : le siège des mormons n'est pas le Vatican et n'exhibe pas le luxe ostentatoire de certaines « Mega Churches » évangéliques. Où passe alors tout cet argent ?

L'essentiel, selon Porter, l'Ancien, est consacré à l'édification d'églises et de temples de par le monde, et à leur entretien : le patrimoine immobilier de l'Église est considérable. Il est important pour la hiérarchie des mormons que tous les lieux de culte soient beaux, y compris dans des communautés pauvres qui n'auraient pas les moyens de les édifier. Partout dans le monde, la présence des mormons, fût-elle modeste, se repère à leurs églises massives, toutes bâties sur le même modèle : blanches, surmontées de la statue dorée de l'ange Moroni annonçant la Bonne Nouvelle.

Les fonds collectés servent aussi à l'entretien des missions et du Centre d'accueil de Salt Lake City, visité chaque année par cinq millions de touristes ; la religion y est expliquée de manière simple et imagée, façon « bande dessinée réaliste ». Il existe aussi des fonds de secours confiés aux évêques qui en font la demande à la hiérarchie de Salt Lake City pour soutenir des mormons en difficulté ; la charité est attribuée par l'évêque, au cas par cas, aux pauvres qui le méritent *(deserving poor)*, qui font l'« effort nécessaire » pour retrouver un travail, rompre avec leurs addictions, restaurer leur vie de famille. « Entre mormons, dit Porter, le système de solidarité sociale est le plus complet au monde, à condition de se comporter en bon mormon. » Les dons sont destinés à « répandre la vertu, pas nécessairement à convertir », nous dira Elder Gray, autre Ancien, membre des Soixante-Dix.

À l'initiative de Gray, l'Église mormone a récemment créé un Fonds d'aide sociale aux étudiants des pays pauvres, en Amérique latine et aux Philippines. Les boursiers reçoivent le prêt indispensable à la poursuite de leurs études, sans qu'ils soient ou deviennent mormons ; ils sont supposés rembourser l'Église après avoir achevé leurs études et entamé leur vie active. La plupart remboursent, assure Gray, en charge de ce programme inspiré par un fonds comparable qui existait déjà au XIXᵉ siècle : dans les années 1860, plusieurs centaines de milliers de pionniers venus du pays de Galles et d'Angleterre, convertis par des missionnaires (dont Brigham Young), avaient afflué vers l'Utah : l'Église leur avançait les fonds nécessaires au voyage et à leur installation, qu'ensuite ils remboursaient. La philanthropie mormone était déjà pédagogique : l'aide conditionnée par l'engagement de mener une vie de travail et de famille respectable.

En réponse à ma question insistante, Porter admet qu'une partie du budget financé par la dîme permet de gérer la vaste entreprise de baptême des morts. Partout dans le monde, des registres d'état civil sont copiés, microfilmés, numérisés : dans un centre informatique gigantesque et souterrain, à Salt Lake City, inaccessible aux visiteurs, les mormons peuvent retrouver leurs ancêtres et les faire baptiser *post mortem* afin qu'ils accèdent à l'Éternité. Ce rite suscite bien des controverses dans les autres religions, puisqu'il suppose que seul le baptême mormon est légitime, quand bien même tels ou tels ancêtres auraient été baptisés au sein de leur propre Église. En outre, à remonter la chaîne des ancêtres, nous sommes tous cousins : un lien ténu, lointain, indirect avec un mormon contemporain pourrait ainsi conduire au baptême de tous, ou presque. Les dirigeants mormons ont officiellement renoncé à utiliser à cette fin les noms des Juifs victimes de l'Holocauste : ceux-ci échappent donc au baptême posthume ; sans doute, pour des raisons électives, le peuple choisi se retrouvera-t-il nécessairement auprès du Père.

À ceux qui se demanderont pour quelle raison accorder tant de place à la minorité mormone dans un ouvrage consacré à la philanthropie, je répondrai que tous les Américains, quand ils donnent, sont quelque peu mormons. Ce qui, dans l'Église de Jésus-Christ des saints des derniers jours, est souligné jusqu'à l'excès – l'exceptionnalisme américain, la certitude en une vie éternelle, l'adhésion forte à une communauté, le don conditionné par la vertu – se retrouve à des degrés divers chez tous les Américains qui donnent. Les mormons seuls l'avouent.

CHAPITRE VIII

Quand la foi remplace l'État

Les mormons nous ont conduits sur le terrain le plus dense de la philanthropie américaine, là où la foi détermine le don : 60 % des dons aux États-Unis vont aux Églises ou aux œuvres qu'elles gèrent. On utilise ici le terme d'Église comme désignation générique de tout ce qui participe de la religiosité américaine, infiniment diverse et sans cesse renouvelée. Les grandes communautés religieuses aux États-Unis ont peu de centre et le catholicisme – seul, avec les mormons, à être organisé sur un mode hiérarchique – résiste difficilement aux tentations schismatiques, aux appels des pentecôtistes et des charismatiques. Du côté protestant, il faut renoncer à dénombrer les dénominations, car il s'en crée chaque jour de nouvelles, à quoi s'ajoutent les Églises évangéliques regroupées en fédération, comme celle des baptistes du Sud, ou totalement indépendantes, dans la main d'un seul pasteur autodéclaré. Les Juifs n'échappent pas à ce tropisme américain de la subdivision à l'infini : orthodoxes, ultra-orthodoxes, loubavich, hassidim, conservateurs, réformés... : on s'y perd et chacun, évidemment, traite l'autre de païen. Mais, pour l'observateur européen, comment ne pas être sensible à ce qui unit cette disparité en un ensemble que l'essayiste Howard Bloom a justement appelé « la religion américaine » ? Quelle que soit leur obédience momentanée – car on change souvent d'Église –, les Américains croient, pour 90 % d'entre eux, en un Dieu créateur avec qui ils entretiennent une relation personnelle et qui intervient dans leur vie quotidienne.

Souvent, les sociologues athées ironisent sur cette religion américaine « à la carte » : de fait, aux États-Unis, on choisit son Église davantage qu'on ne naît au sein de telle ou telle communauté. Et le consommateur de religion est exigeant, que ce soit sur la qualité du service liturgique, sur ce que l'Église lui apporte ou encore, par-dessus tout, sur la capacité on non de cette Église de le mettre en relation avec le Dieu créateur. Ce qui, bien entendu, est perçu avec ironie par un Européen sceptique qui, en appliquant sa toise aux religions américaines, passe peut-être à côté de l'essentiel, voire même à côté de la Vérité.

Telle est la toile de fond sur laquelle s'inscrit la philanthropie à base religieuse et qui constitue l'environnement immédiat des Américains : aux États-Unis, les Églises se substituent souvent à l'État défaillant, comme nous allons le constater à Little Rock, dans l'Arkansas.

L'Évangile est arrivé à Little Rock

« Je lisais dans Isaïe 65, la description de la nouvelle Jérusalem après le retour du Messie, dit Ray Williams. Alors j'ai compris que Little Rock n'était guère prête à accueillir le Messie : il fallait que nos fidèles sortent de l'Église pour changer la ville et l'humaniser. » Rond et affable, Ray Williams, qui fut parachutiste dans l'armée américaine, puis chef d'entreprise, devint pasteur à l'âge de cinquante ans ; un Conseil des Anciens l'a nommé à la tête de la Fellowship Bible Church, la plus importante Église de la capitale de l'Arkansas, forte de cinq mille fidèles. Chaque année, ceux-ci versent à leur Église une dizaine de millions de dollars : les dons moyens sont de l'ordre de deux mille cinq cents dollars – cent dollars pour les plus bas, jusqu'à deux cent cinquante mille dollars pour quelques-uns.

Est-ce là ce que l'on appelle une « Mega Church » ? Depuis le début des années 1980, dans le sud des États-Unis, ces congrégations attirent en masse les fidèles qui désertent des Églises plus traditionnelles : baptistes, catholiques, méthodistes, presbytériennes... « Fellowship est méga », explique Ray, de par l'importance de la congrégation, et parce qu'elle n'appartient à aucune dénomination hiérarchisée ; mais, à l'inverse de bien d'autres Mega Churches, elle n'est pas organisée autour d'un pasteur charismatique qui prêche l'Évangile de la prospérité (Prosperity Gospel) promettant la fortune par l'entremise de Jésus-Christ.

Fellowship fut fondée par un groupe de jeunes pasteurs débarqués à Little Rock en 1977 et qui ne trouvèrent pas sur le marché religieux ce qu'ils espéraient y rencontrer. Organisée autour de l'étude de la Bible, leur Église, située dans un parc à l'ouest de la ville, le quartier bourgeois de Little Rock, ressemble moins à un lieu de culte traditionnel qu'à un centre de congrès confortable comme il en existe tant aux

États-Unis. À l'intérieur, trois chapelles proposent des ambiances distinctes : l'une dans le style des temples protestants, classique et dépouillé, les deux autres comme des salles de concert en forme d'amphithéâtre. Le dimanche, les fidèles se répartissent entre ces espaces qui proposent un choix de services pédagogiques, liturgiques, conservateurs ou interactifs. De l'hymne accompagnée à l'orgue, à l'orchestre rock and folk sudiste, les musiques soulignent la diversité.

Contrairement à la plupart des Mega Churches du Sud et de Californie, gérées comme des entreprises, bien souvent au bénéfice de leur pasteur, Fellowship n'est pas en quête de profit : deux millions de dollars sur les dix collectés par l'Église sont redistribués à des paroisses moins fortunées qui partagent un même engagement évangélique vis-à-vis de leurs fidèles et d'action sociale envers la population. Les pasteurs de toutes ces églises, fédérés sous le nom d'un certain Nehemiah qui aurait prétendument reconstruit Jérusalem, ont créé un réseau de prières collectives et de concertation sur les actions à mener auprès des pauvres. Nous enseignons la Bible *avec ses applications*, dit Ray Williams. Parmi celles-ci, l'Église en recommande une : aimer son voisin, surtout s'il est noir.

La quasi-totalité des fidèles de Fellowship sont blancs, appartiennent à la classe moyenne de Little Rock, capitale modeste de l'État rural peu fortuné qu'est l'Arkansas. La plupart habitent de grandes résidences à la périphérie de la ville, tandis que le centre ancien, autour de l'hôtel de ville et du Capitole de style antique, a été abandonné à la population noire. De Little Rock, on dit qu'à chaque coin de rue on trouve un marchand de spiritueux, une station-service et une église : la ville compte bien quatre cents églises pour deux cent mille habitants, mais les plus traditionnelles menacent ruine et réunissent difficilement une poignée de fidèles pour l'office dominical. À chaque coin de rue, on rencontre surtout beaucoup de pauvres hères ravagés par l'alcool et la drogue, vivotant de l'aide sociale que leur octroie le gouvernement de l'État. Les anciennes demeures, celles qui évoquent pour nous les images d'un Sud classique, au bord de la décrépitude, sont occupées plus qu'habitées par des familles noires et quelques immigrants hispaniques.

Pour comprendre ce que Fellowship veut changer, il faut se rendre au lycée, Little Rock Central High School, parce que « tout a commencé ici », dit Ray Williams : l'échec de la loi, l'impuissance de l'État, et, en guise de perspective d'avenir, la rédemption de la ville avec l'aide du Christ.

Le racisme qui ne passe pas

En novembre 1957, sept enfants noirs entrèrent au lycée de Little Rock, protégés par l'armée américaine en tenue de combat, contenant la haine d'une foule blanche déchaînée : beaucoup se souviennent de cette scène vue à la télévision ou dans des magazines, y compris ceux qui ne l'ont pas vécue en direct. Le gouverneur de l'Arkansas tentait de s'opposer à la déségrégation raciale des écoles décidée par la Cour suprême, ce qui détermina le président Eisenhower à dépêcher sur place l'armée fédérale. Eisenhower n'avait jamais déployé de zèle en faveur de l'égalité des races, mais il tenait au respect de la loi et des décisions de justice. Durant toute l'année scolaire, les écoliers noirs furent escortés par les soldats ; à la rentrée suivante, les parents blancs retirèrent leurs enfants de Little Rock Central High School pour les inscrire dans des écoles privées. Aujourd'hui, à peu près tous les élèves de Little Rock Central High School sont noirs, auxquels s'ajoutent quelques Hispaniques et de rares Blancs de familles pauvres. La ségrégation s'est reconstituée, mais à l'envers : les Blancs ont abandonné aux Noirs le centre-ville et ses écoles.

Little Rock, dit le *City manager*, Bruce Moore, qui gère la ville sous le contrôle du conseil municipal, souffre du racisme, de la pauvreté et du crime : les trois se recoupent et affectent prioritairement les Noirs. Lui-même, qui est noir, admet être en panne d'imagination comme de ressources financières et légales. Les Églises lui semblent l'ultime recours, parce qu'elles sont mieux insérées dans la société que ne l'est l'administration. Est-il pieux ? Question superflue : qui ne l'est pas, dans l'Arkansas ? « Je suis baptiste, dit Moore, membre d'une congrégation noire. » Milite-t-il pour la mixité raciale au sein de son Église ? « Nos traditions sont différentes », répond-il sèchement, sans entrer dans les détails : pour l'office du dimanche matin, il s'accommode de cette ségrégation qu'il dénonce les autres jours. Des Églises, de Fellowship Bible Church surtout, il espère une intervention à long terme, à la racine du mal, auprès des enfants noirs, pour leur éviter de devenir les derniers de la classe à l'école, puis dans la vie.

Cette mission impossible convient à Ray Williams : commencer par le bas, dans le Quartier central, le plus déshérité de la ville, autour du Capitole, où officia naguère un certain Bill Clinton, qui fut gouverneur de l'Arkansas en attendant d'accéder à la Maison-Blanche. Pour « faire la différence », dit Ray, son Église a décidé de se concentrer sur un seul quartier : un succès visible pourrait tenir lieu de modèle reproductible.

Un quartier témoin à Little Rock comme solution, pour la ville et au-delà, au mal fondateur de la société américaine ? Une Église réussirait-elle là où l'État a échoué ? De fait, les solutions globales imposées par l'État ont indirectement généré une nouvelle discrimination et la décomposition des familles noires. Les approches plus modestes, de proximité, apportées par la philanthropie ne guériront sans doute pas, à elles seules, la société, mais au moins ne sont-elles pas nocives et, dans les meilleurs cas, améliorent-elles réellement la vie de quelques-uns.

La ville, terre de mission

À l'école élémentaire Benjamin Franklin, au centre de Little Rock, tous les enfants sont noirs, comme presque tous les enseignants. 94 % des enfants sont si démunis qu'ils reçoivent une aide alimentaire fédérale. La directrice de l'école, Cynthia Collins, veille à ce que les repas servis à la cantine n'entraînent pas l'obésité, ce mal concomittant de la pauvreté ; elle a interdit les distributeurs de boissons sucrées et de confiseries. Les enseignants paraissent dépassés par les enfants turbulents, souvent nés d'une très jeune mère célibataire. C'est ici qu'interviennent les volontaires de Fellowship Bible Church.

La plupart des Églises évangéliques, dit Ray, sont « introverties » : elles conservent pour elles-mêmes et leurs pasteurs les dons qu'elles collectent auprès de leurs fidèles, se préoccupent de leur prospérité, et, si elles font recette, y voient un signe d'élection. Fellowship Bible Church fonctionne sur le mode inverse : les fidèles souhaitent témoigner du Christ au sein de la communauté, pas seulement à l'intérieur de la congrégation. « Pour nous, dit Ray, être du monde et de notre temps ne se limite pas à introduire des orchestres pop dans l'office du dimanche et à diffuser la messe par internet – ce que fait Fellowship –, mais à sortir hors les murs et à vivre en chrétiens dans la cité. » Ce qui a conduit une centaine de parents de la congrégation jusqu'à l'école Benjamin Franklin : avec l'assentiment de la directrice, ils « sacrifient » le temps nécessaire pour enseigner aux enfants à lire et à écrire. Au-delà d'un tutorat en soirée ou durant le week-end, chaque volontaire de Fellowship Bible Church s'engage dans une relation durable avec une famille dont les enfants sont scolarisés à Franklin ; entre autres formes d'engagement, les familles dînent ensemble une fois l'an pendant plusieurs années. Par cette sorte d'adoption réciproque, chacun apprend de l'autre : la famille blanche entre souvent pour la première fois dans une famille noire et les enfants noirs rencontrent pour la première fois une famille blanche et des parents non divorcés.

La destruction des familles noires, observe Ray Williams, a commencé dans les années 1970 après que le gouvernement fédéral a créé au bénéfice des plus pauvres des programmes sociaux et d'allocations en tout genre. Est-il exact, comme le proclament les conservateurs, que l'État providence ait fait perdre aux pères biologiques tout sens de leurs responsabilités envers leur progéniture ? On ne peut certes pas le prouver, mais la coïncidence chronologique est troublante. Et il est paradoxalement revenu à un Président progressiste, Bill Clinton, d'avoir réduit sensiblement ces aides publiques aux pauvres et supprimé, en 1996, l'allocation automatique aux mères célibataires. Les familles noires ne se sont pas reconstituées pour autant : aux États-Unis, la plupart des naissances hors mariage et non régularisées par le mariage affectent les Noirs pauvres plus que toute autre communauté. Mais c'est par l'exemple, sans discourir, que les volontaires de Fellowship Bible Church essaient de restaurer les vertus de la famille traditionnelle pour le mieux-être des enfants. Au cours des dîners mixtes, du tutorat scolaire et des sorties en commun, les enfants noirs s'initient à des comportements non agressifs et à des attitudes qui, plus tard, faciliteront leur insertion dans la société américaine.

La directrice de l'école Benjamin Franklin ne craint-elle pas une perte de l'identité afro-américaine, un « impérialisme » des bonnes manières des Blancs ?

« Il subsiste quelques Noirs professionnels de la différence raciale, mais, en Arkansas, nous ne les écoutons plus. »

Craindrait-elle un prosélytisme dissimulé derrière les bonnes intentions pour rallier de nouveaux fidèles à Fellowship Bible ?

« Non. Enfants et enseignants, à Benjamin Franklin, tous se réclament déjà du Christ. »

« Nous veillons, confirme Ray Williams, à ne pas imposer notre interprétation de la Bible aux enfants ni aux parents. Mais s'ils constatent que les comportements des volontaires de Fellowship Bible Church sont exemplaires, il leur est permis d'en tirer leurs propres conclusions. »

L'objet du volontariat n'est pas de recruter pour Fellowship, mais de permettre à ses fidèles de vivre leur foi plus intensément grâce à cet engagement dans le monde, fût-il constitué de pécheurs. Le volontariat conduit aussi les adeptes de Fellowship Bible Church à réparer les maisons décrépites, à entretenir les espaces publics, à gérer un centre de rééducation d'anciens prisonniers, à les aider à trouver du travail à leur sortie de prison.

Cet esprit de mission est-il fructueux ? Partout où la congrégation intervient, elle améliore la ville : deux sociologues venus de Harvard, Howard Husock et Brent Coffin ont consacré une étude à cette expérience et quantifié les résultats. Dans le Quartier central, le niveau de scolarité des enfants « parrainés » s'améliore, le nombre des délinquants récidivistes « accompagnés » diminue ; en une dizaine d'années, le quartier dans son ensemble est devenu de nouveau « habitable », ou peu s'en faut : le président du collège baptiste de Little Rock (Arkansas Baptist College, ABC), Fitzgerald Hill, qui est noir, préfère résider dans une banlieue plus bourgeoise, mais n'exclut pas, « un jour prochain », de loger plus près du collège qu'il dirige, dans le Quartier central.

Ce qu'est la « religion américaine »

L'enthousiasme des fidèles de Fellowship Bible Church esquisse une réponse à l'interrogation perplexe des Européens et des sociologues laïcs américains sur la religiosité qui prévaut aux États-Unis. Quelle que soit la méthode statistique à laquelle on recourt, 90 % des Américains déclarent croire en un Dieu créateur, 80 % se disent chrétiens, 40 % d'entre eux assistent chaque semaine à un office religieux, moyennant des variations régionales : 63 % dans le Mississippi, 43 % en Arkansas, 36 % à New York. Le Sud est plus pieux que le Nord et l'Est. Cette croyance et la participation religieuse ont augmenté par rapport au XIXe siècle, tandis qu'au XVIIIe siècle les Américains n'étaient pas particulièrement pieux. Les pères fondateurs – Washington, Jefferson, Madison –, peu chrétiens, étaient vaguement déistes, à la manière des philosophes français des Lumières ; Barack Obama assiste à l'office tous les dimanches alors que George Washington n'y allait jamais. Expliquer la foi contemporaine par les origines puritaines de l'Amérique ne suffit donc pas. Alexis de Tocqueville, s'étonnant de la piété des Américains, par contraste avec le scepticisme français, attribua cette vitalité religieuse à la concurrence entre les Églises. L'économiste Jean-Baptiste Say avait déjà expliqué en 1804 que l'offre suscitait la demande. Tocqueville estima que l'offre religieuse, quand elle est variée, suscitait la religiosité, tandis qu'en France le monopole de l'Église catholique dissuadait plutôt les fidèles.

On ne peut certes pas prouver que la variété de l'offre suffit à créer de la religiosité, en revanche elle incite les Églises à se renouveler, à s'adapter au « marché » et à la culture du temps présent. Passant d'un culte à l'autre, il est constant que les Américains croient en un Dieu générique, multiforme mais transcendant. Et en un Dieu présent : la religion est « vécue », qu'elle le soit par la participation à l'office, par le volontariat ou par une rencontre « personnelle » avec Jésus-Christ. Un tiers des Américains déclarent avoir connu une expérience mystique qui a changé le cours de leur vie : quand le Président George W. Bush confessa avoir échappé à l'alcoolisme après avoir rencontré Jésus, peu d'Américains s'étonnèrent de cette aventure, banale aux États-Unis, après laquelle on se déclare *born again*.

Sociologues et économistes athées, embarrassés par cette religiosité, s'emploient à la réduire à des dimensions non mystiques. Pour Gary Becker, économiste à l'université de Chicago, fondateur de l'école du Choix rationnel *(RAT theory)*, les Américains n'adhéreraient à une Église que dans l'espoir implicite d'une contrepartie : le fidèle qui paie son aumône, dit Becker, attend en échange que cette Église soigne son âme, gère son mariage ou ses obsèques. Le don à une institution religieuse serait un « investissement », même s'il revêt les aspects extérieurs d'un acte de foi et d'altruisme. Cette théorie de Becker est difficilement vérifiable, car, pour la démontrer, il conviendrait qu'il existe une relation quantifiable entre le don et le retour que l'on en escompte. Si 60 % des Américains donnent à une Église et si la moitié des dons philanthropiques, soit cent milliards de dollars par an, vont aux Églises, les fidèles en ont-ils en retour pour leur argent ?

La théorie rationaliste de Becker n'explique pas plus la relation, mesurée par Robert Wuthnow en particulier (dans *Faith and Giving*), entre l'intensité de la foi et le montant des dons : un lecteur assidu de la Bible, un paroissien qui ne manque pas un office, un volontaire qui sacrifie son temps libre ne reçoivent pas plus en retour qu'un fidèle pingre et intermittent. Ou bien, si on considère que le sacrifice en soi est la récompense, le retour sur « investissement », la théorie de Becker, dans cette hypothèse, ne sera plus qu'une approche métaphorique, non économique, de toute religion.

Une autre tentative connue de rationalisation de la religiosité américaine revient au sociologue Daniel Bell, de Harvard. D'après lui, chaque Américain, pour être totalement américain, se doit d'appartenir à une communauté : Églises, congrégations, temples et synagogues ne seraient que des communautés, comme n'importe quelle association, et le don, l'équivalent d'une cotisation versée à un club. À l'appui de sa théorie, Daniel Bell a observé combien les Américains changeaient aisément de congrégation au gré de leurs migrations géographiques, de leurs mariages, mais aussi en fonction de leur ascension sociale : on passe, si possible, d'une Église modeste à une autre dotée d'une dénomination et d'une renommée plus huppées. Ce qui est certes vérifiable à Boston où vit Daniel Bell, mais moins dans le Sud où les Mega Churches sont socialement mixtes.

Au surplus, les tentatives de rationalisation économique ou sociologique à la Becker ou à la Bell n'expliquent pas cet autre phénomène singulier aux États-Unis (par contraste avec l'Europe, mais pas avec le reste du monde, aussi pieux que le sont les Américains) : la prière ; 80 % des Américains déclarent prier, seuls, au moins une fois par semaine. Le recours à la prière n'est pas affecté par le niveau d'éducation : que l'on soit diplômé ou non, la pratique est constante. Seuls 12 % des Américains déclarent ne jamais prier. Si l'Église n'est qu'un placement financier ou un club social, rien ne sert de prier, puisque nul n'est au courant, à part Dieu ! Donner peut être interprété comme un acte social, mille fois analysé par les anthropologues depuis Marcel Mauss, mais prier n'est pas une transaction sociale.

Reste à envisager que les Américains donnent parce qu'ils croient : plus ils croient, plus ils donnent.

Donner, c'est croire

En 2010, le don moyen par un Américain membre d'une congrégation religieuse a été estimé par Robert Wuthnow, cité plus haut, à six cent quatre-vingts dollars ; celui ou celle qui lit la Bible chaque jour donne en moyenne cinq cent quarante-cinq dollars de plus ; la prière quotidienne augmente cette contribution de trois cent cinquante-huit dollars ; la méditation quotidienne l'augmente de deux cent onze dollars ; se sentir proche de Dieu pendant la messe l'augmente de trois cent soixante-sept dollars, et se sentir proche de Dieu lorsqu'on est en pleine nature, de deux cent trois dollars. À l'inverse, les dons de ceux qui se déclarent croyants, mais non liés à une congrégation religieuse particulière, se situent à quatre cent soixante-quatre dollars en dessous de la moyenne.

Ces moyennes ne rendent pas compte des disparités de revenus : les fidèles fortunés donnent certes à leur congrégation beaucoup plus que les humbles en valeur absolue, mais aussi en proportion de leurs revenus. Dans la sphère religieuse, les dons ne sont pas tributaires des techniques du *fund raising*, mais de la foi. La pression plus ou moins subtile des autorités ecclésiastiques pour faire rentrer l'argent a moins d'effet que n'en ont la croyance et les pratiques spirituelles des fidèles : le don naît bien de la croyance, pas du marketing.

À Fellowship Bible Church, les pasteurs en ont pris acte, insistant peu sur le don : le site web de l'Église y invite, trois lettres de sollicitation par an sont adressées aux fidèles, et les pasteurs lancent un appel au cours d'un prêche annuel, en décembre. Rien de plus : le fidèle sait qu'il doit donner et arbitre en conscience. Il se trouve des Mega Churches où les pasteurs exercent une pression plus forte en faisant circuler des formulaires de dons par carte de crédit au cours de l'office, mais c'est à partir d'une mauvaise connaissance des motivations de leurs fidèles et sans grand résultat : les congrégations de ces fameuses églises à succès sont instables.

La laïcité introuvable

Dans l'Amérique entière, compte tenu des variations géographiques signalées, le volume et la continuité des dons religieux, à peu près insensibles aux cycles économiques, contredisent quelques idées reçues sur la sécularisation des sociétés modernes et sur l'atomisation individualiste de la société américaine.

La sécularisation ? Elle est introuvable. L'urbanisation, la modernisation, les charges répétées des médias progressistes contre les religions, ont peu d'effet sur les croyances. Seules les formes de la croyance évoluent : les fidèles se déplacent des congrégations les plus attachées à la liturgie vers d'autres dont la spiritualité est plus ancrée dans la société moderne. La messe en latin attire moins que des services évangéliques à caractère thérapeutique, sans que l'on puisse pour autant annoncer à coup sûr une mutation des Églises américaines en séances collectives de thérapie de groupe. Celles qui versent dans cet excès, qui n'évoquent qu'un Dieu générique ou n'en citent aucun, qui promettent la fortune et le bonheur, semblent aujourd'hui à bout de souffle. À l'inverse, la vitalité de Fellowship Bible Church, à Little Rock, tient sans doute à un retour à l'étude de la Bible, tout en illustrant le caractère pratique de cet enseignement, son « application » en famille et au sein de la communauté de vie.

L'individualisme ? Il est aussi introuvable que la sécularisation. Les Américains ne sont individualistes que s'ils sont en groupe ! Ce paradoxe aussi avait été relevé par Tocqueville : il observa la passion des Américains pour les associations, les congrès, les réunions, les congrégations. Un individu seul, écrivit-il, ne peut rien, mais en association il peut tout. Être individualiste aux États-Unis revient à choisir librement l'association ou l'Église au sein de laquelle l'on va militer pour une cause. Parce que cette cause relève d'un choix personnel et que le choix est vaste, l'individu américain donne généreusement de son temps et de son argent. Cette liberté du don – don de soi et de ce que l'on possède – constitue ce que l'on appelle la « société civile », autonome par rapport à l'État, au moins aussi active que l'État pour « améliorer » la société, voire capable de se substituer à lui.

Si les Églises occupent une fonction éminente dans cette société civile, c'est que la plupart des Américains se perçoivent comme un peuple biblique, porteur d'une destinée singulière parmi les nations. La connaissance de la Bible – Ancien et Nouveau Testament – est commune aux États-Unis ; la plupart des Américains l'ont lue, la lisent et sont capables de la citer ; 80 % d'entre eux, on l'a dit, se disent toujours chrétiens, auxquels on peut ajouter, en termes de dévotion, les monothéistes juifs et musulmans établis en Amérique. Participer à une congrégation, donner, témoigne donc d'une foi, mais participe aussi de ce que l'on appelle l'« exceptionnalisme », les Américains étant persuadés d'être titulaires d'un message à délivrer au monde. Ce que le monde en pense est une tout autre histoire que l'on s'abstiendra de raconter ici.

CHAPITRE IX

La culture à son juste prix

Longtemps, dans l'intelligentsia européenne, tourner la culture américaine en dérision fut une figure obligée ; Jean-François Revel dénonça dans l'anti-américanisme une idéologie française. Cette mode-là semble révolue ; il reste quelques rares philistins pour déplorer l'« infantilisme » de la nation américaine, qui refuserait de grandir, ou l'« impérialisme » de ses industries culturelles. Mais la récession du marxisme et du nationalisme, ces deux mamelles de l'anti-américanisme, a épuisé le débat. En vérité, les Américains, ni plus ni moins incultes que les Européens, appartiennent à une civilisation distincte où l'accès à la connaissance emprunte des chemins qui ne sont pas les nôtres. En Europe, l'argent public y est plus décisif que l'argent privé ; aux États-Unis, c'est le contraire. C'est de cette différence, et pas d'une comparaison, qu'il est ici question.

La gratuité, cette illusion

À New York, Glenn Lowry ne comprend pas pourquoi, dans nos sociétés où tout se paie, seule la culture devrait être gratuite. Directeur du MoMa, le musée d'Art moderne, une collection sans équivalent dans le monde, il rétorque ainsi à mon objection contre le tarif d'entrée, quarante dollars, infligé au visiteur non abonné : « Protester contre les tarifs du MoMA, dit-il, est une posture. » Les mêmes qui s'indignent du prix d'entrée au musée s'accommodent des tarifs des spectacles de Broadway et de ceux des matches de baseball : beaucoup plus élevés, ces tarifs-là sont acceptés sans hésitation par pauvres et riches. Pour le MoMA, musée privé, les entrées représentent le quart de son budget : il ne saurait être question d'en réduire le prix. S'il n'équilibre pas ses comptes, un musée privé disparaît, dit Lowry. La notoriété du MoMA le protège, mais ce risque théorique gouverne la stratégie de son directeur. Contrairement au directeur du Centre Pompidou, son rival et partenaire, qui, « au 1er janvier, connaît son budget, garanti par l'État, le MoMA commence chaque année à zéro » : chaque jour, Lowry devra utiliser ses talents de séducteur de philanthropes et de professionnels de l'art pour que le MoMA reste à la hauteur de ce qu'en attendent les amateurs. L'impératif financier exige qu'il imagine des expositions permanentes et nouvelles pour financer ce quart du budget assuré par les visiteurs. Pour le reste, Lowry dépend de son *Board* (conseil d'administration).

Poursuivant la comparaison avec ses homologues français, Glenn Lowry s'estime privilégié de dépendre d'un conseil d'administration de quarante personnes plutôt que d'un ministre de la Culture. Le privilège du salaire, d'abord : 1 million de dollars par an, soit plus de cinq fois la rémunération d'un haut fonctionnaire français. En France, par ailleurs, le ministre, en fonction de circonstances politiques étrangères à la culture, peut imposer au directeur du Centre Pompidou ou de tout autre musée national des choix qui ne sont pas cohérents avec les intérêts du musée. Le conseil d'administration, lui, n'a d'autre passion que la réputation du MoMA : une passion qui tient au recrutement de ses membres. Ceux et celles qui y siègent sont collectionneurs d'art contemporain, et tous fortunés. La présidente, Marie-Josée Kravis, muse et bonne fée du musée, est l'épouse d'un super-riche de Wall Street ; aucun milliardaire n'oserait lui dire non. Choisis par cooptation, les membres du conseil d'administration ne sont pas tenus de financer le MoMA, mais l'émulation les incite à donner toujours plus. Les dons s'effectuent soit sous forme de dotations en capital dont les intérêts financeront le fonctionnement du musée, ou par des subventions annuelles.

Les projets d'acquisitions sont soumis par Glenn Lowry au conseil d'administration : s'il les approuve, ses membres doivent trouver eux-mêmes les fonds nécessaires. Au conseil d'administration il revient aussi de gérer les locaux du MoMA, de les agrandir, si nécessaire, et de gérer le personnel ; il arrête la stratégie d'ensemble sans pour autant s'immiscer dans le fonctionnement du musée : le choix des expositions revient au seul directeur. En dépit de certaines pressions du conseil d'administration, Glenn Lowry se vante d'avoir jusqu'ici refusé toute exposition et acquisition d'art chinois contemporain, qu'il considère comme commercial, au-dessous des exigences de qualité du MoMA.

La prospérité du MoMA repose sur la bonne entente entre administrateurs et directeur, mais l'amour de l'art seul motive-t-il les membres du conseil d'administration ?

« Le conseil d'administration, dit Glenn Lowry, est motivé par un mélange de passion pour l'art contemporain, de générosité authentique et de vanité sociale. » En Europe où les super-riches ne donnent rien, on veut croire que seule la fiscalité détermine les grands donateurs. Mais l'impôt étant ici modeste, de l'ordre de 15 % sur les plus-values en capital, le don correspond tout de même à 85 % de ce qui est soustrait à la fortune. À ce degré, dit Marie-Josée Kravis, les déductions ne sont donc pas le moteur du don, elles sont vécues comme une « reconnaissance par la collectivité de l'utilité sociale et culturelle du don ».

Les militants de l'art pour l'art

En plus des dons, les musées américains bénéficient d'une ressource philanthropique essentielle à leur bon fonctionnement : les volontaires. Au Metropolitan Museum de New York, par exemple, qui dispute au Louvre le statut de plus grand musée au monde, une association de mille trois cents volontaires contribue à la bonne marche de l'établissement, au même titre que les deux mille deux cents salariés. Ces volontaires ne sont pas relégués dans des emplois subalternes, mais intégrés à tous les niveaux du musée après avoir suivi une formation initiale, puis une formation continue en fonction des secteurs qu'ils ont choisis. On se porte candidat en s'inscrivant sur le site web du Metropolitan : un candidat sur trois sera retenu, tant la concurrence est vive, et les qualifications élevées. Ces volontaires signent un contrat annuel, engagement moral aux termes duquel ils s'obligent à remplir leurs fonctions pour le nombre d'heures ou de jours qui leur seront attribués. « Ils manquent rarement à l'appel », commente Nancy Staniar, présidente pour trois ans de l'association des volontaires. Ceux-ci ont le sentiment de participer à une communauté privilégiée et servent plus intensément encore que ne l'exige leur contrat. « J'étais récemment à Paris, dit Nancy Staniar, où j'ai tenté de m'inscrire pour suivre une visite guidée du Louvre en anglais. » Elle n'y est jamais parvenue, tandis qu'au Metropolitan plusieurs dizaines de milliers de visiteurs par an suivent des tours accompagnés dans une des neuf langues de leur choix. Ce volontariat, qualifié et enthousiaste, confère au Metropolitan, et à tous les musées américains qui fonctionnent sur ce modèle, une ambiance accueillante *(users friendly)* qui contraste avec le caractère bougon du personnel fonctionnarisé des musées européens.

Grâce aux volontaires, le Metropolitan, en 2013, est aussi passé de six à sept jours d'ouverture par semaine, sans recrutement de salariés supplémentaires. Peut-être est-ce là un trait négatif pour le marché de l'emploi, mais il est socialement utile que les enthousiastes, retraités ou pas, trouvent leur place dans la société, tandis qu'en Europe on les relègue sur les bas-côtés. Les bénéficiaires de la philanthropie sont ainsi à la fois ceux qui donnent et ceux qui reçoivent.

Quelle récompense un volontaire attend-il ? « Notre joie, répond Nancy Staniar, est de vivre au milieu de ces œuvres d'art que nous pouvons admirer à tout moment, et d'appartenir à une "camaraderie" qu'animent à la fois la passion de l'art et celle de servir. »

Lincoln Center : tout est à vendre

Glenn Lowry pourrait diriger un musée européen aussi bien qu'américain : chez lui se mêlent la culture artistique, l'autorité et une séduction qui feraient merveille à Londres ou à Paris. À quelques *blocks* du musée d'Art moderne, le président du Lincoln Center, lui, ne pouvait être que juif new-yorkais : Reynold Levy cumule avec jubilation tous les stéréotypes qui nous sont parvenus de cette culture haute en couleur par les films de Woody Allen ou les romans de Philip Roth. Avant de présider le Lincoln Center depuis 2002, Reynold Levy avait dirigé le grand Centre culturel juif new-yorkais, le *Y92*, remarquable institution philanthropique et laïque. Levy ne manque pas de finesse artistique, mais il préfère se dépeindre en « vendeur » : auteur de trois livres qui font autorité sur l'art de lever des fonds, il enseigne cette discipline à l'université Columbia. « Aux États-Unis, tout le monde lève des fonds », dit-il : que l'on soit banquier, négociant en valeurs boursières ou commerçant, chacun s'évertue à vous soutirer de l'argent. Il fait donc comme tout le monde, pour le bénéfice du plus grand complexe artistique des États-Unis.

Le Lincoln Center est un campus regroupant quinze institutions tels le Metropolitan Opera, le New York Philharmonic, le New York City Ballet, l'École Juilliard,

le Jazz at Lincoln Center, le Rose Hall. Cet ensemble
de salles de spectacles fut construit progressivement, au
début des années 1960, dans un quartier autrefois déshérité, à l'initiative de John Rockefeller Junior, philanthrope et fils de philanthrope. Pour la première fois
dans l'histoire de l'urbanisme, on imagina qu'un centre
artistique pourrait revitaliser un quartier urbain, ce qui
est devenu une norme universelle : de l'Opéra Bastille
à Paris au musée Guggenheim à Bilbao ou à la salle de
concerts Disney à Los Angeles. Mais c'est à New York
seulement que tout repose sur le don. Pour trouver sept
cents millions de dollars par an, indispensables au fonctionnement du Lincoln Center, mieux vaut que son président soit un bon vendeur. À ce budget les spectateurs
et les visiteurs contribuent à hauteur de 40 % ; le reste
provient de dons.

Le conseil d'administration que préside Reynold
Levy est avant tout une machine à lever des fonds : il
est attendu de chacun des quatre-vingts membres qui le
composent qu'il contribue à hauteur de cent cinquante
mille dollars par an, et qu'il se comporte à son tour en
fund raiser, sollicitant sans relâche amis et relations.
En renfort du conseil d'administration, le département
dit du Développement emploie cent salariés à temps
plein et une armée de volontaires qui sollicitent en permanence les dons petits et grands, par courrier, téléphone et démarchage personnel. Tous ceux qui ont
assisté ne serait-ce qu'une fois à un spectacle donné au
Lincoln Center doivent s'attendre à recevoir une lettre,
un appel ou un courriel, dans les jours qui suivent, pro-
posant de devenir un « ami » du Lincoln Center selon
une échelle de tarifs allant de cent dollars à l'infini.

Les *fund raisers*, dit Reynold Levy, sous-estiment
les ressources et la masse des donateurs possibles.

Lui-même se plaît à démarcher les restaurateurs du quartier et les gérants d'immeubles : il leur fait observer que leur clientèle et la hausse des valeurs immobilières résultent de l'attractivité du Lincoln Center ; ne serait-il pas normal qu'ils contribuent ? Chez Reynold Levy, cet alliage de courtoisie, d'humour et de détermination est irrésistible. « Non ! » n'est pas une réponse dont il se satisfait, sauf à recevoir le lendemain une nouvelle visite, une lettre, un rappel. Comme il importe pour le Lincoln Center que le don soit renouvelé chaque année, Reynold Levy ne cessera lui-même – ou son équipe pour les dons plus modestes – d'assiéger le donateur avec courtoisie. Le donateur, au Lincoln Center, est un client traité comme un ami, mais c'est un client.

En quittant Reynold Levy, je lui ai demandé si je lui devais quelque chose. Il m'a répondu : « Le premier rendez-vous est gratuit. » Je ne l'ai pas revu.

Reynold Levy a mis à profit son mandat (achevé en 2013) pour rentabiliser la marque Lincoln Center : création de restaurants, d'objets siglés, activités de conseil à d'autres complexes artistiques, en Chine et en Europe. En Europe où les soutiens publics à la création vont en diminuant, on souhaite comprendre comment le Lincoln Center parvient à rester le lieu de représentation et de création le plus audacieux au monde, sans financement public. Le Lincoln Center vend ses méthodes pour améliorer le confort des lieux de spectacles, maintenir une programmation susceptible de plaire sans sacrifier la création, et sur l'art de lever des fonds. Reynold Levy ne sous-estime pas l'effet des exemptions fiscales accordées par l'État américain à la philanthropie. Sur un budget de sept cents

millions de dollars, il estime à cent cinquante millions
l'effet de ces exemptions : que celles-ci disparaissent
(ce qui n'est pas envisageable) ou soient réduites (ce
qui est envisagé en raison du déficit fédéral), le Lincoln Center en serait certes affecté, mais sans qu'il soit
possible de simuler l'impact d'une pareille mesure. La
plupart des experts en fiscalité ne partagent pas l'hypothèse pessimiste de Levy, mais, là encore, le président
de Lincoln Center agit en bon vendeur.

Qui doit payer pour la culture ?

Au cours de l'histoire occidentale, les modes de financement de la création culturelle n'ont cessé de
varier, du mécénat aristocratique au mécénat d'État.
Aux États-Unis, jusque dans les années 1960, la création relevait exclusivement du commerce privé : le
marché arbitrait. Théâtres et opéras prospéraient ou
faisaient faillite comme n'importe quelles autres entreprises. En 1965, à l'image de l'Europe (le ministère
de la Culture français fut conçu pour André Malraux
en 1959 sur le modèle de son homologue soviétique),
le Congrès des États-Unis imagina un Fonds d'aide à
la création artistique : National Endowment for the
Art, doté d'un modeste budget de cent millions de dollars pour l'ensemble du pays. Les philanthropes n'ont
pris le relais pour financer la création qu'à partir des
années 1970 ; auparavant, ils se cantonnaient à la charité, à la médecine et à l'éducation.

Le financement privé nuirait-il à la créativité ? Les
plus fortunés n'ont pas nécessairement bon goût, ne sont
pas les plus enclins à faire confiance à des inconnus, ni

à soutenir des productions innovantes, voire cho-
quantes. Interrogé sur ce point, dans le comté d'Orange,
au sud de la Californie, le comté le plus conservateur
des États-Unis, Tom Rogers, président du conseil
d'administration du théâtre local, South Coast Repertory,
m'a répondu qu'il finançait des spectacles d'avant-
garde que lui-même, son conseil d'administration et les
principaux donateurs détestaient. Mais ils estimaient
être de leur mission de soutenir la création tout autant
que de diffuser en boucle Brahms ou Shakespeare. Au-
delà de cette obligation morale, les membres du conseil
d'administration du comté d'Orange constatent que le
public des habitués disparaît et que seule la création,
même choquante pour les abonnés, permettra de renouveler le public et de sauver le théâtre.

Ce libéralisme des mécènes est-il la norme? On
citera en contrepoint le testament de Sybil Harrington
qui légua cinq millions de dollars au Metropolitan
Opera de New York pour produire des opéras classiques dans des mises en scène traditionnelles. En 2003,
le directeur de l'Opéra s'étant aventuré sur les chemins
de la modernité avec une production audacieuse du
Tristan et Isolde de Wagner, les héritiers Harrington
portèrent l'affaire devant la justice, dans l'espoir de
récupérer les cinq millions. Il revint à un magistrat
de décider si ce Wagner contredisait ou non les intentions de la donatrice décédée. Ce procès Harrington,
toujours pas réglé, n'en est pas moins une exception, et
le South Coast Repertory représente plutôt la norme.

À l'expérience, entre le financement public par
l'impôt, à l'européenne, et le financement volontaire
par les mécènes, à l'américaine, il n'existe pas, sur
une échelle culturelle, un modèle en soi supérieur à

l'autre, ni de financement de la culture qui serait par destination immuable et universel. Chaque mode de financement porte avec lui ses contradictions, ses contraintes, ses censures et ses copinages. Les préférences et prises de position sur le sujet sont en général à caractère idéologique : les partisans de l'État accusent les mécènes de mauvais goût, les partisans du financement privé craignent que l'État n'impose un art officiel. La vérité, à l'expérience, se trouve à mi-chemin entre ces préjugés et soupçons extrêmes.

Il en va de même pour les universités.

Un très cher diplôme

Pour un étudiant, l'enseignement universitaire est-il un droit ou un investissement ? Selon l'économiste de la Booth School of Business à Chicago, Kevin Murphy, célèbre aux États-Unis pour sa capacité à tout quantifier autant que pour la casquette de base-ball qu'il porte en permanence, un diplôme supérieur vaudrait en moyenne un million de dollars. Son mode d'évaluation est relativement simple : depuis la récession financière de 2008, le taux de chômage américain gravite autour de 10 % ; pour les titulaires d'un diplôme universitaire, ce taux est inférieur à 5 % ; le diplôme est donc une assurance contre le chômage, aisée à chiffrer, comme toute assurance privée ou publique. De plus, le salaire moyen d'un diplômé d'une université aux États-Unis est supérieur de cinquante mille dollars par an à celui d'un non-diplômé pour une durée de vie plus longue d'environ un an. À partir de ces constatations et en recourant aux algorithmes d'usage, on peut conclure qu'un diplôme vaut en 2013 un million de dollars, moyennant des variations que dictent le prestige des universités et la discipline enseignée : Harvard rapporte plus que l'université de l'Alabama ; un diplôme d'économie, en 2013, vaut un diplôme de médecine, mais plus qu'un diplôme scientifique.

Dès lors que le diplôme est rémunérateur pour son titulaire, Kevin Murphy et les économistes de sa mouvance en concluent que tout étudiant « investit » dès qu'il entre à l'université : il devrait en conséquence payer pour ses études. L'inscription dans une université réputée coûtant environ cinquante mille dollars par an, le rendement de cet investissement sera considérable. Harvard, Yale ou Cornell coûtent cher, protestent parents, étudiants et commentateurs (surtout lorsqu'ils sont européens ou progressistes), mais, en réalité, c'est « l'investissement le plus rentable que l'on puisse trouver sur le marché », réplique Kevin Murphy. Son raisonnement ne fait pas l'unanimité : les conservateurs le partagent, les progressistes le contestent.

Pour les progressistes, l'éducation supérieure est plutôt un bien collectif, puisque la société entière bénéficie de l'élévation du niveau général des connaissances. De ce point de vue, l'université mériterait d'être financée par la collectivité, avec un degré de participation aussi modéré que possible de l'étudiant en quête de diplôme. Mais attention à ne pas comparer la « gratuité » relative des études universitaires en Europe – en particulier en France et en Allemagne – avec leur coût élevé aux États-Unis : on risque ici le contresens. En Europe, tous les contribuables paient pour ces études (et pour la culture), que leurs enfants entrent à l'université ou pas ; la gratuité n'est que d'apparence. Aux États-Unis, où les impôts sont globalement inférieurs d'un tiers à ce qu'ils sont en Europe, ne paient pour les études que ceux qui en font.

En raison du caractère local de la gestion de l'éducation, on rencontre aux États-Unis toutes les réponses possibles, et il serait vain de départager ces deux thèses, progressistes ou conservatrices, qui reflètent deux interprétations inconciliables de la société. Depuis un siècle, la plupart des États américains ont édifié des universités publiques où les droits d'inscription sont faibles ou nuls : UCLA en Californie, Michigan University sont les plus réputées de ces universités d'État d'un niveau comparable aux meilleures universités privées. Il se trouve aussi des universités locales *(community colleges)* à la charge des contribuables plutôt que des étudiants, d'une qualité variable. Les Églises ont à leur tour créé leurs propres universités, financées à l'origine par des dons de fidèles. Enfin les universités renommées, les grandes marques (dites *Ivy League*, parce que recouvertes de lierre), sont entièrement privées, à la charge de leurs étudiants, mais plus encore de leurs anciens étudiants reconnaissants.

Ces universités de marque, qui dominent le marché américain et souvent le marché mondial de l'enseignement supérieur, sont nées de la philanthropie et ne prospèrent que grâce à elle. Harvard, Yale, Cornell, Stanford, Princeton, l'université de Chicago, toutes ont été fondées par des philanthropes ; l'université de Chicago est l'une des rares à ne pas porter le nom de son fondateur, John D. Rockefeller. Celui-ci craignait que sa réputation controversée ne dissuade les meilleurs enseignants d'y accepter une chaire. Tous les fondateurs ont doté ces universités privées d'un capital initial : les produits financiers de ces dotations constituent

leur ressource principale, accrue par les dons octroyés
– de leur vivant ou par testament – par d'anciens
élèves. Harvard, avec une dotation de vingt milliards
de dollars, Columbia, à New York, avec sept milliards, pourraient, tant elles sont riches, ne pas faire
payer leurs élèves. Pour quelle raison exigent-elles
malgré tout des frais d'inscription considérables ? Le
surplus leur permet d'attirer les meilleurs enseignants,
de s'agrandir, de s'internationaliser, d'accorder des
bourses aux étudiants sans ressources. Dans ces établissements, le prix de la scolarité affiché est rarement
celui qui est appliqué : chaque cas est examiné, et le
tarif adapté aux capacités contributives de l'étudiant.
Une mathématicienne de génie, noire de surcroît, ne
paiera rien ; un footballeur d'exception, susceptible
d'améliorer le score de l'équipe universitaire, rien non
plus.

Comment une université qui ne dépend pas vraiment des frais de scolarité calcule-t-elle ses tarifs ? Le
marché décide. Le directeur du Développement de
Yale – titre que porte celui (ou celle) chargé(e) de faire
rentrer les fonds – m'explique qu'il fixe les frais
d'inscription au montant le plus élevé que des candidats sont disposés à payer. Ce tarif croît plus vite en
période de stagnation économique, car le diplôme est
alors encore plus recherché en tant qu'assurance
contre le chômage ; c'est la valeur de la marque, plus
que le prix de revient, qui détermine donc le prix, du
moins dans les grandes universités dotées. À l'inverse,
dans une université privée peu dotée ou non dotée en
capital, cas par exemple de l'université de New York
(NYU), les frais de scolarité sont calculés sur la base
du budget réel. Selon Debra LaMorte, vice-présidente

en charge du Développement, les étudiants contribuent pour 85 % au budget de NYU, 5 % proviennent d'une modeste dotation en capital ; 5 % de la philanthropie : dons d'anciens étudiants, d'amis de l'université, de fondations comme Ford (NYU est considérée comme progressiste) ; 5 % proviennent enfin de services rendus par l'université, telle la location de logements aux enseignants et étudiants. Comment les étudiants financent-ils leur scolarité ? 97 % d'entre eux travaillent – ce qui, à New York, est plus aisé que dans des campus isolés comme Cornell ou Stanford – et ils s'endettent auprès des banques, quasi certaines de recouvrer leurs prêts au-delà du diplôme.

Par-delà cette apparente diversité des modes de financement, Debra LaMorte souligne ce que toutes les universités partagent et qui singularise l'expérience américaine : une relation communautaire avec les étudiants. À NYU, dit-elle – mais ce n'est pas un trait original –, « nous essayons de créer avec nos étudiants un lien pour la vie. Au cours de leurs études, ils paient ; au cours de leur carrière, on sollicite leurs dons ; s'ils sont malades, on les oriente vers l'hôpital de NYU dans l'espoir que, une fois guéris, ils feront un don ; vers la fin de leur vie, nous mettons à leur disposition des conseillers testamentaires afin que NYU ne soit pas oubliée ».

Du degré de fidélité des étudiants anciens et actuels dépend la prospérité de toutes les universités. À NYU, cette fidélité est ténue, parce que installée au cœur de la ville, le temps passé à y étudier ne représente qu'une fraction de la vie des étudiants : ni campus, ni équipe de football aux couleurs de NYU. Dans les universités isolées, où la vie gravite autour du campus, se forge un patriotisme universitaire symbolisé par l'équipe de football (le football américain, cousin du rugby européen). Parmi toutes les universités, Princeton a su créer le lien le plus fort avec ses anciens étudiants : 60 % d'entre eux donnent à leur *alma mater*, en particulier au cours de la réunion annuelle de chaque promotion, rarement manquée par les anciens. Ce taux de fidélité s'élève à 35 % pour Harvard et Cornell, à 10 % seulement pour NYU. « Pas d'équipe de football », explique et déplore Debra LaMorte.

Le triomphe du leveur de fonds

Par-delà leur statut et leur dotation, les universités ne bouclent leur budget que grâce aux fonds qu'elles « lèvent ». Ce qui requiert un engagement soutenu des directions du Développement, mais aussi des enseignants : s'ils souhaitent étendre leurs activités de recherches, ils doivent mener leurs propres actions de collecte de fonds. Cette dépendance envers la philanthropie va en grandissant, dans les secteurs public et privé, depuis la crise financière de 2008 qui aura marqué un tournant. Pour les universités dotées, l'effondrement des cours de la Bourse et la baisse des rendements du capital ont contraint à augmenter les frais de scolarité et à appeler à plus de générosité de la part des anciens élèves. Pour les universités publiques, la récession a réduit les rentrées fiscales des États, les contraignant à couper dans leurs dépenses. En Californie, État qui se vantait d'offrir à tous les étudiants un enseignement universitaire de qualité sur des campus aussi réputés que Berkeley ou Irvine, les dotations publiques ne représentent plus que 20 % des recettes ; le solde provient toujours plus des frais d'inscription payés par les étudiants et d'aides fédérales à la recherche. À Irvine, l'un des dix campus publics de l'université de Californie (UCLA), les frais d'inscription s'élevaient en 2013 à vingt mille dollars par an, coût quasi insupportable pour les étudiants issus des classes moyennes. J'ai demandé au directeur du Développement d'Irvine comment il parvenait à ce chiffre de vingt mille dollars, voisin de ce qu'exigent des universités privées ; il m'a répondu dans les mêmes termes que son homologue de Yale : « Je suis allé aussi loin que ce que le marché pouvait accepter. »

Tous les États, qu'ils soient républicains ou démocrates (la Californie est démocrate), se rallient donc, contraints et forcés, à la théorie de Kevin Murphy. L'identification du diplôme à un investissement personnel comparable à n'importe quel autre s'impose fort opportunément comme une théorie persuasive ou un alibi politique légitimant la réduction des subventions publiques. Cette évolution idéologique place en situation de concurrence inédite des universités publiques et privées qui desservent une même population en un même lieu. À Dallas, le président de l'université publique du Texas déplora devant nous de devoir démarcher les mêmes donateurs – les mille familles super-riches de la ville – que l'université baptiste. Par chance, admit-il, « le Tout-Dallas étant conservateur, y compris à l'université publique, les philanthropes répartissent équitablement leurs dons ». Dans toutes les universités publiques et privées qu'il m'a été donné de visiter, on m'a appris que le directeur du Développement, en charge de lever des fonds, était désormais mieux rémunéré que le président. Ces départements du Développement emploient des milliers de *fund raisers* de niveau supérieur, formés par des établissements spécialisés. Une association de *fund raisers* universitaires, CASE (Council for Advancement and Support of Education), organise des congrès et dispense des conseils.

Le *fund raising* universitaire est devenu une industrie avec ses rites, ses filières, ses colloques. Ce nouveau mode de financement exerce-t-il une influence sur les orientations des universités ? Adaptent-elles leur offre de formation pour mieux séduire les donateurs ?

Jerry Mandel qui, pendant vingt ans, a levé des fonds à Irvine avant de se consacrer à sa véritable passion, le saxophone, confesse qu'il a vu évoluer les programmes éducatifs : au fur et à mesure que l'État se retirait pour laisser place aux donateurs privés, les sciences, physique, médecine, mais aussi bien économie et management, ont occupé une place croissante aux dépens des « humanités » (littérature, philosophie, sociologie). Longtemps au cœur de l'enseignement universitaire, ces dernières attirent moins l'argent ; les donateurs estiment qu'elles ne transforment pas la société américaine de manière suffisamment visible, ni ne contribuent assez au dynamisme de l'économie. Voici les humanités évacuées vers des petits *colleges* privés qui occupent cette nouvelle niche sur le marché et recherchent leurs propres mécènes, plus désintéressés.

Les dons attribués aux universités ne sont pas toujours neutres. Charles et David Koch, deux magnats du pétrole engagés dans la défense du conservatisme, ont été soupçonnés en 2011 d'avoir financé la création d'un département d'économie à Florida State University, à condition que n'y soit enseignée que la doctrine « libertarienne » (en français : ultralibérale). L'université et les frères Koch durent opposer un démenti, tant un tel accord eût été contraire aux usages de la philanthropie universitaire. Il se trouve aussi des universités pour pratiquer l'autocensure : celles qui créent des campus dans le monde arabe et en Chine – deux sources de revenus importantes, les étudiants locaux y payant plein tarif – veillent à ne pas offenser les régimes politiques des pays d'accueil, y compris dans les cours dispensés aux États-Unis mêmes. À regret, on constate que tel est le comportement de New York University où le département de littérature a été dissuadé d'inviter Gao Xingjian, Prix Nobel de littérature chinois[1], en exil en France, que Pékin considère comme un ennemi du régime.

La transformation des universités en entreprises marchandes conduit à d'autres effets pervers qui pèsent sur la société américaine tout entière : l'augmentation des frais de scolarité dissuade un nombre croissant d'élèves d'origine modeste de s'engager dans des études qui promettent un endettement certain et un diplôme de valeur aléatoire. « À quoi bon dépenser cinquante mille dollars pendant quatre ans alors que l'on peut commencer à travailler tout de suite ? » : c'est là un raisonnement que l'on entend de plus en plus dans la bouche des jeunes Américains.

La dépendance des universités vis-à-vis du don engendre aussi une inflation des effectifs administratifs,

---

1. Et désormais français depuis qu'il a obtenu la nationalité française en 1998.

en particulier dans les départements du Développement, au détriment du recrutement d'enseignants et d'étudiants. Illustration de ces dérives : on retiendra le cas de l'université Purdue, dans l'Indiana, reconnue pour l'instant comme l'une des meilleures au monde pour la formation d'ingénieurs de l'aéronautique. Or que constate-t-on à Purdue, université publique, depuis dix ans ? Entre 2001 et 2011, les frais de scolarité annuels sont passés de mille quatre cent à dix-neuf mille dollars ; le nombre des enseignants a augmenté de 12 % sur la même période, et le nombre des étudiants de 5 %. Les effectifs du personnel administratif ont crû, eux, de 58 %. Au terme de ses études, un diplômé de Purdue se retrouve avec une dette moyenne de vingt-sept mille dollars. Cette dette est-elle un investissement ? La stagnation du nombre des étudiants montre que les jeunes Américains, à tort ou à raison, n'en sont pas tous persuadés.

On ne se fait ici procureur que pour confirmer qu'entre l'État et le marché, là où se situent les universités, le retour à la philanthropie comme source dominante de financement génère ses propres contradictions. Dans cet entre-deux, il n'existe pas de solution parfaite : le marché a ses faiblesses, l'État aussi, et le troisième secteur tout autant. La vanité consisterait à ne pas comparer ni expérimenter : ce reproche-là, on ne saurait l'adresser aux Américains.

Enfin, s'il faut choisir la raison pour laquelle, sur les cent meilleures universités au monde selon le classement dit de Shanghai, cinquante-quatre sont américaines, on émettra l'idée que la concurrence entre elles est plus déterminante que leur mode de financement : à méditer.

CHAPITRE X

Un paradis fiscal ?

En Europe, on aime bien que le déterminisme économique explique les comportements sociaux : c'est là un reliquat du marxisme qui gomme les traits culturels et la motivation spirituelle. La générosité américaine, par contraste avec la pingrerie des Européens les plus fortunés, s'expliquerait-elle seulement par des considérations fiscales ?

Aux États-Unis aussi il se trouve des sociologues « objectifs » qui aimeraient établir une relation claire entre l'impôt et le don – sans y parvenir. Harvey Dale, directeur du Centre d'études de la philanthropie à l'université de New York, l'autorité sur le sujet, observant que la fiscalité américaine ne cesse de varier, nous apprend qu'il est possible de créer des modèles reliant l'impôt et le don, que ce soit dans le temps, dans la géographie, et selon la nature du don. Il en ressort que la déductibilité fiscale du don joue un certain rôle sur le niveau du don et son affectation, mais que ce rôle est des plus limité. Le moteur du don est nettement d'ordre culturel : on donne parce que tout le monde donne et qu'on a toujours donné, que ce soit pour des raisons sociales, communautaires, spirituelles, confessionnelles ou narcissiques. « À preuve, dit Harvey Dale : les premières grandes fondations datent du début du xxᵉ siècle, lorsqu'il n'existait pas d'impôt sur le revenu, et qu'il n'était donc pas question d'y échapper. » Aujourd'hui, deux tiers des Américains déclarant leur revenu ne détaillent pas leurs dons sur cette déclaration mais se contentent d'une déduction forfaitaire accordée à tous les contribuables. L'impôt sur le revenu est celui qui pourrait exercer la plus forte influence sur le don, puisque 73 % des dons sont effectués du vivant du donateur, et seulement 8 % par testament. Quel est l'effet de la déductibilité sur le tiers restant, le plus généreux ?

La déduction ne fait pas le don

Le Code des impôts fédéral, fort complexe, accumulation d'un siècle de règles superposées, permet, depuis 1954, de déduire du montant des revenus déclarés le montant des dons aux fondations privées, aux Églises, aux institutions charitables *(public charity)* reconnues comme telles par son incontournable article 501 (c) (3). Le principe est identique dans les États qui imposent le revenu, moyennant une diversité qui est à l'image du pays. Cette exemption fiscale a permis d'économiser par l'impôt, en fonction de son taux, au maximum 34 % en 2012, proportion passée à 39,6 % en 2013. Donner cent millions revient à n'en payer que soixante, cependant que la fondation recevra bien la totalité du montant.

Paradoxe : le revenu annuel des philanthropes les plus généreux des États-Unis, comme Bill Gates ou

Warren Buffett, étant inférieur au niveau de leurs dons, ils ne bénéficient pas de l'exemption fiscale, l'État ne remboursant pas le manque à gagner. Pour ceux qui donnent suffisamment pour bénéficier de l'exemption fiscale – ni trop, ni trop peu –, quel est l'effet de la variation du taux maximum, ce qu'on appelle l'« élasticité » du don ? Cette élasticité se révèle nulle pour les dons aux Églises : quel que soit le niveau de l'impôt, les fidèles, qui méritent bien ici leur nom, donnent la même somme en toutes circonstances. Les institutions charitables et médicales semblent légèrement affectées par une augmentation de la pression fiscale : le donateur ne déduira pas la totalité des impôts supplémentaires pesant sur le montant du don pour parvenir à un jeu à somme nulle, mais il donnera un peu moins, par réaction psychologique plus que par strict calcul financier. Le monde des arts et de la culture est le plus sensible à l'exemption fiscale : la baisse des dons aux institutions culturelles, quand l'impôt augmente, est peu significative au niveau de l'individu qui donne, mais, pour les grandes institutions comme les opéras ou les orchestres symphoniques, l'addition de ces menues économies peut entamer sérieusement leur budget. Nous avons vu précédemment comment ce débat affectait les prévisions du Lincoln Center à New York.

L'administration Obama, en mal de ressources, s'appuie sur cette relative indifférence des donateurs à la fiscalité pour envisager de plafonner à 28 % la déductibilité, alors que la tranche d'impôt maximale est à 29,6 %. Selon le Centre de recherche sur la philanthropie de l'université de l'Indiana, cette baisse du droit à déduire conduirait à une réduction globale des dons de l'ordre de 1,3 % : ce qui est peu, en proportion, mais n'en représenterait pas moins, au total, une chute de deux milliards de dollars.

Par-delà cette querelle de chiffres, les défenseurs de la philanthropie, qui sont aussi des adversaires de l'impôt, comme le sociologue Howard Husock, dénoncent l'incompréhension des progressistes vis-à-vis des vertus de la société civile, laquelle serait plus efficace que l'État pour réparer les dysfonctionnements de la société américaine. Les conservateurs font souvent valoir qu'un dollar non donné à l'État produit un bénéfice social d'une valeur de trois dollars. Ce calcul est invérifiable. Il est plus probable que si l'État percevait ce dollar, il l'utiliserait pour combler le déficit public plutôt qu'il n'essaierait d'éliminer les causes de la pauvreté. Mais ce débat reste théorique, puisque aucun gouvernement américain n'éliminera complètement la déduction fiscale en faveur des œuvres philanthropiques !

L'exemption fiscale n'est donc pas déterminante ; elle n'explique pas la philanthropie, mais l'affecte à la marge. Autre conclusion inattendue des recherches sur le don : les cycles économiques ne bouleversent pas l'univers de la philanthropie ; son « élasticité » conjoncturelle est faible. En temps de récession, les fidèles persistent à donner, les institutions charitables reçoivent même un peu plus, parce que les donateurs sont sensibles au destin des plus humbles par temps de crise, tandis que les institutions culturelles sont affectées, mais peu, leurs principaux donateurs disposant de revenus considérables, insensibles aux crises.

De 2008 à 2012, période de stagnation, deux secteurs économiques ont échappé à la récession : la santé et la culture, qui se trouvent tous deux financés par la philanthropie et tous deux créateurs d'emplois. Le président du Lincoln Center, Reynold Levy, se plaît à observer qu'entre 2008 et 2012 il est parvenu à « lever » un milliard de dollars pour remodeler et agrandir ce qui demeure le plus grand complexe artistique au monde.

À des nuances près, à peine mesurables, la philanthropie apparaît comme un univers à part, assez indifférent aux mouvements de l'économie matérielle et aux fluctuations de la pression fiscale.

Les grands donateurs sont-ils des exilés fiscaux ?

N'est-il pas tentant, pour les entrepreneurs, de faire revêtir à leurs activités économiques le statut de fondation de manière à échapper à la plupart des impôts ? Les fondations sont en effet exemptées non seulement de l'impôt sur les bénéfices, puisque par définition elles n'en font pas, mais aussi de la plupart des taxes locales, moyennant des variantes selon les villes ou les États. En d'autres termes, les quelque six cent mille fondations privées en activité aux États-Unis, un nombre équivalent d'associations humanitaires ainsi que les Églises, dont le nombre s'accroît d'environ dix mille par an, sont-elles toutes de véritables fondations, associations et Églises authentiques ? La distinction entre association à but non lucratif *(public charity)* et fondation est ténue ; en principe, elle tient à l'origine des fonds. Une fondation est financée par une famille ou une entreprise, tandis qu'une *public charity* fait appel à des donateurs multiples. Mais certaines *charities* adoptent le nom de fondations, ce qui n'est pas interdit. Une autre distinction qui, elle non plus, n'est pas absolue, tient au mode opératoire des fondations et des associations : la fondation n'agit pas directement, mais accorde des dons à des associations qui exécutent les programmes approuvés par elle. La fondation paie, l'association agit ; mais, quoique rares, il se trouve des fondations pour appliquer directement leurs programmes. Le secteur n'étant pas du tout réglementé, seul un examen individuel de chaque institution permet de comprendre vraiment ce qu'elle fait, comment elle agit, pour quel motif et au profit de qui ou de quoi. Le monde de la philanthropie est libéral à cent pour cent.

Seules sont précises les règles qui autorisent à solliciter le statut d'organisation philanthropique. Pour être reconnue comme telle et ne payer aucun impôt, une Église doit remplir quatorze conditions objectives, sans que l'administration fiscale s'autorise à juger de l'authenticité ou de la validité spirituelle de cette Église : on trouve aux États-Unis des Églises athées et des « Communautés spirituelles de sorcières », déclarées comme telles, qui satisfont aux quatorze conditions. Parfois certaines Églises prétendument chrétiennes perdent leur statut parce qu'elles s'adonnent à des commerces lucratifs : un cas célèbre est celui des pasteurs évangéliques Jim et Tammy Bakker, marchands de cosmétiques arborant la marque de leur temple. Les fondations et autres institutions philanthropiques sont supposées remplir les missions qu'elles déclarent ; les autorités fiscales, elles, ont le droit de vérifier l'authenticité de leurs déclarations annuelles. En pratique, le Service fédéral des impôts chargé des institutions philanthropiques n'employant que huit cents personnes, le bénéfice de l'article 501 (c) (3) repose sur la confiance ; les agents du fisc n'interviennent que dans les cas où un scandale est dénoncé. Sur dix mille demandes d'agrément fiscal supplémentaires chaque année, le Service des impôts en accepte 99,5 %, y compris celles émanant d'associations et de fondations parmi les plus saugrenues. Il suffit que le formulaire soit rempli par un comptable ou un avocat compétent : la détaxation est obtenue en moins d'un an. Le statut « non profitable » fait bénéficier les donateurs de la déduction fiscale, mais autorise aussi les associations, fondations et Églises à ne payer aucun impôt, ni fédéral ni local. Chaque année, à peine 1 % de ces institutions philanthropiques perdent leur statut fiscal : la fraude la plus fréquente est celle de la fondation sans activité aucune, dont l'objet exclusif est de rémunérer son président.

Détecter les dérives est plus complexe : nous avons vu comment des entrepreneurs sociaux menaient simultanément des actions charitables gratuites et des activités à caractère commercial. Où situer la frontière entre fondation et commerce ? De même, des Églises vendent certains produits et services « dérivés » de leur mission apostolique. Fondations et Églises ne portent-elles pas atteinte à la concurrence en bénéficiant d'un statut privilégié ? L'administration des impôts, appuyée par de nombreuses décisions de justice, considère que les activités non lucratives des institutions philanthropiques ne leur font pas perdre leur avantage fiscal 501 (c) (3) à condition que ces activités restent en relation avec la fonction philanthropique : le commerce doit rester *incidental* – à la marge. Le couple Bakker était allé trop loin : chez

eux, la liturgie était devenue une annexe de la vente
de cosmétiques. Dans les faits, ces querelles de frontières débouchent sur d'innombrables procès que les
institutions philanthropiques gagnent plus souvent
qu'elles ne les perdent en raison d'une présomption
de légitimité : aux États-Unis, la philanthropie est a
priori perçue comme moralement supérieure au capitalisme, et au-dessus des exigences fiscales de l'État
dont la réputation, en ce domaine comme en d'autres,
n'est pas enviable.

Une fois l'exemption acquise, les institutions philanthropiques répondent rarement de leurs actes. Dans
la société américaine où chaque pouvoir est équilibré
par un contre-pouvoir, nul ne contrôle la bonne
marche de la philanthropie. En droit, ni les donateurs
ni les bénéficiaires ne peuvent poursuivre en justice une
institution à laquelle ils donnent ou dont ils reçoivent :
une fois le don acquis, la fondation ou l'association
humanitaire en sont propriétaires et agissent à leur
guise. Le bénéficiaire n'a pas plus la possibilité légale
de protester contre l'insuffisance ou la mauvaise qualité des services d'une fondation : il n'a pas ce que
l'on nomme un « droit acquis ». Les fondations n'ont
pas d'actionnaires pouvant demander des comptes.
Seuls les procureurs peuvent porter plainte contre une
institution philanthropique qui violerait ses statuts ou
enfreindrait la loi, mais, dans la plupart des États, il
n'en existe aucun qui soit spécialement en charge
de la surveillance des institutions philanthropiques.
Certains juristes, en particulier Joel Fleishman, de
l'université Duke, considèrent que les fondations, financées par tous les contribuables (ce qu'une fondation
ne paie pas se trouve compensé par ceux qui paient),

devraient, comme toute institution publique, être contrô-
lées par les autorités fédérales et locales. Ce raisonnement est contesté par les défenseurs de la philanthropie,
puisqu'il implique que l'État serait propriétaire de
l'impôt non versé.

La vertu récompensée

À l'opposé de Joel Fleishman, Robert Wuthnow,
directeur du Centre d'études des religions à l'université de Princeton, estime que les fondations ne doivent
rien à l'État, l'exemption fiscale étant une reconnaissance de la vertu essentielle du don : le don mérite
d'être exempté parce qu'il est juste et bon. Pour cette
raison, il est interdit à l'État américain de distinguer
entre les formes et les destinataires du don, ou
d'exempter une fondation plus qu'une autre sous prétexte que son utilité sociale serait considérée comme
supérieure ; toute discrimination est ici exclue car
dans la société américaine, l'autorité politique ne dispose pas d'une légitimité supérieure à celle de la
société civile.

Parce qu'elle ne repose sur aucun jugement de
valeur, l'exemption fiscale s'apparente, selon Robert
Wuthnow, au premier amendement de la Constitution, garantie de la libre expression quel que soit le
fondement de celle-ci, fût-il choquant. De la même
manière, une fondation a le droit de poursuivre des
objectifs qui nous sembleraient bizarres. Les rares
États (l'expérience a été faite en Arizona) qui ont
tenté, en fonction de leur utilité, de ne pas accorder
les mêmes exemptions à toutes les fondations, ont dû

renoncer à cette discrimination, contraire à la Constitution. L'État américain n'est pas juge de l'opportunité des choix philanthropiques, de même qu'il n'est pas autorisé à qualifier l'authenticité d'une Église dès lors que les formes extérieures requises par la loi sont respectées. Cette neutralité de l'État américain est à l'opposé de la pratique française où l'État et les municipalités n'octroient des subventions publiques à des associations privées que lorsque celles-ci s'inscrivent dans des politiques déterminées par les élus. En France, la politique domine la société civile qui ne survit que grâce à l'aide publique ; aux États-Unis, la philanthropie relève d'un troisième secteur qui échappe à l'État comme au marché.

En résumé, du fait de la faiblesse des effectifs du fisc et de l'absence de procureurs spécialisés, la philanthropie repose sur la confiance entre ceux qui donnent et ceux qui reçoivent. Il existe bien quelques institutions privées qui attribuent des notes aux fondations, mais, à y regarder de près, ces « agences de notation » sont elles-mêmes des fondations. Elles se dissimulent sous des appellations qui paraissent officielles, mais ne le sont pas : ainsi l'Institut américain de la philanthropie à Chicago. Souvent financés par les fondations qu'elles évaluent (comme le font les agences internationales de crédit), ces organismes n'ont pas les moyens de contrôler l'activité réelle, et se contentent de juger d'après les documents écrits qui leur sont fournis. Parmi les plus connues de ces agences de notation, Wise Giving accorde un satisfecit à toute fondation qui produit un rapport annuel, sans s'interroger sur son authenticité ; or Wise Giving vend quinze mille dollars par an le droit pour la fondation

prétendument contrôlée d'utiliser son logo ! Charity
Navigator, le site le plus consulté par les donateurs
individuels en quête d'une bonne cause, classe les
fondations en fonction de la part de leur budget affectée à leur fonctionnement. À plusieurs reprises, le
Congrès de l'Oregon a tenté, sans aboutir, de retirer
leurs privilèges fiscaux aux organisations philanthropiques qui dépensent plus de 70 % de leur budget en
frais de gestion. Ce critère, qui paraît rationnel, ne
reflète pourtant pas nécessairement l'efficacité ou
l'inefficacité d'une fondation : un état-major qualifié
peut être une garantie de bon usage des fonds tandis
que l'absence de frais de fonctionnement peut
conduire à une dispersion des dons, sans contrôle sur
leur utilité.

La Croix-Rouge américaine est l'illustration la plus
tragique d'une distorsion entre la capacité de lever des
fonds et l'incapacité de les redistribuer, faute d'un
état-major compétent. Quand l'ouragan Katrina détruisit La Nouvelle-Orléans en 2005, la Croix-Rouge
recueillit 450 millions de dollars auprès des Américains, puis, ne disposant d'aucune logistique et d'aucun
personnel formé à ce type de situation, se montra
inapte à acheminer aux victimes des réserves d'ali-
ments stockés, périmés depuis des années. Le même
scénario se reproduisit en Haïti en 2010. Il existe bien,
à New York, une banque de données : le Centre des
fondations, qui collecte des informations financières
sur les programmes des mille plus grandes fondations
américaines, mais telles que celles-ci les publient. Il
se trouve aussi des cas extrêmes où une fondation ne
redistribue à peu près rien de ce qu'elle collecte.
D'après une enquête du *Boston Globe* datant de février
2013, c'est souvent le cas des fondations créées par

des stars du sport qui estiment valoriser leur image en s'engageant dans de bonnes causes, et, soit par incompétence, soit par turpitude, gaspillent toutes leurs ressources en relations publiques.

Faut-il s'en remettre à la tradition américaine de l'investigation journalistique comme ultime garantie de la confiance que l'on peut accorder ou non aux institutions philanthropiques ? « En dehors d'un scandale majeur dénoncé par la presse », admet Susan Berresford qui fut vingt ans présidente de la Fondation Ford, les institutions philanthropiques échappent à tout contrôle extérieur. Les journalistes, ajoute-t-elle, connaissent mal le sujet et s'y intéressent peu.
C'est sans compter Aaron Dorfman.

Un détective, mais pas de crime

Initialement volontaire social *(community organizer)* dans les quartiers pauvres de Washington, Aaron Dorfman a pris la mesure de la misère urbaine qui frappe particulièrement les minorités ethniques et les jeunes femmes ; dans le même temps, il a constaté combien la plupart des fondations, qui clament leur ambition de réduire cette misère, obtenaient peu de résultats. Le contraste entre les bulletins de victoire affichés et le peu d'effets constatés a conduit Aaron Dorfman à créer, en 1980, le National Center for a Responsible Philanthropy (NCRP), pour surveiller les fondations et autres associations humanitaires. Quelques bureaux dans la capitale et une dizaine de collaborateurs requièrent un budget annuel de l'ordre d'un million

de dollars ; cette somme lui est apportée par soixante-
dix fondations dont les dirigeants estiment qu'un
regard critique améliorera l'efficacité d'ensemble du
monde philanthropique. Aaron Dorfman est ainsi
devenu le détective privé de la philanthropie. Son
allure et les modestes moyens dont il dispose m'ont
fait penser à Philip Marlowe dans les romans de
Chandler.

« La filature est compliquée », me dit Dorfman. Les
fondations ne publient en général que le strict minimum requis par le Code des impôts pour prouver
qu'elles ont effectivement dépensé ce que la loi les
oblige à déclarer. Toutes ou à peu près toutes sont
réticentes, voire hostiles aux investigations extérieures,
ce que je puis confirmer pour en avoir pris la mesure
au cours de mon enquête : la plupart des fondations
sont aussi accueillantes que des coffres-forts ! Aaron
Dorfman compte avant tout sur des informateurs
spontanés, anciens collaborateurs de fondations ou
récipiendaires déçus ou trompés. Grâce à ces « tuyaux »,
il repère les mauvaises pratiques et les dénonce sur
son site web.

Beaucoup de scandales ? Pas vraiment. Au terme
de trente ans d'expérience, il a repéré peu de turpitudes et peu de malversations. Ce qu'il dénonce
globalement, c'est la faible productivité de la philanthropie et ce qu'il considère comme un engagement insuffisant pour réparer les défaillances les plus
flagrantes de la société américaine : la majorité des
fondations soutiennent des causes que Dorfman estime
futiles. Il ne prétend pas être un observateur neutre,
mais le porte-parole des humbles à qui riches et super-
riches pourraient et devraient apporter une attention

plus soutenue. « Les abus sont rares, dit-il, l'ennemi est la médiocrité. »

Bien des fondations somnolent en raison même de l'absence de critiques dont elles font l'objet, et celles qui s'engagent dans des programmes inutiles ne l'avouent jamais. À en croire Dorfman, les fondations les plus nulles sont les plus récentes : un quart de celles actuellement en activité ont été créées au cours de ces vingt dernières années, en majorité par des financiers subitement enrichis. Souvent, regrette Dorfman, ils n'ont ni stratégie ni objectifs en dehors du désir d'être ou de paraître moraux et de rejoindre le cercle des fortunes établies.

Un chien de garde pour six cent cinquante mille fondations et autant d'organisations charitables sur un territoire aussi vaste que les États-Unis : c'est peu. J'ai demandé à Aaron Dorfman s'il connaissait d'autres « détectives » de son espèce. Non : Marlowe est seul.

Mais aucun crime n'a été commis : la philanthropie ne fait qu'hésiter avec plus ou moins de succès entre futilité et innovation. Au pire, elle est inutile, mais elle ne nuit pas : on ne peut en dire autant de l'État et des entreprises. La philanthropie est-elle d'ailleurs moins bien gérée que le sont l'État et les entreprises ? Rien n'est moins sûr. Peter Drucker, surnommé le « Père du management », a consacré les dernières années de son activité de consultant à ce qu'il appelait, plutôt que d'utiliser les termes « secteur non lucratif », le « secteur social privé ». Il lui apparut que les fondations et organisations humanitaires devaient obéir aux mêmes grands principes de bon management que les entreprises (une mission claire, un personnel engagé, des clients satisfaits), et qu'en moyenne ce secteur social privé était du niveau des meilleures entreprises. Dans une déclaration restée célèbre dans les annales de la philanthropie, Peter Drucker déclara en 1990 que les Girl scouts of the United States of America étaient l'« organisation la mieux gérée des États-Unis ». « L'organisation charitable la mieux gérée ? » lui demanda-t-on. « Non, répondit-il, les Girl scouts sont mieux gérées que toutes les entreprises et toutes les administrations que j'aie jamais analysées. » La présidente de cette organisation, Frances Hesselbein, qui nous a rappelé cette anecdote, devint par la suite l'associée, puis le successeur du maître disparu en 2005.

Quand le Congrès s'en mêle

La philanthropie est un des rares sujets à ne pas opposer les partis politiques ; si on en débat peu sur la place publique, c'est sans doute parce que les institutions philanthropiques sont populaires, que tous les Américains, progressistes et conservateurs, y contribuent : les élus estiment que mieux vaut ne pas s'en mêler. Mais, en 2013, le Congrès, bien malgré lui, a été contraint de s'intéresser au sujet : le déficit des finances publiques oblige les parlementaires à chercher de nouvelles ressources, notamment en mettant un terme aux déductions *(loopholes)* dont jouent les contribuables américains et leurs conseillers fiscaux.

Barack Obama a demandé que la déductibilité fiscale des dons aux fondations et Églises ne soit plus un sujet tabou. En conséquence, le député conservateur de Lafayette, en Louisiane, Charles Boustany, a réuni en 2013 une commission chargée de se pencher sur le secteur non lucratif, la première du genre créée par le Congrès depuis 1975 (il s'agissait de la commission Filer, fort critiquée depuis lors dans la mesure où elle n'incluait ni femmes ni Noirs). L'initiative de Boustany, lui-même fervent soutien de fondations médicales en Louisiane, n'est pas exempte d'arrière-pensées : les progressistes insinuent que les institutions philanthropiques sont aux mains de super-riches qui cherchent à se soustraire à l'impôt. Les auditions, qui sont publiques, révèlent qu'il existe au moins autant de grandes fondations progressistes que conservatrices. Ce match nul entre les deux camps permet à Boustany de présider un des rares groupes bipartisans du Congrès.

Sans anticiper sur ses conclusions, mais pour en avoir discuté avec lui, je devine qu'une source d'évasion fiscale pourrait être remise en cause : les activités économiques gérées par des institutions prétendument philanthropiques. Nombreux sont en effet les parlementaires alertés par des entrepreneurs privés de leur circonscription qui perdent des marchés face à la concurrence d'entrepreneurs sociaux détaxés (nous en avons vu un exemple à New York avec le Doe Fund). On ne peut exclure que la commission d'enquête introduise aussi une distinction entre les fondations authentiques et celles qui servent à abriter les opérations de relations publiques de certaines entreprises (nous en verrons bientôt un exemple chez Walmart). Lorsque j'ai demandé à Charles Boustany s'il s'était fixé une échéance pour présenter une révision du Code des impôts, le député de Louisiane s'est fait évasif : « Il est important que le Congrès s'intéresse au monde de la philanthropie qui se développe, dans une totale invisibilité politique, plus rapidement que l'économie et que le secteur public. »

À Washington, de l'investigation à la réforme, il peut s'écouler des années, voire ne rien se passer du tout : le Congrès fédéral est une lente mécanique dont la fonction principale est de freiner les ardeurs de tout Président et de ne jamais prendre d'initiatives révolutionnaires. Les pères fondateurs des États-Unis l'ont voulu ainsi. Dans les gigantesques édifices de style hellénistique où siègent les parlementaires et leurs nombreux assistants, on se réunit énormément, on palabre dans les bureaux, les couloirs, les cafétérias : la démocratie américaine est celle de la parole plus que de l'action. Son mandat ne durant que deux ans, tout membre du Congrès est en campagne permanente, les sessions sont rares et brèves pour lui permettre de passer davantage de temps dans sa circonscription qu'à Washington. Ce qui a été également voulu par les auteurs de la Constitution afin que la classe politique n'échappe pas au contrôle et aux critiques de ses mandants.

De la commission Boustany il sortira peut-être quelque chose, et probablement pas grand-chose. Est-il bien nécessaire de réformer ce qui n'exige pas de l'être ? Les Américains, dans leur ensemble, savent ce qui est bon pour eux, sans attendre des instructions de l'État fédéral qui feraient sans doute obstacle au don et au volontariat spontanés. En Amérique, l'« ordre spontané » l'emporte en général sur l'« ordre décrété » ; en Europe, on le sait, c'est l'inverse.

CHAPITRE XI

Réparer le *melting pot*

L'expression *melting pot*, ou creuset, passé dans toutes les langues pour définir la société américaine, est due à un auteur britannique d'origine juive et russe, Israel Zangwill. La comédie populaire ainsi intitulée remporta un vif succès à Broadway en 1909 ; elle célébrait la réconciliation heureuse en Amérique et le mariage d'immigrants juifs et chrétiens qui, les uns et les autres, avaient fui la Russie des pogroms. Le Président Theodore Roosevelt assista à la première donnée à Washington ; il félicita Zangwill pour avoir si bien saisi l'esprit de la nation.

Tous ne pensaient pas alors comme Roosevelt. Dès cette époque, des conservateurs doutaient que pussent fusionner en une seule nation des immigrants qui n'étaient plus anglo-saxons, mais originaires d'Italie du Sud et d'Europe centrale. Tout au long de l'histoire américaine, auteurs et publicistes n'ont cessé de prophétiser la rupture du creuset avant même que le mot apparaisse. En 1782, Hector St-John de Crèvecœur, originaire de Normandie, né à Caen, considéré comme le tout premier écrivain américain, s'ébahissait, dans ses *Lettres d'un fermier américain*, que des Irlandais pussent épouser des Allemandes. Il estimait qu'il en naîtrait une « race nouvelle »... mais européenne ! L'immigration aux États-Unis n'est devenue véritablement mondiale qu'à partir des années 1960 : Chinois, Indiens, Africains y rejoignent maintenant en masse Russes et Mexicains. Les grandes villes qui attirent le plus grand nombre de migrants – là où se trouvent les emplois – sont devenues des « salades mixtes ». Cette nouvelle métaphore, apparue dans les années 1970, s'est substituée pour un temps à celle d'Israel Zangwill : la coexistence plus ou moins harmonieuse des cultures remplacerait-elle la fusion ? Par-delà le *melting pot*, le multiculturalisme comme nouvel horizon américain ?

L'annonce s'est révélée inexacte : les nouveaux immigrés n'ont de cesse qu'ils parlent anglais et épousent les mœurs dominantes. Bien entendu, cette civilisation américaine assimile à son tour des comportements venus d'ailleurs, mais le tronc commun demeure inchangé, malgré les greffes qui s'y ajoutent. Le parcours n'en est pas moins accidenté et parfois ravageur, comme en témoigne l'évolution des villes, saccagées puis reconstruites après le passage de chaque nouvelle grande vague. À terme, le creuset se reconstitue, moins par des politiques publiques qu'en raison de l'effort de la société civile sur elle-même.

Voyons comment Baltimore et Boston, deux des métropoles les plus anciennes des États-Unis, successivement balkanisées par les migrations, renaissent aujourd'hui sous l'influence positive de la philanthropie réparatrice.

Baltimore, laboratoire du D' Soros

Baltimore raconte l'histoire de deux cités. L'une fut européenne et bourgeoise : il en subsiste de beaux reliefs dans le centre-ville. L'autre fut habitée par des classes moyennes et des travailleurs industriels, immigrés récents : il en reste des faubourgs à l'abandon qui ressemblent plus à Calcutta ou São Paulo qu'à l'Amérique prospère et triomphante. Jusqu'à ce que George Soros entreprenne de « sauver » la cité alors même que ses élus avaient baissé les bras.

Qui est Soros ? On connaît le financier habile, émigré de Hongrie, qui a accumulé une des plus grosses fortunes des États-Unis, puis s'est transformé en critique sévère, parfois apocalyptique, de la mondialisation sans règles. Soros est aussi l'un des philanthropes les plus généreux, donnant un milliard de dollars par an, ce qui le range dans la catégorie des Fondations Gates et Ford. Par ses motivations, ses méthodes, ses choix, George Soros est un philanthrope hors du commun, peu populaire parce qu'il ne recherche pas l'acquiescement. L'homme est sombre et peu loquace ; il porte sur ses épaules, dans son regard, tout le malheur de ses ancêtres juifs hongrois persécutés. Sa fortune ne l'a pas coupé de ses origines, au contraire : à notre connaissance, il est le seul philanthrope inspiré par une conception tragique de l'histoire et par une philosophie exigeante, celle de Karl Popper. Il en fut l'élève à Londres, en 1947, et les principes de Popper guident ses pas.

Popper nous a légué deux concepts essentiels : la « société ouverte » et la « falsifiabilité ». La société ouverte, par opposition au totalitarisme, est celle qui permet à chaque individu de se réaliser : c'est la démocratie réelle, et non pas seulement formelle. Dans les démocraties plus formelles que réelles, la discrimination légale ou de fait – raciale, religieuse ou sociale – constitue une menace récurrente ; naguère victime de l'antisémitisme, Soros est aujourd'hui hanté par le racisme implicite qui perdure aux États-Unis. La falsifiabilité ? Ce qui est vrai, écrit Popper, est ce qui peut être démontré faux : une incitation permanente à l'esprit critique. À l'inverse, tout ce qui s'affirme comme vrai sans s'exposer à la critique relève de l'idéologie : la falsifiabilité, chez Popper, distingue la pensée scientifique de la pensée magique.

Soros applique ces deux principes dans ses œuvres philanthropiques qui portent le nom d'Instituts pour la société ouverte (Open Society Institute, OSI). La Fondation Soros n'est pas centralisée ; c'est une confédération d'instituts, chacun doté d'un budget et d'un conseil d'administration autonomes. Les premiers furent fondés par Soros au début des années 1980 dans les pays dominés par l'Union soviétique (Hongrie, Pologne, Ukraine), par des dictatures militaires (Birmanie) ou théocratiques (Iran). Les États-Unis n'étaient pas la priorité de Soros : sans doute parce que, y ayant fait fortune, il y vivait comme en Terre promise (l'*alyah* à destination d'Israël ne l'a jamais tenté). Jusqu'à la mort de son père à New York : les derniers instants de Tivadar Soros (auteur de Mémoires écrits en esperanto) furent si mal « accompagnés » par ses médecins que George Soros, sidéré par cette douloureuse expérience, découvrit que la « Terre promise » était imparfaite. Il entreprit de réconcilier les Américains avec la mort douce en finançant la production d'un film non pas sur la nécessité de mourir en bonne santé – ce qui est l'obsession de la médecine américaine –, mais sur l'humanité des soins palliatifs qui rendent la mort plus tolérable. Ce débat une fois lancé, et la notion de soins palliatifs s'étant répandue dans les hôpitaux, Soros est passé à d'autres combats : la philanthropie, estime-t-il, ne doit faire qu'alerter la société avant de passer le relais aux autorités. À l'écouter, une fondation dont l'objet dure trop longtemps est une fondation qui a échoué.

Après la mort, quoi d'autre ? Le racisme, évidemment : cette plaie qui ne se referme pas, mais qui, dans l'Amérique contemporaine, fait de moins en moins débat. Tout Américain, dit Soros, se déclare « antiraciste » par définition, ce qui interdit de mesurer combien le racisme demeure présent et combien la plupart des maux de la société américaine en sont la traduction. Mais, reconnaît-il, « nul ne sait trop bien ce qu'il faudrait faire, ce qui marche et ce qui ne marche pas ». Ici, Popper inspire à nouveau l'action : en 1998, George Soros a créé une sorte de laboratoire pour tester des solutions à apporter au racisme, les expérimenter de manière aussi scientifique que possible, puis en tirer un modèle qui sera peut-être réplicable. Il a situé ce laboratoire à Baltimore, dans le Maryland, après avoir envisagé San Antonio, au Texas, et Newhaven, dans le Connecticut.

Pourquoi Baltimore ? À mi-chemin entre New York et Washington, voilà une métropole où la ségrégation se manifeste de manière caricaturale : la population majoritaire, noire et pauvre, est cernée par des banlieues résidentielles blanches et prospères. Cette ségrégation est peu reconnue : ceux qui travaillent dans le centre d'affaires de la ville n'y séjournent pas, et les Noirs qui habitent le centre-ville en sortent peu. Mais tous les indicateurs sociaux confirment la ségrégation : les prisons débordent d'une population incarcérée presque exclusivement noire, à laquelle s'ajoutent quelques immigrés récents du Salvador. Les écoles de la ville, noires – les enseignants autant que les élèves – détiennent le record national d'échec scolaire et de « décrochage » en cours d'études. Les quartiers noirs sont dévastés par la consommation et le commerce de l'héroïne, une toxicomanie de pauvres aux États-Unis. La situation de la ville est si accablante que la plupart des élus locaux, à la mairie comme au Congrès du Maryland, l'ont estimée irréversible. Même la communauté juive – ancienne, influente et généreuse – a jugé que la philanthropie était désormais sans effet. C'était avant que Soros n'y crée un institut pour la société ouverte. En quinze ans, cet institut a restauré non pas une société exempte de discrimination, mais a démontré qu'une ville peut se réparer à condition d'expérimenter des solutions inédites, de s'inscrire dans la durée, de suivre une démarche rationnelle, d'avancer des résultats chiffrés et de travailler en étroite relation avec les philanthropes locaux, les élus et les animateurs sociaux. Soros ne prétend aucunement se substituer à ces acteurs, mais il les incite à renoncer à des politiques anciennes qui, par inadvertance, aggravaient la discrimination, pour leur substituer des politiques nouvelles susceptibles de la faire reculer. L'ambition ultime de Soros à Baltimore est d'en partir, une fois la démonstration achevée : la fermeture de l'institut serait pour lui signe de succès – ce qui devrait être la règle pour toute institution philanthropique. Rester indéfiniment prouve, redit Soros, que l'on est devenu une bureaucratie, tandis que ses instituts fonctionnent plutôt comme des commandos en mission.

L'institut de Baltimore requiert peu de moyens : il emploie vingt personnes, chacune experte en son domaine, avec un budget annuel de sept millions de dollars, dont un quart affecté à sa gestion et le solde à des dons destinés à financer des études, soutenir des volontaires sociaux *(fellows)* et des organisations non lucratives. L'institut ne gère par lui-même aucun programme en direct, comme c'est le cas pour la plupart des fondations, mais ce n'est pas non plus une simple banque, comme les Fondations Ford ou Gates : ses animateurs suivent attentivement la gestion des fonds octroyés et les résultats obtenus par les bénéficiaires. Ceux-ci gèrent des programmes qui doivent être en accord avec la philosophie de Soros.

La stratégie de l'OSI se cantonne à un objectif délibérément restreint que je résumerai par une formule simple : remplir les écoles et vider les prisons. « L'école, dit Soros, est le seul droit social accordé par l'État fédéral, pendant douze ans, à tous les citoyens américains : *K12* en américain. La moindre des choses serait qu'ils bénéficient vraiment de ce droit. » Ce qui est loin d'être le cas, surtout si on est noir. Un jeune Noir à Baltimore passe le plus clair de son temps hors de l'école, pour trois raisons majeures : les élèves sont exclus parce qu'ils sont turbulents, ils s'excluent eux-mêmes parce qu'ils ne parviennent plus à suivre les cours, ou ils sont incarcérés pour des délits mineurs, généralement liés à la détention ou au trafic de drogues. L'Institut Soros a inversé cette tendance en persuadant les enseignants, directeurs d'écoles, policiers, magistrats, responsables

publics de l'éducation, de garder les élèves en classe
plutôt que de les en exclure.

Remplir les écoles

« Exclure, dit Diane Morris, directrice de l'OSI de
Baltimore, est un réflexe américain » : la culture
dominante valorise la punition, supposée être rédemp-
trice. Mais cette « tolérance zéro » est inefficace et
discriminatoire. Les élèves exclus développent une
fierté d'insoumis et deviennent des récidivistes. Ce
qui les marginalise, les conduit à haïr les enseignants
et l'école, avec les conséquences que l'on peut devi-
ner : violence et chômage. Les autres élèves, les
disciplinés, en retirent-ils quelque avantage ? Non.
Les études menées sur le sujet montrent toutes que les
enseignants qui terrifient les élèves sont les plus mauvais pédagogues. Comme on peut s'y attendre, les
exclusions *(suspensions)* sont discriminatoires : les comparaisons entre écoles montrent que les enfants noirs
sont suspendus plus souvent que les autres. À l'âge
de six ou sept ans, un élève noir serait-il par nature
ou par culture plus indiscipliné qu'un non-Noir ? « On
devrait plutôt en inférer que sa situation familiale et
économique exige de la part des enseignants une
attention plus soutenue », dit Diane Morris. Encore
faut-il mesurer ces dérives, puis les expliquer aux
enseignants : ce qu'a fait l'institut en produisant des
données et en organisant des rencontres avec des pédagogues experts. L'institut ne décide rien, n'impose
rien, mais persuade : l'abandon des mauvaises pratiques, estime-t-on à l'OSI, doit être décidé par les

responsables locaux sur la base des informations objectives qui leur sont fournies.

L'institut a aussi financé la rédaction par un centre de recherches pédagogique, The Advancement Project, d'un nouveau Code de discipline adopté en 2010 par tous les établissements scolaires de Baltimore : à la suite de l'application de ce nouveau code, le nombre d'élèves suspendus a été divisé par deux et ramené de vingt-trois mille en 2010 à dix mille en 2013.

La méthode de George Soros revient toujours à convaincre les responsables de changer les règles et de se les approprier pour se rapprocher de la « société ouverte ». Il ne souhaite pas remplacer la démocratie par le despotisme éclairé des philanthropes, mais éclairer la démocratie par des données et des expériences. Si les philanthropes sont en situation d'innover, c'est qu'à la différence des élus ils ont le droit à l'erreur. « La société ouverte n'existe pas en soi, explique Soros ; elle est un processus ininterrompu basé sur l'expérimentation et sa critique. »

Pour remplir les écoles et vider les prisons, l'OSI de Baltimore a également persuadé les directeurs d'école d'inscrire dans leurs programmes des formations au débat. Les élèves sont initiés à la controverse démocratique et à l'esprit critique en préparant un débat annuel sur un sujet complexe : en 2013, c'est la prolifération nucléaire. À la fin de l'année scolaire, les élèves participeront à un tournoi avec les autres écoles de Baltimore, sans savoir à l'avance le parti qu'il leur faudra défendre. Il revient à l'université Emory, à Houston, d'avoir conçu et initié cette « pédagogie du débat », mais il revient à l'OSI de l'avoir introduite dans les écoles publiques de Baltimore où cent pour cent des enfants noirs sont issus de familles pauvres, plus habitués à des confrontations violentes qu'à l'échange d'arguments. L'OSI se satisfait en 2013 de s'être retiré de cette formation au débat qu'il avait initialement subventionnée et que se sont appropriée désormais tous les directeurs d'école.

À terme, ces innovations disciplinaires et pédagogiques devraient réconcilier les enfants avec leur école, améliorer leurs chances d'obtenir le diplôme qui les intégrera dans la société. Mais comme cette perspective reste lointaine, l'OSI intervient à l'autre bout de la chaîne : à l'adolescence, à cet âge dangereux qui conduit tant de jeunes Noirs en prison avant même d'avoir atteint leur majorité légale.

Vider les prisons

Là encore, l'approche expérimentale guide l'OSI. En 2010, l'institut observait que vingt-deux mille jeunes de moins de dix-huit ans étaient incarcérés en préventive dans les prisons du Maryland. La société américaine détient le record du monde occidental en matière de détentions, mais le Maryland vient en tête de tous les États pour la prison préventive chez les jeunes, lesquels sont mêlés aux adultes dans des geôles communes. L'opinion dans sa majorité, y compris chez les Noirs, étant favorable aux incarcérations, nul ne s'interrogeait sur cette situation, jusqu'à ce que l'OSI s'en mêle. Nul ne s'était davantage interrogé sur la composition de cette population placée en détention préventive. George Soros, au goût prononcé pour les

causes impopulaires, ne pouvait qu'être indigné par
cette mise à l'écart de toute une génération. L'OSI a
donc commandé à l'université Johns Hopkins, autorité
intellectuelle incontestable dont le campus se trouve à
Baltimore, d'étudier la trajectoire des jeunes détenus.
Il en est ressorti que la quasi-totalité de ceux-ci restent
en moyenne dix-huit mois en préventive avant d'être
libérés : la cause de leur incarcération est trop insignifiante pour mériter un procès. La plupart des mineurs
placés en préventive n'ont pas commis d'autre crime
qu'une consommation ou un modeste trafic de drogue.
À l'issue de leur détention préventive, seulement dix
pour cent d'entre eux comparaîtront devant les juges
des mineurs et rejoindront des centres où les conditions de détention n'ont rien à voir avec celles des
adultes. Au total, il résultait de l'étude de Johns Hopkins qu'aucune raison objective ne justifiait leur incarcération préventive de masse dans des prisons pour
adultes. Faut-il préciser une nouvelle fois que la quasi-
totalité des jeunes incarcérés sont noirs, et quelques-
uns seulement d'origine hispanique ?
   Confrontées aux données produites par l'OSI, les
autorités judiciaires du Maryland ont révisé leurs critères d'incarcération : depuis 2010, les effectifs des
jeunes détenus diminuent de 15 % par an. Considérant
que la place des mineurs ne doit en aucun cas être la
prison, l'OSI a par ailleurs organisé une campagne de
presse pour empêcher que soit construit sur place un
centre de détention pour mineurs. Les contraintes budgétaires aidant, ce projet a bel et bien été abandonné.

   L'OSI s'emploie aussi à vider les prisons pour
adultes en favorisant les libérations sur parole ; là
encore, la cause est impopulaire, mais raison de plus

pour que l'OSI s'y implique en démontrant combien
le racisme est la cause inavouée d'incarcérations
excessivement longues. Une autre étude fournie par
le Justice Policy Institute, une fondation établie
à Washington, a révélé que parmi la population adulte
incarcérée en régime préventif ne se trouvaient que
des Noirs pauvres. Avaient-ils commis des crimes
et délits plus répréhensibles que les Blancs ? Ils
n'avaient tout simplement pas les moyens de payer la
caution qui leur aurait permis de rester libres jusqu'à
leur procès. Leur pauvreté, plus que la gravité de leur
délit, les obligeait à rester en prison.

La discrimination se retrouve à l'identique en cours
d'exécution de la peine : l'OSI a calculé que les Noirs
n'obtenaient à peu près jamais de libération conditionne-
lle, les libérations sur parole étant dans le Maryland
accordées par le gouverneur sur recommandation d'un
comité décidant sur un mode arbitraire de qui serait
libéré ou ne le serait pas. Par l'analyse statistique,
l'OSI est parvenu à démontrer que les arbitrages rendus par ce comité étaient discriminatoires, conséquence probable de préjugés inconscients. Pour rompre
avec cette discrimination-là, l'OSI a proposé un instrument de mesure objectif tenant compte de la gravité
du crime commis, du comportement en prison, entre
autres paramètres incontestables pour déterminer le
droit à une libération sur parole. En 2006, le gouverneur a avalisé cet instrument de mesure auquel le
comité doit désormais se référer.

En 2013, l'OSI s'est retiré du débat, considérant
que la machine à discriminer avait été brisée. L'augmentation du nombre des libérations conditionnelles
n'a entraîné aucune augmentation du nombre des réci-
dives. « Par chance, reconnaît Monique Dixon, respon-

sable de ce projet à l'OSI, aux États-Unis la criminalité est partout en baisse. » Cette baisse de la population carcérale a réduit la nécessité de construire de nouvelles prisons, ce qui a heureusement coïncidé avec les restrictions budgétaires. Les nouvelles normes proposées par George Soros aux dirigeants de Baltimore et de l'État du Maryland s'inscrivent dans l'air du temps, démontrant qu'en politique il ne suffit pas d'avoir raison, il convient aussi d'avoir de la chance.

L'air du temps porte une autre cause à laquelle George Soros est particulièrement attaché depuis vingt ans : la légalisation des drogues. À nouveau cette croisade n'est en rien populaire, mais elle lui semble déterminante si l'on veut que reculent aux États-Unis la discrimination raciale et le nombre ahurissant de détenus, les deux tiers d'entre eux étant noirs et leurs crimes et délits, dans la quasi-totalité des cas, en relation avec la consommation, la possession et le commerce de drogues prohibées. Il se trouve qu'en 2012 deux référendums organisés au Colorado et dans l'État de Washington ont légalisé la culture, le commerce et la consommation de cannabis pour les adultes. Soros ne pavoise pas : cette victoire des adversaires de la prohibition est celle de Blancs aisés et consommateurs, pas celle des Noirs pauvres qui dépendent, eux, de la cocaïne et de l'héroïne. Les organisateurs de ces référendums, que nous rencontrerons plus tard, se posent en honnêtes consommateurs, pas en abolitionnistes, et se distinguent donc du débat général sur la légalisation de toutes les drogues. Il n'empêche que ces référendums ne seront pas sans conséquences sur l'abolition, surtout s'il apparaît que la légalisation du cannabis n'entraîne dans les États concernés aucun risque pour la société et réduit même peut-être le nombre des crimes et délits.

En attendant, l'OSI se borne à faire évoluer le statut des toxicomanes pour qu'ils cessent d'être traités en criminels, mais soient considérés comme des patients. Par un long travail de conquête des magistrats, des policiers, des élus et plus encore des médecins, l'OSI est parvenu à généraliser dans le Maryland les deux traitements connus de désintoxication des héroïnomanes : par la méthadone et par la Buprénorphine, d'usage relativement courant en France, délivrée par ordonnance par des médecins accrédités : Baltimore est ainsi devenue un laboratoire pour l'ensemble des États-Unis. Venant par chance à l'appui décisif de cette médicalisation de la toxicomanie, le nouveau régime d'assurance médicale, surnommé Obamacare, inclut depuis 2013 le remboursement des produits de substitution à l'héroïne. Tout toxicomane qui passe au statut de patient traité à la Buprénorphine représente probablement un prisonnier en moins – et certainement un prisonnier noir en moins.

Il est temps, conclut George Soros, de quitter Baltimore et de répliquer ailleurs ce qui y a été expérimenté avec quelque succès.

Le « come-back » de Boston

Boston paraît moins ravagée par les inégalités et la discrimination que Baltimore, mais c'est à condition de ne pas y regarder de trop près. Car Boston telle qu'on l'imagine encore en Europe ne survit que dans les romans de Henry James et quelques vieux cime-

tières qui surplombent la rivière Charles. Il y a vingt
ans encore, dans Boston Sud, quelques pubs irlandais
donnaient le change. Cette Boston-là aussi a disparu.
La ville n'est plus trop européenne : en 2010, un seuil
symbolique fut franchi quand la population blanche
(*Caucasian*, selon l'étrange typologie du recensement
américain) est passée en dessous du seuil de 50 %.
Tous les autres, citoyens américains, immigrés légaux
ou non, sont afro-américains, natifs, antillais ou hispaniques... Ce n'est pas tant la couleur de peau qui a
changé Boston – dans Boston la Blanche, les Indiens
d'Amérique étaient jadis nombreux – que l'hétérogé-
néité des cultures, une maîtrise approximative de la
langue anglaise, une formation insuffisante pour entrer
dans la nouvelle économie, des allégeances communautaires plutôt que citoyennes, des quartiers hors la
loi, des friches là où s'élevaient des usines. Boston est
à refaire, ses peuplements à intégrer, ce qui n'est pas
propre aux États-Unis, car les villes d'Europe ont elles
aussi été balkanisées par des vagues migratoires. Par
contraste avec l'Europe, mais pas avec d'autres villes
américaines mises au défi de l'intégration, l'origina-
lité de Boston tient à la méthode : ici l'intégration part
du bas. Pour l'essentiel, elle est guidée non par les
autorités municipales, moins encore par le gouvernement fédéral, trop lointain, mais par la société civile.
Les acteurs clés du changement à Boston sont des
fondations, une fois encore, mais d'une espèce particulière : les « fondations communautaires » qui se
substituent aux instances politiques.

Aux États-Unis, les institutions politiques sont
paralysées par l'esprit des lois et par l'esprit de parti.
Les lois telles que les souhaitaient les pères fonda-

teurs, et telles qu'elles sont restées de la Fédération aux États et aux municipalités, multipliant les contre-pouvoirs élus et judiciaires, rendent les processus de décision interminables. Un maire ne peut pas grand-chose, tout comme le Président des États-Unis, s'il ne recueille pas le soutien d'une assemblée élue, par ailleurs souvent dominée par un parti différent ; chaque pas exige négociation et compromis. À l'esprit de parti et à l'esprit des lois s'ajoute l'influence officiellement reconnue des lobbies. Tous ces obstacles s'accumulant, nul n'abuse de son pouvoir, mais nul n'est susceptible, en cas de nécessité, de mener une politique vigoureuse et de long terme. C'est ainsi que les villes américaines se sont dégradées au cours du XXᵉ siècle sous l'effet des cycles économiques et des vagues migratoires.

À Boston, à partir des années 1960, la bourgeoisie et les classes moyennes ont quitté la ville pour habiter de vastes demeures éloignées du centre, plus proches de la nature. Les vides furent initialement comblés par des immigrants de l'intérieur – des Noirs venus du Sud –, employés dans l'industrie avant que celle-ci ne disparaisse à son tour, remplacée par des activités de service qui ont recruté des Mexicains à des salaires plus bas que ceux perçus par les ouvriers noirs. Ces anciens ouvriers sont souvent devenus dépendants des aides publiques.

Ce cycle de la décadence des villes américaines a été maintes fois décrit, en particulier par Paul Grogan dans un essai publié en 2000, *Comeback Cities*. Grogan pré-conisait le sauvetage des villes par une approche empi-rique qualifiée à l'époque de « troisième voie », en s'appuyant sur les associations de quartier. « La ville, écrivait-il, doit se reconstituer *block* par *block* », non à partir d'un plan d'ensemble théorique. À la suite de cette publication, le conseil d'administration de la fondation communautaire de Boston (Boston Community Foundation) a demandé à Paul Grogan d'en prendre la présidence et d'appliquer ses thèses.

Les fondations communautaires

Au début du XXe siècle, les fondations communautaires – il en existe environ six mille aux États-Unis – avaient pour vocation de gérer les dons des philanthropes. Leur mécanisme est simple, pratique pour les donateurs : au lieu de créer une fondation nouvelle pour administrer ses dons – ceux d'un individu ou d'une famille –, ce qui requiert des démarches et une gestion comptable, le donateur peut confier ses fonds à la fondation communautaire. Celle-ci, toujours locale, au niveau d'une ville ou parfois d'un État, gère les dons et les affecte en fonction des indications du donateur : le don peut être « affecté » à un secteur donné – les arts, les hôpitaux, les sans-abri –, à une institution particulière – l'Opéra local, une école –, ou, sans affectation précise, destiné au bien-être de la communauté entière. Un compte est ouvert au nom du donateur qui adresse ses instructions par courrier électronique et pourra déduire les montants donnés de ses revenus imposables. En contrepartie de son service, la fondation communautaire prélève des honoraires de l'ordre de 1 à 2 % du montant des dons, ce qui est inférieur à ce que coûterait la gestion d'une fondation personnelle. Il est également possible de confier à la fondation communautaire la gestion d'un capital, ou de lui en faire don. En pratique, tous les cas de figure se rencontrent : à New York, la fondation communautaire n'a d'autre activité que de redistribuer les dons affectés qui lui sont confiés. À Boston, au-delà de cette mission traditionnelle, la fondation communautaire a été richement dotée par des entrepreneurs locaux soucieux du bien commun : par suite, la fondation dispose d'un revenu annuel autonome de l'ordre de deux millions de dollars que Paul Grogan peut utiliser à sa guise. C'est ainsi qu'il a décidé de réparer Boston.

La fondation communautaire de Boston est à la fois la boîte à idées *(think tank)* de la ville et l'instigatrice de ses transformations. Quand la mairie et l'État (dont la capitale se trouve aussi à Boston, exception aux États-Unis où elle est en général située à l'écart des métropoles) sont paralysés, Paul Grogan, à l'impartialité reconnue par tous, réunit les acteurs politiques, économiques et sociaux autour d'études chiffrées commanditées par la fondation. Les Américains sont de farouches idéologues, mais ils ont le culte des chiffres : on s'incline face aux données *(data)* quand elles sont incontestables. Par le passé, la fondation est parvenue de cette manière à persuader les élus qu'il valait mieux conserver les halles centrales *(Faneuil Hall)* que de céder le terrain à des promoteurs immobiliers en raison du bénéfice collectif que ces halles métamorphosées en lieu de loisirs apporteraient à la ville : ce qui fut accompli. En 1990, la fondation a persuadé les autorités locales que la pollution du port faisait chuter les valeurs foncières et éloignait les entrepreneurs : une armée de volontaires se consacra au nettoyage, et les abords du port hébergent maintenant un quartier commerçant. Le défi actuel est plus complexe, puisqu'il s'agit d'intégrer, dans une ville à refaire, les minorités récentes évoquées plus haut.

Par où passe l'intégration ? Par l'école et le logement, mais comment ?

Sauver l'école publique

On n'ose rappeler combien la diversité d'origines des enfants rend l'enseignement inopérant, ni comment la débâcle scolaire renvoie les enfants inéduqués à la pauvreté et à la violence : le constat est universel. Mais l'expérience de Boston, à l'initiative de la fondation communautaire, montre comment échapper à cette fatalité, selon un modèle voisin mais distinct des *charter schools* que nous avons décrites à Harlem.

Le premier pas de Paul Grogan a consisté à persuader la mairie, les gestionnaires de l'enseignement, les syndicats d'enseignants et les parents qu'il était possible de substituer à de mauvaises écoles publiques de bonnes écoles publiques où tous les enfants seraient capables de suivre un enseignement continu jusqu'à l'université. Le maire, quoique démocrate, le gouverneur, démocrate lui aussi, et les syndicats d'enseignants, du même bord, se rallièrent à la réalité quantifiée par des sociologues des deux universités incontestables de l'État, Harvard et le Massachusetts Institute of Technology (MIT). En 2009, Sarah Cohodes (Harvard School of Education) et Parag Pathak (MIT) publièrent une étude comparant trois types d'écoles *(middle schools)* destinées aux enfants âgés de huit à douze ans (K6 à K8), appartenant toutes au secteur public et accueillant la même catégorie d'élèves. Boston

compte trois catégories d'écoles publiques : les écoles
publiques de base, où programmes, pédagogie et
rémunérations sont fixés au niveau d'un district par
l'administration scolaire ; des écoles pilotes, où les
enseignants ont choisi de leur plein gré une pédagogie
innovante, mais qui restent gérées par le district ; des
écoles publiques sous contrat *(charter schools)* dont
la gestion des enseignants et des programmes est privatisée. Avant la publication de cette étude ne régnait
aucun accord sur l'efficacité relative de ces trois
modèles. Après publication par la fondation communautaire, la controverse a cessé : la supériorité des écoles
privatisées sous contrat a été démontrée à Boston.

S'ils sont scolarisés dans une *charter school*, les
enfants issus des « minorités » rattrapent, en mathématiques et en anglais, la moitié de leur retard par
rapport aux enfants les plus favorisés de l'enseignement privé ; ce n'est le cas ni dans les écoles
publiques de base, ni dans les écoles pilotes. Ce
constat une fois admis par toutes les parties prenantes,
il restait à faire évoluer l'enseignement public vers
l'autonomie de gestion. Au terme d'un travail soutenu
de lobbying, la fondation communautaire est parvenue
à faire modifier la loi : l'État du Massachusetts a autorisé la reconversion de toutes les écoles publiques en
charter schools.

Mais créer une *charter school* exige qu'un entrepreneur s'y intéresse, trouve les fonds nécessaires à
son lancement, persuade enseignants et parents de se
rallier à une aventure nouvelle : ce qui prend du
temps. Paul Grogan a imaginé un circuit court, la
transformation des écoles publiques de l'intérieur, en
partant de l'existant : un modèle dit « *In district* ». La

fondation communautaire de Boston finance les études préalables pour persuader les entrepreneurs scolaires d'adopter ce modèle expérimental.

Voici comment a été menée à bien la métamorphose de l'école Gavin, une *middle school* de Boston sud, accueillant six cents élèves, qui cumulait tous les handicaps d'usage : locaux délabrés, enseignants découragés, enfants violents ou absents.

L'école a été retirée du district et confiée à une fondation privée, Unlocked Potential (UP). Le créateur d'UP, Scott Given, un entrepreneur social, a restauré les locaux grâce à une subvention de la fondation communautaire et a proposé aux soixante enseignants d'accepter une nouvelle pédagogie : tous ont renoncé, sont partis en retraite ou ont été remis à la disposition du district. Soixante nouveaux enseignants choisis parmi quatre mille candidats ont accepté en 2012 la rémunération publique de base, tout en enseignant deux heures de plus chaque jour : huit heures au lieu de six. À l'expérience, le nombre d'heures effectué est en fait supérieur de 50 % à la norme publique, les enseignants consacrant volontairement un surcroît de temps aux enfants en difficulté. Ce qui motive ces enseignants ? Rien de matériel : l'esprit de mission. Le programme scolaire défini par le district est le même pour toutes les écoles publiques. La différence tient à l'enthousiasme des enseignants et des élèves, et à la discipline absolue qui règne à Gavin : uniforme noir, élèves en rangs, respect des enseignants, respect entre élèves, examens tous les quinze jours. Le plus étonnant est combien ces méthodes surannées produisent des résultats convaincants : 100 % des enfants de cette école, désormais connue sous le nom d'UP Academy, ont atteint en 2012 le niveau nécessaire pour entrer au lycée, alors que 90 % sont « non-blancs » et que 95 % se situent en dessous du seuil de pauvreté.

Scott Given ne manque pas de souligner que l'école reste gratuite, qu'il n'existe pas de sélection à l'entrée, que le coût de revient pour le district est équivalent à celui des écoles publiques non autonomes. Paul Grogan en conclut que la population de la ville sera « intégrée » en l'espace de vingt-cinq ans : délai qui paraîtra long, mais la tendance à la fusion des cultures *(melting pot)* est positive, tandis qu'en Europe les sociétés mixtes vont en se désagrégeant. La neutralité politique de la fondation communautaire permettra une continuité dans l'action que l'alternance démocratique à la mairie ou à la tête de l'État ne peut garantir.

Certaines stratégies de long terme devraient-elles être gérées par des institutions philanthropiques plutôt que par des élus ? À Boston oui, parce que ces institutions existent et que leur légitimité est incontestée.

Réparer par le bas

L'autre front de la reconquête de la ville, *block* par *block*, conduite par la fondation, est le logement des familles pauvres issues de migrations récentes. De même qu'il existe une fondation communautaire au niveau de la ville pour imaginer son avenir et le préparer grâce à des dons, il se trouve au niveau des quartiers déshérités de Boston des fondations de quartier *(neighborhood)* qui tentent d'y restaurer une vie communautaire. Ces fondations de quartier remontent aux révoltes étudiantes des années 1960. Ceux qu'en

France on appelait les « soixante-huitards » se sont reconvertis aux États-Unis en animateurs de quartiers défavorisés. Souvent avec le soutien de la Fondation Ford, engagée dans le mouvement pour les droits civils, ces animateurs ont créé des entreprises immobilières appelées Community development corporations. Ces organisations philanthropiques combattent les promoteurs immobiliers privés ou s'associent avec eux pour récupérer des terrains en friche, réhabiliter des immeubles à l'abandon, les convertir en logements à loyer accessible, ouvrir des crèches, des dispensaires, des parcs publics. Les animateurs sociaux savent aussi faire pression sur les autorités municipales, parfois plus sensibles aux offres des promoteurs qu'aux besoins des immigrés. Dans ce combat pour la restauration de Boston, ces animateurs, parce qu'ils sont constitués en fondations, collectent le soutien financier d'autres fondations dont l'objet est le sauvetage des villes : la société civile est ici mobilisée au service d'elle-même, genre hybride qui échappe aux lois du marché comme à l'énoncé de politiques publiques aux intentions généreuses, mais sans suites.

Dans cette société en cours de réparation par un « ordre spontané » plutôt que « décrété », j'ai rencontré un animateur social d'origine chinoise. Né à Boston de parents immigrés rescapés de la pauvreté par l'étude, Steven Chen m'a expliqué comment il parachevait son américanisation en devenant lui-même philanthrope : « Les Chinois ont une longue tradition d'entraide familiale qu'ils transportent avec eux en migrant, mais, pour s'intégrer aux États-Unis, il convient d'élargir le cercle du don au-delà de la famille, au-delà de la communauté ethnique. » Steven

Chen a donc fondé un cercle philanthropique, l'Association Safran, qui convie les Asiatiques enrichis à soutenir la fondation communautaire de Boston, démontrant ainsi comment, par le don, on devient américain.

Un modèle exportable :
la philanthropie démocratique

Au fil de cet ouvrage, pour éviter de ne plus rien comprendre à ce qui singularise les Américains, on s'est interdit de trop comparer les États-Unis à l'Europe. Les fondations urbaines que nous avons décrites à Boston ont cependant leurs équivalents dans plusieurs pays d'Europe du Nord et même en France (à Lille en particulier), mais plutôt somnolents. Réactiver les fondations qui existent, en créer de nouvelles, mobiliserait les initiatives et les fonds locaux, pour le bien commun, sans heurter de front collectivités locales et nos États tout-puissants, jaloux de leurs prérogatives.

Dans la même famille que ces fondations à base locale, une autre institution américaine pourrait aisément être répliquée en Europe : l'United Way. L'United Way est une confédération de fondations, toutes à base locale, que l'on pourrait définir comme des coopératives philanthropiques. Elles furent conçues il y a un siècle par des chefs d'entreprise progressistes (initialement à Cleveland, en 1913), dans les villes industrielles, pour permettre aux salariés modestes de devenir philanthropes à leur échelle et de contribuer eux aussi au bien commun. Le principe de base en est simple : les dirigeants d'United Way démarchent les entreprises et obtiennent des patrons de pouvoir s'adresser directement à leur personnel. À celui-ci il est proposé que chaque mois soit automatiquement déduite de leur salaire une contribution charitable (aujourd'hui, vingt-cinq dollars en moyenne) destinée à abonder un fonds commun. Dans la plupart des cas, l'entreprise va verser de son côté à ce fonds un montant équivalent à ce que donnent les salariés. United Way reçoit aussi des dons privés de particuliers ou d'autres fondations ; il se trouve que tout don supérieur à dix mille dollars vaut au donateur un prix Tocqueville, en mémoire de l'éloge fait par celui-ci il y a bientôt deux siècles à l'esprit associatif des Américains. Les salariés comme les patrons qui contribuent à United Way ont la possibilité d'affecter leurs dons à un projet particulier (une école, un lieu de culte, un centre artistique, un jardin public) ou de soutenir une mission plus générale comme « lutter contre la pauvreté » ou soutenir une cause civique d'intérêt général.

Le modèle d'United Way a évolué avec la société américaine : au départ, il reposait sur les ouvriers de l'industrie dans des villes pauvres en équipements publics. Aujourd'hui, il s'assigne plutôt des missions d'intérêt général. Ainsi, à Los Angeles où le plus grand United Way des États-Unis dessert une agglomération de vingt millions d'habitants (Los Angeles County), sa présidente, Elise Buik, lui a assigné pour missions premières le logement des sans-abri et la scolarisation des enfants issus de l'immigration. En dépit du soutien de dizaines de milliers de donateurs, United Way Los Angeles, ne dispose pas des ressources nécessaires pour venir lui-même à bout de ces missions ; Elise Buick préfère donc financer des études et des campagnes d'opinion pour faire pression sur les élus locaux et les contraindre à modifier leurs options budgétaires.

À Los Angeles, Baltimore ou Boston, ces institutions philanthropiques se rejoignent naturellement sur les mêmes enjeux : réparer, si faire se peut, les fractures de nos sociétés, comparables de part et d'autre de l'Atlantique. La singularité américaine tient à l'implication personnelle des citoyens, par le don et le volontariat, dans cet effort de réparation, tandis qu'en Europe la tâche est sous-traitée à la classe politique et administrative. Par contraste avec la philanthropie des riches et des très riches, l'action de ces fondations communautaires à base locale mérite bien d'être qualifiée de philanthropie démocratique.

CHAPITRE XII

La philanthropie spectacle

Trop d'argent peut tuer la philanthropie ou la rendre méconnaissable : des millions de dollars dispersés pour des causes plus glorieuses qu'utiles, face à la caméra plutôt qu'en conscience, suscitent malaise et interrogations sur les motivations des super-riches en général. On regrette aussi que certains, parmi ces philanthropes, exercent, par l'argent, sur les autorités médiatiques, politiques et universitaires, une influence qui paralyse la critique. On s'étonne qu'aux États-Unis où la contestation du pouvoir est la règle, des célébrités comme Bill Gates, Bill Clinton, Al Gore ou Oprah Winfrey planent au-dessus de tout soupçon du seul fait qu'elles affichent de bonnes intentions. N'ayant rien à perdre, on va révéler quelques turpitudes de ces super-philanthropes, quitte à verser ici dans la polémique, indispensable pour rétablir l'équilibre.

Bill Gates en quête de reconnaissance

Tout cancre en rêverait : en juin 2007, Bill Gates a été fait docteur *honoris causa* de Harvard, l'université qu'il avait abandonnée en cours d'étude vingt ans plus tôt. Entrepreneur le plus riche des États-Unis, avant 2000, le fondateur de Microsoft est devenu après cette date le philanthrope le plus généreux de toute l'histoire de l'humanité. En réponse, ce jour-là, à la question d'un étudiant, il répondit qu'il était « aussi difficile de dépenser un milliard de dollars par an que de le gagner ». Cette singulière difficulté ne suscitera aucune commisération, mais, par une approche objective, demandons-nous quel Bill Gates aura rendu le plus grand service au genre humain : celui qui, pour avoir fait de l'ordinateur personnel un instrument utilisable par la planète entière, a accumulé quatre-vingt-dix milliards de dollars de bénéfices personnels, ou le second Bill Gates qui, à l'âge de cinquante ans, a cédé sa fortune à la fondation qui porte son nom et celui de son épouse Melinda ? Des deux milliards qu'il donnait chaque année, Bill Gates, après 2008, est d'ailleurs passé à trois, le financier Warren Buffett lui ayant confié la mission de dépenser sa propre fortune en dix ans.

Spontanément, on répondra que le premier Bill Gates n'était qu'un capitaliste chanceux ou talentueux, et que le second fut un généreux philanthrope. Du temps que Bill Gates présidait Microsoft, il souffrait dans les médias américains et européens d'une réputation exécrable : on le soupçonnait de n'avoir réussi qu'en s'emparant des inventions des autres, de racheter les entreprises plus innovantes que la sienne pour éliminer toute concurrence, d'abuser de sa position dominante. À l'instar de John D. Rockefeller ou d'Andrew Carnegie au siècle précédent, à l'époque des « barons voleurs », Bill Gates faisait la une des journaux moins souvent pour l'amélioration d'un logiciel Windows que pour sa comparution devant des commissions parlementaires à Washington, ou jugé en Europe pour abus de monopole. Serait-ce par coïncidence que le premier don philanthropique significatif accordé par Bill Gates en 2000 intervint au moment où il était inculpé d'abus de position dominante par le ministère de la Justice des États-Unis ? Le contentieux se résolut à l'amiable, les médias et l'opinion publique ayant soudain viré en sa faveur.

Rapprochons le passage de l'entreprise à la philanthropie chez Bill Gates avec le parcours de Steve Jobs, son rival : populaire auprès des Américains, le fondateur d'Apple n'a jamais donné un dollar à qui que ce soit ! N'en inférons pas que la quête de popularité soit le seul moteur de la philanthropie : le comportement de Steve Jobs constituait plutôt une étrange exception.

Depuis que le premier Bill Gates, cet homme au cœur de pierre, a cédé la place au second, le voici encensé par ceux qui le dénonçaient. Philanthrope, aurait-il changé de cœur ? Après avoir exploité l'humanité, il la servirait ? À présent qu'il est traité avec respect, qu'il acquiert le *Codex* de Léonard de Vinci pour la bagatelle de trente millions de dollars, se plaçant d'emblée au rang des grands collectionneurs d'art comme Henry Clay Frick et Jean-Paul Getty, ou qu'il distribue des moustiquaires aux enfants du Malawi, Bill Gates s'est acquis avec Melinda un statut équivalent à celui de n'importe quel chef d'État : il ne lui a pas même été nécessaire d'être élu. Contrairement au patron d'entreprise qu'il fut, Bill Gates n'a plus à répondre de ses actes, ni devant des actionnaires, ni devant des salariés, ni auprès de clients. Il semble d'ailleurs plus heureux. Nul, dans l'histoire de la philanthropie, n'ayant jamais atteint ce statut olympien – la Fondation Gates est dix fois plus riche que le furent jamais Ford ou Rockefeller –, il fallait, pour désigner la Fondation Gates, inventer un nouveau terme ; le journaliste britannique Matthew Bishop a proposé celui de « philanthrocapitaliste ». Ce qui nous ramène à la question initiale : le philanthrocapitalisme de Gates contribue-t-il davantage au « progrès de l'humanité », raison d'être de sa fondation, que le capitalisme pur et dur de Microsoft dirigé par le même Gates ? Laissant de côté toute émotion, Robert Barro, économiste à Harvard, a proposé une réponse qui contredit la perception ordinaire : « Mieux valait, pour l'humanité, Gates patron que Gates philanthrope. »

Barro a distingué du profit financier que Microsoft rapporte à ses actionnaires ce qu'il nomme le bénéfice social pour les milliards de clients qui acquièrent un logiciel Microsoft. La valeur *sociale* de ces logiciels résulte de l'augmentation de la productivité dont ils font bénéficier les entreprises et les foyers qui les utilisent : ce *bénéfice social* est égal à la valeur ajoutée apportée par le produit, diminué du prix payé pour son achat. Un solde évidemment positif : s'il ne l'était pas, pourquoi les clients achèteraient-ils Windows ? À titre d'exemple, une estimation basse a conduit Barro, pour l'année 2007, à un bénéfice social équivalent au chiffre d'affaires annuel de Microsoft. En utilisant le même multiple que celui que le marché boursier applique au bénéfice financier, le bénéfice social cumulé de Microsoft serait de l'ordre de mille milliards de dollars, soit dix fois plus que le montant des dons philanthropiques de la Fondation Gates sur un siècle.

Est-il, comme le déclarait Bill Gates, si difficile de dépenser un milliard de dollars ? Il lui suffirait, propose Robert Barro, de signer un chèque de trois cents dollars à l'intention de chaque Américain qui choisirait d'en faire l'usage qui lui paraîtrait le mieux approprié : Bill Gates restituerait ainsi à la société américaine ce que celle-ci lui a apporté. Mais il se trouverait désœuvré, et disparaîtrait du paysage médiatique. Gates objecterait aussi que cette redistribution ne réduirait pas la pauvreté de par le monde, but de sa fondation. Après douze ans de fonctionnement, celle-ci s'est-elle rapprochée tant soit peu de cette noble ambition ? Malheureusement non, car la Fondation Gates, sans doute en raison de sa taille et peut-être de la personnalité de Bill Gates, est aussi peu productive que n'importe quelle bureaucratie internationale.

Une erreur parmi d'autres

Voici un exemple de philanthropie inutile :
Dans les années 1960, la Fondation Rockefeller accomplit en Inde une « révolution verte » qui décupla la productivité agricole et mit un terme définitif à toute famine sur ce continent ; Gates ambitionne de produire en Afrique une « révolution » similaire. Pour y parvenir, sa fondation dépense chaque année sept cents millions

de dollars dans l'Est africain, mais en y appliquant des méthodes inverses de celles qui s'étaient révélées efficaces en Inde. La Fondation Rockefeller gérait au Mexique son propre laboratoire de recherches pour améliorer les semences de blé, sous la direction de l'agronome américain Norman Borlaug (récompensé par le prix Nobel de la paix en 1970). Gates finance bien la recherche de semences nouvelles pour l'Afrique, au Kenya, mais sous contrôle du gouvernement local ; on risque d'attendre longtemps une percée significative, alors même que les meilleurs agronomes kényans s'exilent aux États-Unis pour y travailler librement. Mais Gates, cryptochef d'État, ne saurait porter atteinte à la souveraineté d'un gouvernement africain. Ce faisant, il se conduit comme tout État donateur, ou comme la Banque mondiale : la valeur ajoutée de la Fondation Gates ne peut être que nulle, comparée aux aides publiques ordinaires.

Ces aides ont-elles d'ailleurs jamais contribué à développer un pays ? Il y a trente ans, on pouvait se poser la question théorique du rôle de l'aide dans le développement, mais ce débat est clos puisque aucun pays ayant reçu une aide significative n'a jamais décollé. Depuis trente ans, la pauvreté de masse n'a reculé que dans les pays qui ont renoncé à des politiques économiques autoritaires pour laisser place aux entrepreneurs privés et au commerce. L'Inde, le Brésil, la Malaisie, la Chine, le Ghana, Maurice, quoique appartenant à des civilisations distinctes, ont tous progressé grâce à une meilleure politique économique. L'aide n'est jamais d'une grande utilité, sauf pour ses bénéficiaires immédiats : chefs d'État kleptocrates, bureaucrates gestionnaires de l'aide, parfois une paysanne miséreuse exhibée par les supports publicitaires pour amorcer la pompe philanthropique. Pire : l'aide internationale, parce qu'elle stabilise les kleptocraties en place, interdit les évolutions. Si le gouvernement indien, dans les années 1980, avait bénéficié d'une aide par habitant comparable à celle accordée aujourd'hui par la Fondation Gates au Malawi, probablement le pays serait-il resté au niveau de pauvreté où il se situait avant d'inverser sa stratégie. Gates doit le savoir, mais n'en tient pas compte, sans doute parce que ayant rejoint l'Olympe des chefs d'État il se comporte, comme eux, en despote plus ou moins éclairé, ce qui place la « capitalophilanthropie » aux antipodes de la philanthropie citoyenne.

Une autre différence significative avec la « révolution verte » appliquée en Inde permet de mieux cerner la vraie nature et l'inefficacité de la Fondation Gates : la servitude idéologique. La « révolution verte » en Inde reste accusée par une gauche naguère marxiste, aujourd'hui altermondialiste, d'avoir concentré la propriété foncière entre les mains d'un nombre restreint d'entrepreneurs agricoles. C'est exact, mais comment pouvait-il en aller autrement ? Les semences sélectionnées par Borlaug, puis adaptées au sol indien par l'agronome indien M.S. Swaminathan, exigeaient de l'esprit d'entreprise, pour rompre avec les traditions, ainsi que des engrais et de l'arrosage. La concentration était ici une condition nécessaire, ce qui de toute éternité est advenu dans toutes les sociétés ayant échappé à la misère grâce à l'augmentation de la productivité agricole. Valait-il mieux que le petit paysan indien continue à crever de faim sur son lopin ? Oui, si l'on en juge par Wikipedia, l'encyclopédie des bien-pensants où, à la rubrique « révolution verte », on peut lire qu'elle est « à l'origine de la perte de biodiversité et de l'apparition des bidonvilles » *(sic)*. Cette hostilité choquante à la « révolution verte » en Inde est devenue un article de foi dans les milieux altermondialistes ; or, les porte-parole de la Fondation Gates ne cessent de rabâcher que la « révolution verte » en Afrique se fera, elle, au bénéfice du petit paysan arc-bouté à sa terre ancestrale, dans son village exotique, décor parfait pour les stars en goguette, groupies du « philanthrocapitalisme ».

Quand on demande à Geoff Lamb, directeur expérimenté de la Fondation Gates, en quoi sept cents millions de dollars par an, engloutis dans l'agriculture africaine depuis 2007, ont amélioré le sort du paysan africain, il peine à fournir une réponse convaincante. Son argumentation, évidemment recevable, consiste à invoquer la difficulté de l'entreprise. « Il n'existe pas, dit-il, de solution simple : on a d'abord cru, à la fondation, qu'une semence miraculeuse était la solution, puis on a découvert que les infrastructures de distribution manquaient, que les marchés étaient inexistants. » Trois milliards de dollars plus tard, la Fondation Gates n'est pas plus avancée et n'a pas mieux fait progresser l'économie africaine que n'y étaient parvenus tous les donateurs publics. À quoi bon une fondation, si c'est pour ne pas rompre avec la servilité politique ? Bill Gates semble découvrir ce que savent tous les économistes du développement : ce qui manque à l'Afrique, c'est un État de droit qui ferait toute sa place à l'esprit d'entreprise des Africains.

Bill Gates nierait-il son passé d'entrepreneur ? Il s'aligne sur les grands donateurs institutionnels dans leur dérive bureaucratique : la Fondation Gates emploie en 2013 mille personnes, « un effectif qui progresse chaque année sans bénéfice philanthropique clair », admet Geoff Lamb. Les critiques discrets de Gates, dans les milieux philanthropiques et diplomatiques, le soupçonnent de vouloir intégrer le G20, la conférence des chefs d'État de grandes puissances, plutôt que d'améliorer le sort du paysan africain. Geff Lamb confirme qu'il a pour mission d'obtenir pour Gates un siège dans le plus grand nombre possible d'instances internationales. Appliquant la recommandation de Robert Barro, ne vaudrait-il pas mieux distribuer directement les sept cents millions de dollars annuels aux paysans africains qui en feraient meilleur usage ? Mais, conclut Geoff Lamb, quelque peu désabusé, « cet argent appartient à Bill et à Melinda : ils en font ce qu'ils veulent, n'est-ce pas ? »

Parfois même, ils jouent. Entre 2000 et 2005, la fondation a dépensé un milliard de dollars pour construire de toutes petites écoles aux États-Unis, Bill Gates ayant imaginé que l'enseignement public était médiocre du fait que les écoles étaient trop grandes. L'expérience a échoué à améliorer le niveau scolaire et la fondation a renoncé à cette aventure. Bill Gates a reconnu s'être trompé, mais seulement après que ce gâchis eut été dénoncé par le directeur du programme : au vif regret de Gates, qui ne supporte pas les critiques, son collaborateur a reconnu que la vertu présumée de ces petites écoles n'avait reposé sur aucune étude préalable, mais sur la seule intuition de Gates. Les districts scolaires sollicités par la fondation pour édifier ces écoles payées par Gates n'avaient pas osé dire non. La plupart des fondations qui se trompent n'avouent jamais : dans dix ans, Bill Gates confessera-t-il que, en Afrique, il a joué et perdu ?

Le fardeau des rock stars

Désormais Bill Gates est plus un politicien ou une star qu'un philanthrope. Un autre exemple en témoigne : la lutte contre la malaria.

L'idéologie « politiquement correcte » de la Fondation Gates dans la lutte, ô combien légitime, contre la malaria, la conduit à donner et non pas à vendre des moustiquaires traitées à l'insecticide aux villageois de l'Est africain, notamment au Malawi. Il est en apparence plus noble de donner une moustiquaire que de la vendre : si Bill Gates la vendait, ne serait-il pas accusé de s'enrichir aux dépens des plus pauvres des Africains ? Mais on dispose de suffisamment d'études démontrant l'efficacité de la vente, fût-elle à un prix symbolique : celui qui achète comprend l'importance de la moustiquaire et en fera un meilleur usage que celui à qui on la donne. La seule publication vaguement favorable au don des moustiquaires a été signée par Esther Duflo, économiste au Massachusetts Institute of Technology, compagnon de route de l'altermondialisme et proche de la Fondation Gates, qui la subventionne.

Pour parachever le tableau de cette fondation, des contradictions entre ses buts et ses méthodes, il se trouve que Gates contribue à la création de villages témoins implantés au Malawi par Jeffrey Sachs, économiste à Columbia, sorte de rock star du développement. Une autre star, Bono, du groupe U2, a préfacé le livre que Jeffrey Sachs a consacré à l'utilité de l'aide : *La Fin de la pauvreté* (2005), ouvrage de propagande qui ne relève ni de l'économie ni de la philanthropie, mais du business de la charité. L'argument central de Jeffrey Sachs est que l'aide internationale n'a jamais contribué au développement, uniquement parce que son montant s'est toujours révélé insuffisant. Pour preuve de sa théorie (que l'on ne peut pas discuter, puisqu'elle est invérifiable), Sachs, avec le soutien de Bono, Madonna, Angelina Jolie et celui de la Fondation Gates, est parvenu à canaliser des aides massives vers un district du Malawi où vivent – mieux, désormais – environ vingt mille personnes. Après avoir visité ce lieu, Bunker Roy, célèbre militant indien dans la tradition du Mahatma Gandhi, a fait observer que les fonds dépensés auraient aisément permis de nourrir deux cent mille personnes chaque année. Roy rejoint ici Barro. En dehors de ces nouveaux villages Potemkine (baptisés Millennium Villages par Sachs), le Malawi reste ravagé par son propre gouvernement. Mauvais procès de notre part ? Il se trouve que Jeffrey Sachs a toujours refusé une évaluation extérieure des résultats effectifs de ses Millennium Villages ; l'agence indépendante de notation Give Well, réputée pour le sérieux de ses investigations, n'a jamais obtenu de lui la moindre donnée chiffrée.

C'est dans ce même district du Malawi que la chanteuse Madonna avait adopté, en 2009, un enfant dont les parents avaient été indemnisés. La chanteuse s'était également engagée à hauteur de onze millions de dollars dans la création d'une école de filles qui n'a jamais vu le jour : le don s'est volatilisé. C'est aussi au Malawi que Brad Pitt et Angelina Jolie – comparés à Tarzan et à Jane par l'écrivain Paul Theroux (qui enseigna au Malawi) – s'en vont collectionner les orphelins. Le même Paul Theroux a esquissé un rapprochement convaincant entre l'impérialisme compassionnel exalté en 1899 par Rudyard Kipling (*Le Fardeau de l'homme blanc*) et la philanthropie spectacle des Bill Gates, Angelina Jolie et Jeffrey Sachs..., qu'il propose d'intituler « Le Fardeau des rock stars ». Bono pourrait en composer la musique.

À un siècle d'intervalle, l'Africain est renvoyé par la philanthropie spectacle au rôle de bon sauvage inapte à progresser par lui-même.

Bill Gates est-il un mauvais manager ?

Bill Gates serait-il un mauvais manager ? Les qualités qui lui ont permis de créer Microsoft ne sont pas nécessairement celles requises pour gérer une œuvre comme la Fondation Melinda et Bill Gates. Ingénieur en quête fébrile de solutions techniques, ainsi qu'en témoignent ses collaborateurs, on peut supposer que Bill Gates surestime ce que peut la science et sous-estime le contexte social dans lequel elle opère. La stratégie de la Fondation Gates contre les maladies endémiques en Afrique témoigne de cette dérive scientiste : elle investit des sommes considérables dans la recherche d'un vaccin contre la malaria tout en ignorant que la maladie est un symptôme de la pauvreté des pays qu'elle ravage. Aux États-Unis comme en Europe, le paludisme était commun avant que le développement et l'éducation n'en éliminent les causes en même temps que le DDT éradiquait les moustiques vecteurs de la maladie. Parce qu'elle est à l'image de son manager scientiste, la Fondation Gates pose les problèmes de santé à l'envers. Elle est certes aussi critiquée, mais à voix basse, tant l'argent confère de l'autorité, par les milieux médicaux experts de l'Afrique : au Malawi, 85 % des médecins locaux ont déserté leur pratique locale pour rejoindre des centres de recherche financés par la fondation. Dans les milieux humanitaires, il est bien connu qu'une intervention bien intentionnée détruit parfois de fragiles équilibres locaux que le philanthrope occidental ne perçoit même pas, aveuglé qu'il est par sa générosité même. Au total, la malaria en Afrique reculerait plus vite si elle était confrontée à une gouvernance honnête plutôt qu'à un vaccin miraculeux.

On regrettera que Bill Gates ne s'inspire pas d'un autre philanthrope d'origine africaine, non exhibitionniste, celui-ci : Mo Ibrahim, citoyen britannique né au Soudan. Après avoir fait fortune dans la téléphonie mobile, Mo Ibrahim a créé une fondation qui attribue un prix de cinq millions de dollars, plus une rente à vie de deux cent mille dollars par an, à tout chef d'État africain qui aura honnêtement géré son pays, et après qu'il aura volontairement quitté le pouvoir : on comprend que le prix n'ait pas été décerné chaque année ! L'approche politique de la pauvreté en Afrique par Mo Ibrahim est évidemment la plus juste, et pour s'en tenir à la malaria, elle est corroborée par l'expérience historique des sociétés occidentales.

Devrait-on sauver la Fondation Gates contre Bill Gates ? Il n'est pas nécessaire que le créateur d'une fondation la gère : John D. Rockefeller est célèbre dans les annales de la philanthropie pour n'avoir jamais mis les pieds à l'université de Chicago qu'il avait fondée, ni à l'université Rockefeller de New

York consacrée à la recherche médicale (qui ne porte son nom que depuis 1965, longtemps après sa disparition). On peut invoquer un autre précédent : celui de la Fondation Ford qui a réellement contribué aux progrès de l'humanité à partir du départ de son créateur. Donner, puis gérer soi-même ce qu'on a donné constitue plutôt l'exception ; mais il n'existe dans le monde philanthropique aucune procédure qui autorise à se défaire du fondateur, si inapte soit-il à exercer ses fonctions. On espère donc, pour la Fondation Gates, un destin comparable aux Fondations Rockefeller et Ford. Pour l'heure, le roi s'amuse : exotique et télescopique, le philanthrocapitalisme lui procure du bonheur et un public admiratif.

Il se trouve, par une coïncidence singulière, qu'au moment où j'écris cette page, Bill Gates annonce à la presse qu'il offre une récompense de cent mille dollars à tout inventeur d'un condom qui ne réduirait pas la libido. On comprend la bonne intention, destinée à lutter contre les maladies sexuellement transmissibles ; mais les industries du latex y consacrent déjà des millions de dollars et un philanthrope qui ne se distingue pas du capitalisme ne sert à rien. Faire l'ange devant les médias semble déterminer les agissements de Bill Gates beaucoup plus que faire la différence dans le monde réel : si Gates a un cœur, il est artificiel.

Bill Clinton, quel artiste !

Lorsque, en 2000, Clinton quitta la Maison-Blanche, sa popularité était en lambeaux et il devait douze millions de dollars aux avocats parvenus à sauver sa présidence à l'issue de l'affaire Monica Lewinsky. On se souvient qu'il fut menacé de destitution *(impeachment)* non pour avoir entretenu des relations indécentes avec une jeune stagiaire, mais pour avoir prétendu le contraire. Comment restaurer son image et s'enrichir, sinon par la philanthropie ? Dès 2001, il créa une fondation à son nom, financée par « les amis de Bill ». Depuis 2005, chaque année, en septembre, il convoque dans un hôtel de Manhattan les célébrités des affaires et du spectacle qui s'engagent publiquement à verser des sommes considérables pour « sauver le monde » : cette Clinton Global Initiative, organisée sur le mode de la cérémonie hollywoodienne des Oscars, aurait engrangé des sommes de l'ordre du milliard de dollars. Selon les déclarations de Clinton, en 2012 la Global Initiative aurait « changé la vie de quatre cents millions de personnes dans cent quatre-vingt-onze pays ». Où, et en quoi ? On l'ignore. Bill Clinton est plus habile à lever des fonds ou à engranger des promesses de dons qu'à les gérer. On se limitera ici à deux exemples vérifiés de ce que l'on pourrait considérer comme une imposture.

En 2010, après le tremblement de terre qui ravagea Haïti, le montant de l'aide recueillie pour secourir les victimes a été estimé à quatre milliards de dollars. Ces dons arrivaient de toutes parts, dispersés entre des centaines d'organisations. Pour coordonner l'aide et veiller à ce qu'elle soit utile, le secrétaire général de l'ONU nomma Bill Clinton à la présidence d'une Commission de reconstruction de Haïti ; celle-ci se réunit trois fois dans un hôtel de luxe, à Port-au-Prince, avant de disparaître sans laisser de trace. Un an après le séisme, la Croix-Rouge américaine, principal récipiendaire des dons, admit n'avoir dépensé en Haïti que 20 % des sommes collectées, « faute de trouver sur place des programmes satisfaisants ». En 2012, la Croix-Rouge conservait encore sur son compte cinq cents millions de dollars destinés à Haïti. Les sommes stockées par cette organisation dans l'attente de « programmes satisfaisants » sont placées sur des comptes rémunérés dont les profits financent l'administration de la Croix-Rouge : pratique courante dans le monde humanitaire. Sur les cent trente-cinq millions de dollars collectés pour Haïti, Médecins sans frontières reconnaît en avoir dépensé 58 % pour les frais de transport et la rémunération de ses personnels. S'agissant des autres institutions philanthropiques, il est impossible, en 2013, de faire la part entre ce qu'elles ont dépensé en Haïti et ce qu'elles ont conservé pour elles-mêmes. Il suffit de se rendre sur place pour constater que les dons se sont évaporés. Quelques intermédiaires haïtiens et certains ministres en ont probablement bénéficié, ainsi que de nombreux employés des ONG étrangères qui vivent confortablement sur place. Bill Clinton ? Supposé coordonner et lutter contre le gaspillage et la corruption, il s'est rendu en Haïti deux fois, pour la photo, puis en janvier 2013 pour commémorer le troisième anniversaire de la catastrophe ; à en croire une enquête de la chaîne CBS, la moitié seulement des dons recueillis avaient alors abouti dans l'île.

Le fonctionnement de la Fondation Clinton, dont le siège est symboliquement situé dans le quartier de Harlem, à New York, est aussi symptomatique de la philanthropie spectacle. Parmi ses cibles prioritaires :

la lutte contre le sida, bonne cause par excellence. En septembre 2005, Bill Clinton manifesta la louable intention de venir en aide aux malades du sida en Chine, sérieusement atteints par l'épidémie mais dont les dirigeants niaient jusqu'à l'existence : non seulement le sida en Chine était supposé ne pas exister, mais ceux qui en souffraient étaient relégués dans des sortes de léproseries au cœur de la province du Henan. Dans cette province pauvre, deux cent mille habitants au moins avaient été contaminés en vendant leur sang à des entreprises de collecte qui méprisaient toute règle d'hygiène. Selon le militant démocrate Hu Jia, ces entreprises appartenaient toutes à des proches des dirigeants communistes de la province ; pour en avoir parlé, Hu Jia écopa de trois ans de prison.

Alerté par des reportages poignants publiés dans le *New York Times* et le *Wall Street Journal* aux États-Unis, et par *Libération* en France, Bill Clinton décida d'apporter lui-même plusieurs tonnes de médicaments au Henan. Il y fut bien accueilli par les autorités locales ; parvenu dans la capitale, Zhengzhou, on le convainquit que se rendre dans les villages contaminés constituait un voyage bien long et périlleux. À leur décharge, les bureaucrates chinois étaient persuadés que le sida s'attrapait par inhalation, une des raisons qui les conduisait à reléguer les malades dans les villages interdits. En réalité, comme je l'ai constaté en m'y rendant au moment où Bill Clinton se trouvait à Zhengzhou, ces villages sont à une heure de route praticable. Cédant aux arguties, Bill Clinton accepta de se faire photographier devant un dispensaire témoin, à Zhengzhou, spécialement aménagé pour sa visite. Un précédent vient aussitôt à l'esprit : en 1944, le vice-président des États-Unis, Henry Wallace, se rendit à Magadan,

« capitale » du Goulag soviétique, et, après n'avoir rien vu, déclara que les « camps de travail » n'étaient qu'une légende. Sur la photo publiée dans la presse chinoise, Bill Clinton est entouré de huit enfants rayonnants de santé ; les dirigeants de la province les lui avaient présentés comme « ayant bien réagi au traitement », selon l'expression utilisée par *Le Quotidien du Peuple*. Quel traitement ?

Clinton s'en retourna aux États-Unis ; les médicaments qu'il avait apportés ne furent jamais distribués aux victimes du Henan. Probablement ont-ils été utilisés dans des hôpitaux de Pékin où sont soignés des patients appartenant à l'élite du Parti communiste ou disposant des moyens de payer, puisqu'il n'existe pas de médecine gratuite en Chine.

En 1952, Henry Wallace avait admis publiquement avoir été dupé par la propagande stalinienne. À quand les aveux de Bill Clinton ?

Al Gore, l'illuminé du réchauffement

Quand Al Gore échoua à l'élection présidentielle de 2000, il se trouva fort dépourvu ; lui aussi se recycla dans la philanthropie spectacle dont la semblance avec la philanthropie citoyenne n'est qu'apparente. La philanthropie spectacle n'est pas fondée sur le volontariat ni sur l'assistance immédiate au prochain, mais sur des proclamations grandiloquentes, invérifiables et à la mode : sauver le monde chez Clinton, sauver la planète chez Al Gore. Les terrains de la faim, de la pauvreté et du sida étant fort encombrés, Al Gore s'empara du réchauffement climatique, sujet encore peu public et en déshérence médiatique. Avec le soutien de la fondation de Jeff Skoll, ancien président de eBay, dont la fortune fut estimée en 2012 à trois milliards de dollars, Al Gore réalisa en 2006, avec Davis Guggenheim, un documentaire extravagant, *Une vérité qui dérange*. Ce film relatait avec force effets spéciaux la destruction inéluctable de notre civilisation à cause du réchauffement climatique, sauf à renoncer sur-le-champ à notre mode de vie et à en revenir à l'ère des moulins à vent. Avec l'appui de Skoll, des lobbies écologistes et des industriels qui ont intérêt à les financer, le film bénéficia d'une diffusion mondiale et fut couronné par de nombreuses récompenses : Al Gore devint prophète, tradition familiale chez les Gore, évangélistes et millénaristes enracinés dans le Tennessee.

Mais le film a tout faux : les chiffres sur lesquels repose son scénario catastrophe ne sont corroborés par aucun institut de recherche. Gore supposait une augmentation de température de 10 °C d'ici 2100 alors que l'Institut de l'ONU sur la recherche climatique (International Panel on Climate Changes), dirigé par Rajendra Pachauri, récipiendaire en 2007 du prix Nobel de la paix pour le GIEC, partagé avec Al Gore, envisage dans la pire des hypothèses une hausse de 4°. Gore annonçait une hausse du niveau des mers de l'ordre de trois mètres sur la même période, ce qui permit au réalisateur d'engloutir New York sous des vagues de quatorze mètres de haut, image convenue dans les films-catastrophes. Par définition, un spectacle se situe aux antipodes de la connaissance, mais Gore n'en revendique pas moins une démarche scientifique. Son mensonge, légitimé par le prix Nobel, serait sans gravité s'il ne nuisait pas à la cause qu'il prétend défendre : dans le débat sur le réchauffement climatique, ses causes, ses conséquences et ses remèdes (s'ils existent), l'excès a engendré le scepticisme. Si réchauffement il y a, sa mise en scène par Gore l'aura fait passer de la science à la science-fiction et à l'idéologie, ou y aura fortement contribué : le débat n'oppose plus ceux qui savent et sont en désaccord sur le réchauffement et ses causes, mais dresse le camp de ceux qui croient au réchauffement contre le camp de ceux qui n'y croient pas. Si la menace est sérieuse, Al Gore est coupable d'en avoir interdit toute analyse réaliste et d'avoir bloqué toute solution qui ferait consensus, car on ne peut plus, sur le sujet, réconcilier deux idéologies.

Gore n'est-il qu'un illuminé ? Il est plus probable qu'il se moque du monde, puisque son mode de vie, et d'abord sa maison climatisée de six mille mètres carrés à Nashville, s'accordent mal avec son prophétisme. Selon le Centre de recherche politique du Tennessee, la résidence de Gore consomme vingt fois l'énergie moyenne d'une maison américaine ; ce centre a proposé de lui décerner l'Oscar de l'hypocrisie plutôt que celui du meilleur documentaire obtenu à Hollywood. « Je ne consomme que de l'énergie verte », s'est défendu Al Gore, bien que sa résidence soit reliée au réseau urbain. Le cynisme du personnage est devenu encore plus flagrant quand, en janvier 2013, il a vendu pour cent millions de dollars une modeste chaîne de télévision qu'il avait créée – Current TV – à Al Jazeera, la télévision du Qatar, financée par le pétrole dont Al Gore ne cesse de dénoncer les effets sur le climat. À sa décharge, il a souvent admis au cours de ses conférences que le problème du réchauffement comptait moins que la prise de conscience universelle suscitée par cette menace. Il y a du Teilhard de Chardin chez Al Gore : ce sont deux démarches chrétiennes en mal de convergences métaphysiques.

On se rappellera qu'en 2007 les jurés du prix Nobel n'étaient pas parvenus à départager Al Gore, artiste de la philanthropie spectacle, de Rajendra Pachauri, homme de science rationnel. Le prix Nobel de la paix, il est vrai, applaudit au spectacle plus souvent qu'il couronne la connaissance : en 2006, il récompensa le philanthrope du Bangladesh Muhammad Yunus pour avoir inventé le microcrédit, présenté comme la solution définitive à la pauvreté. Là encore, philanthropie ou spectacle ?

Le microcrédit, mode d'emploi

Système de prêt personnalisé à court terme assorti d'un taux d'intérêt élevé, destiné à créer une micro-entreprise, le microcrédit a toujours existé en Afrique et en Asie du Sud. Mais Muhammad Yunus a introduit dans les années 1980 deux innovations qui lui ont conféré un statut de bienfaiteur de l'humanité : il a réservé le microcrédit aux femmes pauvres du Bangladesh et a pratiquement annulé les taux d'intérêt. Comme, par ailleurs, il sélectionnait les bénéficiaires et tenait non pas le seul bénéficiaire du prêt mais le village entier comme comptable du remboursement, la Grameen Bank créée à cet effet obtenait des taux de remboursement proches de 100 % ; les femmes sélectionnées créaient effectivement leur micro-entreprise.

Depuis lors, les économistes du développement – entre autres, Esther Duflo – ont vérifié que l'expérience de la Grameen Bank était biaisée : la sélection des bénéficiaires ne permettait pas de vérifier si ces femmes n'auraient pas en tout état de cause créé une micro-entreprise. La réduction des taux ne permettait pas de savoir si ces entreprises financées à crédit étaient viables ou simplement subventionnées. On se demandera surtout par quel miracle Muhammad Yunus parvint à octroyer des milliers de prêts sans intérêt dans les campagnes du Bangladesh.

La visite des locaux de la Grameen Bank à Dhaka révèle qu'il ne s'agit pas d'une modeste association animée par des volontaires, mais d'une grande entreprise financière. Toute cette aventure a été rendue possible grâce au soutien accordé à Muhammad Yunus par la Fondation Ford. Après le succès de la « révolution verte » au Mexique, puis en Inde, soutenue par la Fondation Rockefeller, Ford était en quête d'une solution aussi stratégique à la pauvreté de masse. Les femmes pauvres, le Bangladesh, le microcrédit dans un pays musulman mais laïc : tous les ingrédients d'une philanthropie spectacle étaient réunis. Ces paramètres coïncidaient avec la charte de la Fondation Ford qui apporta avec enthousiasme son soutien financier à Yunus.

Lui n'avait aucune raison de refuser les aides que la fondation mettait à sa disposition, et, de fait, la Grameen Bank est plus utile que nocive.

Le bilan de l'alliance entre Ford et Yunus est positif, mais les tentatives pour répliquer son succès dans d'autres pays échouent : sans sélection des entrepreneurs potentiels et sans taux d'intérêt significatifs, le microcrédit n'est pas viable. Les banques privées qui ont été créées en Inde pour attribuer des microcrédits ont fait faillite quand les taux étaient bas, et ont fait fortune quand ils étaient élevés ; elles deviennent alors des banques comme les autres, pas une solution magique à la pauvreté de masse.

Au total, la Fondation Ford aura commis au Bangladesh une banale erreur d'analyse : elle a cru inventer un remède miracle à la pauvreté ou à la maladie en isolant celles-ci du contexte politique qui en est la cause première. Pareils bricolages sont « spectaculaires », mais diffèrent les solutions réelles, celles auxquelles conduisent les changements de régime politique et de stratégie de développement, ainsi qu'on peut le vérifier dans l'Inde voisine depuis qu'elle a accepté la mondialisation. La philanthropie spectacle peut sauver quelques vies mises en exergue et séduire les médias, mais en sacrifiant la masse des invisibles : peut-être devrait-on parler d'une *misanthropie spectacle* pour mieux distinguer ici les gesticulations de l'altruisme.

Oprah Winfrey, la madone des ghettos

Icône de la gauche américaine, groupie de Barack Obama, la femme noire la plus riche des États-Unis, Oprah Winfrey n'aura rencontré aucune difficulté à rejoindre la philanthropie spectacle : celle-ci est à l'origine de sa fortune, estimée en 2012 à deux milliards de dollars. En 1986, elle a créé à la télévision américaine le premier « spectacle-réalité » où témoignaient en direct des personnes souffrant de troubles sentimentaux. Oprah Winfrey les consolait (le show a cessé en 2011) par un savant dosage de psychothérapie et d'exaltation mystique. Pour dépasser le spectacle et changer la vie de ses concitoyens les plus démunis dans sa ville, Chicago, Oprah Winfrey s'aventura dans la philanthropie à partir de 1993. Cette année-là, elle donna trois millions de dollars à l'organisation locale Families for a better life pour sortir plusieurs milliers de familles de leur dépendance envers les allocations sociales, de leur logement misérable, et les conduire vers l'autonomie économique : but louable, un rêve américain. En 1996, 1,3 million seulement avait été dépensé au bénéfice de sept familles sur les mille six cents sélectionnées et les trente mille qui s'étaient initialement portées candidates. Selon le sociologue Peter Frumkin, de Harvard, qui en a fait un cas d'école, cinq familles en tout et pour tout sont allées au terme du programme de réinsertion sociale soutenu par Oprah Winfrey, trois ont effectivement quitté leur logement social, deux parents ont trouvé un emploi à temps plein, deux à mi-temps. Le programme aura coûté deux cent cinquante mille dollars par famille : il aurait mieux valu qu'Oprah Winfrey distribue ses trois millions aux nécessiteux, mais son geste aurait relevé de la charité, disqualifiée, tandis que le programme, lui, était philanthropique.

Cette mésaventure est terminée, Oprah Winfrey ne l'a pas renouvelée. Mais elle reste un exemple type pour les étudiants de Frumkin, parce qu'il existe peu de cas publiquement recensés d'échecs philanthropiques. Ce que Frumkin reproche en effet à Oprah Winfrey et à la philanthropie spectacle est moins d'échouer – ce qui n'est pas en soi condamnable dans un domaine aussi complexe – que de ne jamais recon-

naître les fiascos et de ne jamais chercher à les expliquer. De ces échecs, tous les philanthropes, ceux du
spectacle comme ceux de l'action réelle, pourraient
apprendre pour quelles raisons certains programmes
sont utiles, et d'autres, catastrophiques. Oprah Winfrey,
elle, en a tiré une leçon différente : sa générosité
s'exerce maintenant le plus loin possible de Chicago,
dans des quartiers déshérités d'Afrique du Sud. La
philanthropie exotique échappe plus facilement à l'évaluation et aux critiques – et la photo est meilleure.

CHAPITRE XIII

Moraliser le capitalisme

L'ambition parfois démesurée des philanthropes américains est de réparer la société : cette confiance inaltérable dans le progrès conduit donateurs et volontaires dans les quartiers déshérités, les prisons, les hôpitaux, partout où sévit la misère. Un philanthrope résigné n'existe pas ; un philanthrope modeste est rare. Mais n'est-ce pas le fondement même de la société américaine – le capitalisme – qu'il conviendrait de réorienter vers des buts plus nobles que le profit ?

Le capitalisme a rendu de grands services aux Américains, leur apportant une société de libre choix et des revenus inégalés. Mais le capitalisme n'est pas moral en soi : il n'est qu'une mécanique. Pourrait-il devenir moral ? Nombreuses sont les entreprises qui créent leur propre fondation : pour ajouter du bien au profit ? ou pour feindre d'être moral ? Certains progressistes, plus radicaux, invitent les entreprises à dépasser le profit et à s'assigner comme finalités, en sus du profit, le peuple et la planète : les « trois P ». Ce qui n'est pas sans inquiéter les conservateurs : à détourner le capitalisme de son objet, à confondre philanthropie et entreprise, ne risque-t-on pas de pervertir la première et de paralyser la seconde ? Hésitant entre ces extrêmes, le capitalisme américain évolue certainement vers plus de « citoyenneté » : c'est d'ailleurs parce qu'il a toujours su évoluer qu'il reste incontournable.

L'entreprise socialement responsable

Dans les années 1980 est apparue aux États-Unis l'expression nouvelle « entreprise socialement responsable » (Corporate Social Responsability, CSR) ; en France, à la même époque, on parlait d'entreprises citoyennes. Par-delà leur activité productive, les entreprises auraient-elles des devoirs ? Défenseur absolu de l'économie de marché, Milton Friedman a résisté farouchement à cette mode dans ses chroniques publiées par *Business Week* dans les années 1980 : « La fonction des entreprises, écrivait-il, est de faire des profits dans le cadre de la loi, et rien d'autre. » Ce rappel à l'ordre, qui reste d'actualité pour ses disciples, n'a pas empêché la plupart des grandes entreprises américaines de créer leur propre fondation. Derrière ces fondations, comme chez un individu, les motivations sont mêlées : une entreprise agit-elle par esprit philanthropique ou parce qu'elle a intérêt à le manifester ? À écouter les pionniers de la philanthropie d'entreprise, en particulier Marc Benioff, président de Salesforce.com, qui en est le chantre, la responsabilité sociale d'entreprise effacerait la distinction entre bien et profit. Une entreprise qui fait le bien en plus de produire attirerait de meilleurs cadres, sensibles à la démarche philanthropique, plus attachés à l'employeur en y développant un esprit de solidarité, elle séduirait plus de clients attentifs à une bonne image de marque et flatterait les investisseurs qui arbitreraient en fonction de cette image : la philanthropie d'entreprise relèverait de l'« intérêt bien compris ».

En 2012, les entreprises américaines ont distribué par l'intermédiaire de leurs fondations quinze milliards de dollars, soit 5 % du total du secteur non lucratif. « Une somme que l'on devrait doubler, dit Marc Benioff depuis son quartier général de San Jose, en Californie, quand les entrepreneurs auront mieux compris l'intérêt d'intégrer l'action philanthropique à leur stratégie. »

Ce raisonnement de Benioff, en apparence séduisant, subit le tir croisé des procapitalistes conservateurs comme des sociaux-démocrates progressistes. À l'école de Milton Friedman, on estime que les entreprises devraient se limiter à faire des profits parce qu'elles créent ainsi un maximum de croissance et d'emplois ; hors de l'entreprise, il appartient à chacun – dont la vie est améliorée par l'économie de marché – d'utiliser ses gains comme il l'entend et de les redistribuer s'il le souhaite. Si une entreprise devient philanthrope, elle confisque pour une cause qui est définie comme bonne par ses seuls dirigeants des sommes censées revenir normalement aux salariés, aux actionnaires et aux consommateurs. Selon cette même critique, une entreprise n'est pas une personne douée d'une volonté autonome, mais une association de circonstance destinée à produire un bien ou un service ; dans l'entreprise philanthrope, les managers trahiraient donc la mission qui leur a été confiée par les actionnaires et l'objectif qu'attendent salariés et clients.

La critique ultracapitaliste se trouve paradoxalement confortée par les analyses progressistes. Robert Reich, économiste à l'université de Berkeley, dénonce la philanthropie d'entreprise mais parce qu'elle renforce la domination de notre vie sociale par ce qu'il nomme le supercapitalisme. Selon Reich, l'incursion de la philanthropie d'entreprise dans la défense de l'environnement, l'aide aux plus pauvres, l'éducation (principales interventions des fondations d'entreprise) révèle que l'État et la démocratie ne cessent de reculer. Si, par exemple, le changement climatique représente une véritable menace, il conviendrait, dit Reich, que des lois, au terme d'un débat démocratique, contraignent toutes les entreprises à appliquer de nouvelles normes. Milton Friedman approuverait, puisque lui-même considérait qu'une entreprise doit faire des profits dans le cadre de la loi. Espérer que les entreprises lutteront volontairement contre le changement climatique ou les inégalités sociales est, selon Robert Reich, une illusion : aucune entreprise n'apportera de son fait une amélioration significative au climat ou à la justice sociale, parce qu'aucune ne remettra jamais en cause ses propres intérêts. La philanthropie d'entreprise, ajoutent les progressistes, ne peut être qu'une stratégie de relations publiques dont le but inavoué est d'accroître le profit, pas d'améliorer le monde. Ce que Robert Reich ne reproche d'ailleurs nullement aux entreprises capitalistes : il ne condamne que la feinte innocence des hommes politiques et des médias, en extase devant la volonté affichée de BP ou de Shell

de limiter l'utilisation du pétrole et du gaz, de Star-
bucks de ne vendre que du café « profitable » aux
petits planteurs, de Nike de protéger les droits de
l'homme au Bangladesh, ou de Walmart de combattre
la discrimination dont sont victimes les femmes.

L'analyse des pratiques permet-elle de trancher
dans ce débat ? Comme pour la philanthropie personnelle, tous les cas de figure coexistent dans une
société aussi vaste et diversifiée que les États-Unis.
Une sélection appropriée permet de démontrer ce
qu'on veut : que la philanthropie d'entreprise relève
de l'altruisme pur, qu'elle est une stratégie utilitaire
où le bien et le profit ne convergent qu'en apparence,
ou qu'elle est cyniquement destinée à écarter les
tentations gouvernementales de réglementer une profession. On peut démontrer que la philanthropie
d'entreprise améliore quelques destins individuels :
mieux vaut travailler pour Nike en Amérique latine
ou en Asie que pour une marque inconnue qui ne se
soucie pas du travail des enfants. À partir des mêmes
exemples, on peut néanmoins avancer qu'en s'oppo-
sant au travail des enfants en Asie Nike appauvrit les
familles et condamne les filles à la prostitution ; de
nombreux cas de ce genre sont avérés (au Vietnam en
particulier). Quand Walmart attribue une bourse, ce geste
généreux profite au boursier, mais diffère la réflexion
sur la discrimination à l'école et la nécessité de
réformes fondamentales. Tout est vrai en même temps.
Mais ce qui est particulier à la philanthropie d'entreprise
– ce pourquoi le terme de philanthropie paraît en
l'occurrence détourné de son sens –, c'est que la plupart des grandes fondations d'entreprises n'ont été
créées que pour contrer des campagnes d'opinion.

Walmart est le cas le plus représentatif de ce détournement d'objet de la philanthropie.

La charité trop bien ordonnée de Walmart

On n'est pas impunément le premier employeur privé des États-Unis, voire le premier au monde avec 2,2 millions d'« associés », sans s'attirer quelques inimitiés. Associés ? C'est ainsi que l'on appelle les personnels, chez Walmart. Créé en 1962 à Rogers, dans l'Arkansas, par Sam Walton, à partir d'une première boutique à bon marché, Walmart, premier distributeur américain aux États-Unis et dans le monde, sert cent millions de clients par semaine. Walton n'obéissait qu'à un principe : vendre tout et toujours moins cher *(lowest price anytime, anywhere)* que tous ses concurrents. Le principe n'a cessé de se révéler juste : le client, au bout du compte, arbitre en fonction des prix. Pour comprimer ceux-ci, Walmart a la réputation, fondée, d'économiser sur tout : sur ses dépenses de personnel, les « associés » notoirement mal rémunérés (quinze mille dollars par an en moyenne) et mal assurés, et sur les marchandises : 80 % des produits à l'étalage chez Walmart viennent de Chine. La prospérité chinoise est indexée sur celle de Walmart : lors de la crise financière de 2008, les consommateurs américains désertant Walmart, plusieurs entreprises de Canton cessèrent toute activité. Les syndicats hostiles à Walmart estiment à cent quatre vingt mille le nombre d'emplois perdus aux États-Unis en raison de ces achats chinois : ce qui, en vérité, est indémontrable.

Walmart a ses défenseurs : le célèbre chroniqueur conservateur George Will estime que grâce à ses prix bas, Walmart fait économiser deux cents milliards par an aux Américains les plus modestes qui constituent l'essentiel de sa clientèle. Ce qui correspondrait à une économie de deux mille cinq cents dollars par an et par famille. À rapporter, dit George Will, au programme fédéral d'aide alimentaire aux pauvres *(food stamps)* qui s'élevait en 2012 à vingt-huit milliards de dollars ! Le capitalisme « walmartien » serait donc plus juste et plus efficace que l'assistance publique.

Les mêmes partisans de Walmart et le très actif département de Relations publiques de cette entreprise ajoutent que chaque nouveau magasin ouvert par Walmart – tout résident aux États-Unis, hormis pour l'instant à New York, se trouve à moins de trente kilomètres d'un magasin – crée cent emplois nouveaux. En réalité, Walmart en détruit presque autant qu'il en crée : partout où la chaîne s'installe, le nombre de postes dans les commerces de proximité et les magasins de chaînes concurrentes est en moyenne divisé par deux. Quand Walmart crée cent emplois, il en disparaît cinquante, mais recule aussi dans le même temps un certain mode de vie : *Main Street*. Pour préserver *Main Street*, certaines municipalités ont interdit Walmart, mais il ne s'agit là que de communautés aisées comme Nantucket, dans le Massachusetts, car la population moyenne est favorable à l'implantation de la chaîne.

Le bilan de Walmart, comme celui du capitalisme en général, paraît donc positif ; les victimes se recrutent dans les bas-côtés : le petit commerçant qui disparaît, le personnel « associé » qui est exploité, l'ouvrier chinois qui est invisible. Si Walmart écrase les prix, il dorlote ses actionnaires : en 2011, l'entreprise cotée en Bourse déclarait quinze milliards de profits, dont 45 % distribués à la famille Walton. L'actuel président, Jim Walton, fils du fondateur, détient la dixième fortune du monde, estimée en 2012 par le magazine *Forbes* à vingt-huit milliards de dollars. Mais, sans profits distribués, Walmart perdrait le soutien de ses actionnaires, indispensable pour poursuivre son expansion aux États-Unis et dans vingt autres pays.

Jusqu'en 2000, les dirigeants de Walmart ne gaspillaient pas un seul *cent* dans la philanthropie ; la réussite de l'entreprise au bénéfice des consommateurs modestes n'était-elle pas en soi une œuvre suffisante ? Mais la visibilité de cette icône du capitalisme ne pouvait que cristalliser les ressentiments chez les syndicats, que Walmart essaie d'évincer, chez ses concurrents comme Safeway, et dans les médias progressistes comme le *New York Times*. En 2000, Walmart a été accusé par des syndicats de ne pas nommer de femmes à des postes de responsabilité. La plainte pour discrimination a échoué en 2011 devant la Cour suprême des États-Unis, les magistrats ne se prononçant pas sur le fond, mais sur la forme : les plaignants n'avaient pas su démontrer leur droit à agir. Les assauts n'en restent pas moins incessants contre celui qu'à gauche on dénonce comme le pire employeur des États-Unis. Le pire ? Le plus visible, à coup sûr : une association, Walmart Watch, dénonce sur le web le moindre faux pas de l'entreprise et les conditions de travail sévissant chez ses fournisseurs. Ainsi, en 2012, une usine au Bangladesh, où la sécurité aurait été sacrifiée pour faire baisser les prix, fut ravagée par un incendie : du moins est-ce l'interprétation qu'en donna le *New York Times*. Toujours en 2012, le même journal révéla comment les dirigeants de l'entreprise achetaient au Mexique les élus locaux chargés de délivrer les autorisations d'ouverture de supermarchés ; Walmart dut l'admettre.

Les dirigeants de Walmart qui s'étaient crus jusque-là protégés par leur réputation de gagne-petit ont bifurqué en dotant généreusement une vieille fondation jusque-là somnolente. En 2010, Walmart a débauché à grands frais une directrice de la Fondation Gates pour lui en confier la présidence. Sylvia Burwell avait le profil idéal : militante démocrate encartée, elle avait fait campagne pour le vice-président Joe Biden. Les choix stratégiques que Sylvia Burwell a assignés à la fondation sont aussi éloquents que son curriculum : accorder des bourses d'études aux enfants des « minorités », favoriser la responsabilisation *(empowerment)* des femmes, protéger l'environnement... En 2012, la Fondation Walmart a distribué quatre cents millions de dollars pour ces causes progressistes, devenant en volume la première fondation d'entreprise des États-Unis. « Pour les détails, on se rapportera au site web » : telle est la seule réponse que j'ai obtenue lorsque j'ai demandé à rencontrer un représentant de la fondation. Comme j'insistais, une « chargée de la communication » me répondit que la fondation avait pour règle de « ne jamais recevoir qui que ce soit et de ne jamais accorder d'entretien ». « Tout est sur notre site web », me répéta-t-on une dernière fois avant que la chargée de communication ne mette fin à la nôtre.

Ce service de la non-communication, chez Walmart, n'est que la caricature d'une nouvelle industrie parasitaire qui rend l'information économique de moins en moins fiable. L'armée des communicants, départements de l'information, services de relations publiques et autres consultants érige autour des entreprises américaines et des grandes fondations un mur d'enceinte impénétrable aux chercheurs et journalistes rigoureux : une opacité qui n'est pas étrangère aux scandales financiers et aux crises majeures que provoquent les mensonges des entreprises après que ceux-ci finissent par être révélés. La Fondation Walmart « communique » donc à sa manière en achetant des pages de publicité dans les journaux, en dictant aux médias de fausses interviews « prêtes à publier » de Sylvia Burwell, et, en cas d'urgence, en dépêchant des flottes de camions Walmart chargés de vêtements aux victimes de catastrophes naturelles. En mars 2013, Sylvia Burwell a quitté Walmart, mission accomplie, pour devenir directrice du Budget à la Maison-Blanche...

Les motivations de la Fondation Walmart sont claires : une philanthropie de bazar pour neutraliser l'ennemi et acheter des sympathies. Fait-elle tout de même des heureux ? Sur son site web, on découvre, entre autres histoires édifiantes, comment la jeune Marina – nom de famille non divulgué (à moins que Marina n'existe pas) –, évidemment afro-américaine, fille d'un « associé » de Fayetteville, dans l'Arkansas, a poursuivi ses études universitaires grâce à une bourse Walmart. Sans la fondation, peut-être le destin de Marina aurait-il été brisé ? Pour une personne au moins, une intervention cynique aurait ainsi conduit à un heureux dénouement.

Par suite d'un dérapage involontaire des communicants, la mauvaise foi de la Fondation Walmart a été crûment révélée par sa mise en relation avec une autre fondation également basée à Bentonville, siège de l'entreprise, la Walton Family Foundation. D'un côté, il y a donc la fondation de l'entreprise, de l'autre, la fondation de la famille qui contrôle cette même entreprise. Les choix de la fondation d'entreprise répondent à une stratégie de communication simpliste ; la famille Walton, elle, dépense pour des causes qui lui tiennent vraiment à cœur. La fondation d'entreprise penche à gauche ; la famille, elle, préfère les causes conservatrices. Chaque année, la famille Walton distribue cinq cents millions de dollars pour « protéger les valeurs et le mode de vie de l'Amérique profonde » : en soutenant par exemple les petits pêcheurs indépendants du Mississippi et en aidant les écoles privatisées *(charter schools)*, cause emblématique des conservateurs. À l'initiative d'Alice Walton, fille de Sam, la fondation familiale a investi huit cents millions de dollars dans la création à Bentonville d'un ambitieux musée, Crystal Bridges, dédié à l'art « américain ». De même que le destin de « Marina » aura été amélioré par la fondation d'entreprise Walmart, on ne peut que se réjouir que Bentonville, petite bourgade au milieu de nulle part, soit devenue une attraction majeure pour les amateurs d'art américain.

Ainsi se joue à Bentonville une version locale de la fable des abeilles, quand l'intérêt bien compris d'individus égoïstes finit par améliorer le sort commun.

Une révolution dans le capitalisme : les « trois P »

Walmart symbolise le règne de l'excès : excès du capitalisme par l'exploitation des salariés, des fournisseurs et de la crédulité des clients ; excès des relations publiques pour dissimuler cette exploitation. Sévissent chez Walmart comme une pathologie du capitalisme américain et une perversion de la philanthropie d'entreprise. L'opinion américaine n'est pas à l'aise avec ce genre de dérives ; les entrepreneurs non plus. Si la Fondation Walmart est une vitrine attrape-gogo, il n'empêche que la quasi-totalité des entreprises cotées estiment nécessaire de créer des fondations pour humaniser leur image auprès de leur personnel, de leurs actionnaires, de leurs clients. L'action de ces fondations d'entreprise est généralement en accord avec ce que fait l'entreprise, là où elle se trouve : toutes accordent une attention sociale à leur périphérie immédiate, auprès des communautés qu'elles emploient et des régions où elles sont implantées.

Le cas de Kroger, chaîne de distribution concurrente de Walmart, dont le siège est à Cincinnati, est emblématique : elle consacre 10 % de ses profits à une fondation d'entreprise la mieux dotée des États-Unis, par rapport à son résultat financier, pour améliorer l'environnement de ses magasins, ce qui rehausse l'image d'un distributeur de proximité. La protection sociale des salariés étant modeste aux États-Unis, toutes les fondations d'entreprise financent des programmes d'aide médicale ou éducative complémentaire. Elles soutiennent des recherches liées à leurs fonds de commerce : toutes les firmes qui exploitent le pétrole et le gaz financent par leurs fondations des recherches de nature à limiter les dégâts écologiques que pourrait causer leur activité principale. Ce dédoublement de la personnalité d'entreprises comme Shell ou BP laisse perplexe, mais la marque y gagne en réputation, ce qui favorise les développements à venir. La Fondation Google, elle, soutient des recherches sans relation immédiate avec son activité centrale : dans les transports automatiques, par exemple, ce qui permettrait, le cas échéant, une reconversion de l'entreprise.

Ces investissements philanthropiques, tout en ne contribuant pas directement au profit, sont acceptés par les actionnaires ; lors d'une assemblée, il est exceptionnel qu'ils s'indignent qu'une fraction des profits – assez faible pour ne pas trop rogner sur les dividendes – soit affectée à une fondation. Il arrive que certains protestent parce que la fondation ne dépense pas suffisamment pour l'« environnement » ou la « communauté », deux mots clés autour desquels gravite cette philanthropie dans l'air du temps.

Le même air du temps conduit des réformateurs plus ambitieux à imaginer une transformation du capitalisme au-delà des gestes symboliques qu'affectionnent les fondations d'entreprise. Dépassant Marc Benioff, favorable à la responsabilité sociale de l'entreprise (CSR), mais guère plus, et prônant la coïncidence nécessaire entre profit et responsabilité sociale, un certain Jay Coen Gilbert s'est lancé dans ce qu'il présente sans modestie comme une « révolution du capitalisme ». Fortune faite dans une entreprise d'équipements sportifs, Coen Gilbert a créé en 2010, à Philadelphie, la Fondation B Lab visant à transformer la définition juridique de l'entreprise. Devise de B Lab :

« Soutenir les entrepreneurs pour qui l'entreprise est une Force au service du Bien ». B Lab est financée par la Fondation Rockefeller et le gouvernement fédéral (US Agency for International Development). Jay Coen Gilbert démarche les élus, État par État, afin que soit autorisée une nouvelle catégorie d'entreprise qu'il appelle B Corp (Benefit Corporation). Dans les régimes juridiques existants, toute entreprise cotée a en principe pour but le profit ; si des managers gèrent une entreprise au mépris des intérêts de ses actionnaires, ceux-ci peuvent les attaquer en justice. Ces procès sont rares, mais il s'en est tenu au Delaware, État où, pour raisons fiscales, sont enregistrées de nombreuses entreprises. Dans le capitalisme à venir tel que l'imagine Jay Coen Gilbert, la loi fixerait comme finalité à l'entreprise non plus le seul profit, mais ce qu'il appelle les « trois P » : le profit, le peuple, la planète *(Profit, People, Planet)*. En attendant que les lois changent, la Fondation B Lab octroie un label B Corp aux entreprises qui satisfont à ces exigences. Pour obtenir ce label, l'entrepreneur doit répondre à un examen détaillé par B Lab qui passe en revue les exigences à la mode (justifiées ou non, ce qui est un autre débat) sur le respect de l'environnement, des travailleurs et des fournisseurs : « Il ne suffit pas de raconter, il faut prouver », dit Jay Coen Gilbert. Une entreprise labellisée B Corp est nécessairement « verte », « responsable », « durable », et pratique le « commerce équitable » ; elle privilégie les fournisseurs « locaux » ; elle « trace » le parcours de tous ses produits ; elle se soucie du « réchauffement climatique ». Le label cristallise tous les clichés progressistes.

Au moment où nous effectuions notre enquête, il s'est trouvé trois cents entreprises pour satisfaire à toutes ces conditions, tout en restant lucratives. Ces entrepreneurs labellisés partagent-ils en conscience les impératifs moraux de B Lab, ou estiment-ils que ce label leur procure un avantage sur le plan commercial ou vis-à-vis du personnel qu'ils emploient ? À compulser la liste des B Corps, quelle diversité ! On y voit des entreprises pionnières dans le recyclage comme Patagonia (vêtements confectionnés à partir de déchets de plastique), Seventh Generation (hygiène à partir de papier recyclé), mais aussi bien des compagnies d'assurances (Freelancer Insurance) et des industries (Cascade Engineering). En 2012, Jay Coen Gilbert a remporté une première victoire politique en obtenant du Vermont, l'État le plus progressiste de la fédération, que l'on puisse y créer des B Corps statutairement engagées à respecter les « trois P » et à produire des rapports annuels conformes à cette nouvelle comptabilité « sociale ».

Bien entendu, la Fondation B Lab vend son label : elle n'est pas lucrative, mais les bonnes notes qu'elle décerne se paient. David Vogel, professeur en management à Berkeley, a comparé la vente du label B Corp au trafic des indulgences pratiqué par le clergé catholique avant la Réforme : en payant l'Église, on accédait au paradis.

Le bien, une niche dans le capitalisme

L'ironie de Vogel est sans doute délibérément excessive à l'endroit de Jay Coen Gilbert qui m'a paru, lui, sincèrement attaché au Bien dans et par le capitalisme. Mais Vogel est aux États-Unis celui qui, depuis l'origine du mouvement CSR, en suit le plus attentivement les avatars et en mesure les véritables effets. La révolution dans le capitalisme ? Il ne la voit pas venir. Vogel invite plutôt à distinguer entre trois situations. À une première catégorie appartient la famille d'entreprises de type Walmart, chez qui l'affichage de la responsabilité sociale est un contre-feu aux attaques des médias et des lobbies hostiles à la grande distribution. Dans une seconde catégorie, Vogel classe des entreprises qui ont un réel intérêt à agir en responsables, par exemple à respecter l'environnement, parce que cette contrainte est en accord avec leur activité et en garantit la pérennité : cas des exploitants d'énergies fossiles qui, s'ils n'étaient pas responsables, seraient bannis. De la troisième catégorie relèvent des entreprises à qui l'affichage du CSR, voire du label B Corp, confère un avantage commercial : Patagonia et Body Shop sont mondialement reconnues et choisies par leurs clients en raison même de leur engagement écologique. Pour ces entreprises-là, la responsabilité sociale constitue une « niche » sur le marché.

À cette typologie de Vogel j'ajouterai la catégorie qu'incarnait à soi seul l'acteur Paul Newman : il fonda une entreprise de condiments alimentaires, Newman's Own, maintenant gérée par ses descendants, dont les profits sont affectés à l'accueil d'enfants cancéreux dans des colonies de vacances. Pour justifier sa démarche, Paul Newman avait publié un texte intitulé *Une exploitation sans scrupules au service du bien commun* : il ne biseautait pas ses cartes. Sa générosité mérite d'autant plus d'être soulignée que les stars de Hollywood sont d'une rare pingrerie : les fondations basées à Los Angeles, qui tentent de rendre la ville moins violente, plus hospitalière aux pauvres et aux immigrés, n'obtiennent rien des milieux du cinéma, obsédés par leur seule image.

Confirmant que le mouvement CSR est pour l'heure soit un artifice, soit une « niche », David Vogel a pu démontrer que ni les clients, ni les investisseurs ne modifiaient globalement leurs achats ou leurs placements financiers en fonction du CSR. Tout bien pesé, Milton Friedman l'emporte là encore : investisseurs et clients se comportent comme si le capitalisme était bon sans nécessairement faire le bien. N'en concluons pas pour autant que le mouvement CSR ou « trois P » est insignifiant : il en est plus probablement à ses débuts. Rappelons aussi que l'économie de marché, depuis deux siècles, n'a cessé d'améliorer son bilan productif et humain grâce aux critiques dont elle n'a cessé d'être la cible ; en économie de marché, philanthropes conservateurs et progressistes sont contraints de cohabiter, et c'est de cette tension perpétuelle que naît la créativité sans pareille du capitalisme américain.

CHAPITRE XIV

Des causes bonnes et mauvaises

La société américaine change par le bas : les luttes sociales contemporaines en faveur des droits civiques de la minorité noire, de la reconnaissance de l'homosexualité, de la légalisation de certaines drogues, ou contre le tabagisme et l'obésité, ont toutes été menées par des associations et des fondations : les gouvernements ne s'y sont ralliés qu'une fois l'élan de la société civile devenu irrésistible. L'action des institutions publiques ne définit pas à elle seule la démocratie en Amérique : celle-ci se singularise beaucoup plus par l'engagement des citoyens dans des causes qui retentissent sur leur vie quotidienne sans attendre la promulgation de grandes lois théoriques. En son temps, Alexis de Tocqueville craignait pour l'Amérique la tyrannie de la majorité : c'était sa principale réticence vis-à-vis du principe même de la démocratie. Jamais il n'aurait envisagé l'inverse : une situation où la majorité, comme nous l'allons découvrir, finit par céder devant l'activisme de minorités organisées, qu'il s'agisse de fumeurs de chanvre, de couples homosexuels, d'ennemis du tabac ou d'amateurs d'armes.

L'heure H de Keith Stroup

Soixante-dix ans passés, longs cheveux blancs retombant sur les épaules et blue-jean élimé, Keith Stroup estime que fumer du cannabis est son droit. Nuit-il à quiconque ? Il ne fume pas hors de son domicile et, s'il a trop fumé, il ne conduit pas : habitude acquise il y a cinquante ans lorsqu'il manifestait contre la guerre au Vietnam. Depuis lors, il est devenu avocat à Washington. Le gouvernement, dit-il, n'a « pas le droit de prohiber une consommation personnelle qui ne fait pas de victime et qui est une pratique partagée par trente millions d'Américains ». Si le cannabis est prohibé, selon lui, c'est parce que « les bien-pensants se plaisent à interdire ».

Au fil de l'histoire américaine, la liberté individuelle est périodiquement mise à mal par des ligues de vertu. Chacun sait comment l'alcool fut interdit de 1920 à 1934, pour le plus grand bénéfice des contrebandiers, jusqu'à ce que le gouvernement fédéral renonce à cette prohibition désastreuse et rende aux États toute responsabilité en ce domaine. Le cannabis, lui, est prohibé depuis soixante ans ; « Il est grand temps, affirme Keith Stroup, de revenir sur cette prohibition. » Un combat qu'il semble sur le point de gagner en recourant à une tactique caractéristique aux États-Unis : la mobilisation de la société civile en contournant une classe politique que le sujet embarrasse.

Le 6 novembre 2012, au terme de deux référendums d'initiative populaire, les électeurs du Colorado, l'un des États les plus progressistes des États-Unis, et ceux de l'État de Washington, un peu plus conservateur, ont chacun légalisé par 55 % des suffrages la détention, la consommation et la culture du cannabis à usage personnel, tout en maintenant certains garde-fous : il est permis de ne porter qu'une once d'herbe sur soi, de ne cultiver que six plants, il est interdit de conduire un véhicule au-delà de cinq nanogrammes de THC (substance active du cannabis) par centilitre de sang. À la surprise générale, en Californie où la consommation de cannabis et sa production sont le plus répandues, la légalisation par référendum a échoué par crainte d'une augmentation des accidents de voiture sous l'empire de la drogue. « La proposition californienne avait été mal rédigée », estime Keith Stroup : elle aurait dû prendre ce risque en considération. Mais ce n'est que partie remise : « Le Rubicon est franchi », dit Stroup.

Dans la coulisse de ces référendums, on croise une fondation que Keith Stroup a créée en 1975 : NORML (National Organization for the Reform of Marijuana Laws). Son slogan ? « Il est normal de fumer de la marijuana. » Cette fondation est modeste : quelques bureaux à Washington, décorés d'affiches à la gloire du chanvre, une douzaine de collaborateurs enthousiastes, tous fumeurs mais pas sur les lieux de travail non fumeurs. « Nous ne sommes, dit Keith Stroup, qu'une association de consommateurs réclamant le droit de mener la vie qui leur convient sans nuire à des tiers. » Il assimile le combat de NORML à celui des Noirs réclamant leurs droits civiques dans les années 1960, ou à celui des homosexuels réclamant le droit de se marier. NORML s'inscrit dans cette tradition de lutte des minorités pour la reconnaissance de leur égalité : c'est habile.

S'inspirant de la stratégie des homosexuels, NORML, au lieu de défendre un droit théorique à l'usage du cannabis, invite ses membres à faire leur coming out. Keith Stroup fume et le dit, mettant ainsi la police au défi de l'arrêter. Qui oserait incarcérer un avocat aux cheveux blancs ? Aucun policier ne s'y aventure. Keith Stroup recourt aussi à l'argument auquel les Américains sont le plus sensibles : la prohibition du cannabis conduit à la discrimination. Un avocat blanc ne sera pas arrêté parce qu'il porte sur lui quelques grammes de cannabis ; s'il l'est, au pire il paiera une amende. Un jeune Noir ou un Hispanique seront, eux, incarcérés. La légalisation du cannabis serait donc à la fois la reconnaissance d'un droit et un nouveau pas dans le combat contre les discriminations. Keith Stroup ajoute que la prohibition profite évidemment aux mafias, tandis qu'avec la légalisation, grâce au marché et à l'esprit d'entreprise, la qualité du cannabis s'améliorera, les prix baisseront, une nouvelle industrie se développera, créatrice d'emplois. Au Colorado et dans l'État de Washington, cette défense inspirée de la libre entreprise a contribué au succès des référendums : c'est un langage que les Américains comprennent.

Dans la longue marche vers la légalisation du cannabis (à en croire les sondages, 55 % des Américains y seraient favorables, contre 25 % il y a vingt ans), Keith Stroup a procédé par étapes. Dans un premier temps, NORML a mis en avant les vertus thérapeutiques du cannabis contre le glaucome et les effets désagréables de la chimiothérapie. Depuis une dizaine d'années, l'argument médical a persuadé plusieurs

États de l'Ouest, dont la Californie et le Colorado, à en autoriser la vente par des dispensaires. Cette libéralisation sous contrôle médical aura convaincu le grand public que sa consommation était banale et n'engendrait aucun désordre.

Ce premier succès tactique a conduit à l'étape suivante : au Colorado et dans l'État de Washington, depuis les référendums, il n'est plus nécessaire de brandir une ordonnance de complaisance pour se ravitailler. Alors qu'au Colorado on comptait jusqu'à cent mille titulaires d'une ordonnance médicale, les dispensaires se sont reconvertis en débits ordinaires offrant des marques variées. « Le libre marché s'est emparé du cannabis », se réjouit Keith Stroup qui n'est ni gauchiste, ni anticapitaliste : son maître à penser fut Milton Friedman qui avait dénoncé dès les années 1970 les effets pervers de la prohibition, puis disséqué dans les années 1980 l'échec de la « guerre contre la drogue ».

Cette « guerre », expliquait Friedman, a pour tous résultats d'enrichir les gangs, de remplir les prisons d'adolescents et de favoriser les intoxications par des drogues frelatées. Aujourd'hui surnommé « Oncle Milt », Milton Friedman ignorait alors qu'il deviendrait le gourou des abolitionnistes, mais il en aurait été ravi. Grâce à lui, dit Stroup, la légalisation du cannabis n'a plus été perçue comme une cause gauchiste, mais comme une réforme rationnelle soutenue par des conservateurs comme George Schultz, ministre de Ronald Reagan, et Gary Becker, Prix Nobel d'économie.

Un autre parrain historique des abolitionnistes fut le poète Allen Ginsberg : en 1971, celui-ci fonda la première association pour la légalisation du cannabis,

LEMA, devenue NMRL. Rejeton inattendu de Ginsberg et de Friedman, NMRL est aujourd'hui financé par des fondations et des donateurs conservateurs autant que progressistes. Sans le soutien de ces philanthropes, aucune cause, bonne ou mauvaise, ne saurait aboutir : l'organisation d'un référendum d'initiative populaire exige des ressources, il faut des militants pour recueillir des signatures en nombre suffisant avant qu'une proposition ne soit soumise à consultation. Imprimer bulletins et affiches, démarcher les électeurs est revenu à cinq millions de dollars dans l'État de Washington et à deux millions dans le Colorado : à eux seuls les petits donateurs n'y auraient pas suffi.

Le combat continue : la plupart des États restent prohibitionnistes et la loi fédérale, désormais en contradiction avec celles de certains États, interdit toujours le cannabis. Sans se préoccuper du gouvernement fédéral, les autorités du Colorado et de l'État de Washington ont réglementé l'usage de l'herbe en interdisant la vente aux mineurs et en sanctionnant la conduite sous l'empire de la drogue. En 2013, une once de cannabis n'a donc plus le même statut légal selon l'endroit où l'on se trouve : légale avec ordonnance en Californie, légale sans ordonnance au Colorado, totalement illégale dans la capitale fédérale où Keith Stroup reste condamné à acheter son cannabis au marché noir sur des parkings.

Son but ultime est d'obtenir du gouvernement qu'il se retire de cette mauvaise querelle ; il estime pouvoir y parvenir rapidement dans les États où la population peut s'exprimer par la voie du référendum, plus lentement dans les États de l'Est, comme New York, où le Congrès local doit légiférer. Les élus préfèrent éviter ce sujet passionnel, mais le moment est favorable, dit Stroup : les baby-boomers qui ont fumé dans les années 1960 et atteint l'âge des responsabilités savent que le cannabis est une drogue mineure. Les partisans de cette légalisation – l'auteur inclus – considèrent que seul l'abus est haïssable, et que tout délit commis sous l'effet d'une intoxication devrait être sanctionné en tant que tel, non en raison de la nature de la consommation : ce qui est le statut de l'alcool.

Reste un pas que Keith Stroup se refuse à franchir : la légalisation de toutes les drogues. Par là il se distingue des abolitionnistes intégraux comme le fut Milton Friedman et comme l'est aujourd'hui Ethan Nadelmann, porte-parole le plus notoire de ce mouvement. Ces théoriciens de la légalisation, comme les appelle Stroup, mèneraient un combat abstrait, sans grand espoir d'aboutir. En théorie, Milton Friedman et Ethan Nadelmann ont bien démontré les effets pervers de la prohibition de toutes substances, mais, pour les consommateurs, le cannabis, il est vrai, constitue un cas à part : c'est un mode de vie, une culture communautaire pratiquée par des millions d'Américains. « Autour du chanvre, dit Keith Stroup, se sont créés une musique (le jazz, à l'origine), une esthétique, des journaux *(High Times)*, tandis que les drogues dures participent d'une marginalité sociale, avec son cortège de violences et d'addictions. »
Les Américains ratifient cette distinction pour des raisons peut-être douteuses : l'héroïne et la cocaïne sont perçues comme les drogues des Afro-Américains, préjugé qui ne coïncide que partiellement avec la réalité. Pour ces bonnes et mauvaises raisons, la majorité

des Américains est favorable à la légalisation du cannabis tandis que 5 % seulement approuveraient celle de toutes les drogues ; la consommation du cannabis est reconnue comme un droit, alors que celle de l'héroïne et de la cocaïne reste une transgression. Les militants de NORML y insistent : la légalisation du cannabis ne marquerait pas une étape vers la légalisation de toutes les drogues, ce qu'évidemment soupçonnent certains de leurs adversaires. À la distinction entre cannabis et drogues dures, Keith Stroup ajoute une autre distinction qui, celle-ci, rallie la majorité des suffrages aux États-Unis : entre légalisation et décriminalisation. Aux yeux de la majorité des Américains, les toxicomanes mériteraient d'être soignés plutôt qu'incarcérés.

Au-delà de cette controverse, on retiendra de la démocratie américaine qu'elle est un marché où les idées, les intérêts, les convictions, les lobbies défendent leur cause, bonne ou moins bonne. La capacité de mobiliser des fonds, le militantisme à la base *(grass roots)* se révèlent plus décisifs que les débats de haute politique qui occupent les parlementaires des États et de la Fédération. Ce qu'en Europe on qualifie d'intérêts particuliers a la même légitimité, dans la démocratie américaine, que la politique gérée par les professionnels. Les pères fondateurs en avaient décidé ainsi pour que les minorités actives interdisent la tyrannie de la majorité. Grâce à cette agit-prop des minorités, la liberté n'est jamais confisquée ; à tout moment les électeurs sont à même de recouvrer la maîtrise de leur destin, y compris contre la volonté de leurs élus. La légalisation du cannabis est une illustration de cette démocratie concurrentielle où la notion d'« intérêt général » n'est pas un argument supérieur que l'on puisse opposer à la société civile. La reconnaissance des droits des homosexuels, le droit au mariage pour tous ont été obtenus de la même manière par une mobilisation des minorités actives, avec le soutien de fondations vouées à l'égalité des droits ; la Fondation Gill, au Colorado, la Fondation Walter & Elise Haas, à San Francisco, ont ainsi donné, en quatre ans, quatre-vingts millions de dollars. Dans tous les cas de ce genre, ce qui était au départ minoritaire finit par être ratifié par tous, ou presque : le consensus, en Amérique, part de la base.

L'un fume, l'autre pas

Devrait-on, par esprit de symétrie, opposer le Dr Tom Frieden à Keith Stroup ? Chacun est passionnément engagé dans une cause ; ni l'un ni l'autre n'accorde sa confiance à l'État pour faire triompher ce qu'il estime être le bien ; l'un et l'autre en appellent à la société civile. Keith Stroup incarne la liberté de fumer. Tom Frieden, ancien commissaire à la Santé à New York, est à Atlanta le directeur du Centre de contrôle et de prévention des maladies (Center for Disease Control and Prevention – CDC), l'administration fédérale chargée de surveiller toutes les endémies et épidémies aux États-Unis : ennemi numéro un du tabac aux États-Unis, Frieden incarne à lui seul l'interdiction de fumer.

Keith Stroup défend la liberté de fumer de la marijuana, mais ne nie pas que son abus puisse être dangereux. Tom Frieden, l'image même de l'Américain en parfaite santé et aux cheveux aussi courts que Keith Stroup les a longs, souhaiterait interdire totalement l'usage du tabac : la nicotine, explique-t-il, réduit de dix ans l'espérance de vie d'un individu. Frieden admet que Keith défend un droit constitutionnel ; mais la liberté de fumer du tabac dans les lieux publics n'est pas une liberté qui mérite d'être défendue, parce qu'elle porte atteinte à la santé du fumeur passif. Cet argument, confirmé par les épidémiologistes – Frieden est l'un d'eux – est reçu par les tribunaux américains qui indemnisent des fumeurs passifs atteints de cancer du poumon.

Depuis longtemps les industries du tabac connaissent ces méfaits du tabac sur le fumeur passif, ainsi qu'en témoignent des documents internes mis au jour par des avocats du Minnesota au cours d'un célèbre procès, Minnesota contre Philip Morris, dans les années 1990. Cette révélation d'une sorte de complot des industries du tabac s'est conclu devant la justice par un arbitrage : les industries ont acquitté en 1998 une amende de deux cent six milliards de dollars en réparation du mal infligé à la population. Cette théorie du fumeur passif légitime à elle seule la lutte contre le tabac engagée aux États-Unis depuis vingt ans et qui a gagné le reste du monde. En France, nul n'avait imaginé jusque-là qu'il serait un jour interdit de fumer à bord des avions, dans les cinémas, les bureaux, les cafés ; en 1989, le président d'Air France affirmait que l'interdiction de fumer n'aurait jamais cours sur sa compagnie, parce que « nous ne sommes pas des Américains ». On connaît la suite.

Mais on sait peu, en Europe, que s'il est désormais interdit de fumer dans un bistro parisien, c'est Tom Frieden qui fut le pionnier en la matière, avec le soutien d'un entrepreneur new-yorkais, philanthrope et maire de sa ville : Michael Bloomberg. Avant la campagne de Bloomberg contre le tabagisme, quelques initiatives avaient certes été financées par des philanthropes, comme les zones non-fumeurs destinées aux enfants (The Centers for tobacco free kids, soutenus par The Robert Wood Johnson Foundation depuis 1991), mais dispersées et sans suite. À Bloomberg il revient d'avoir engagé une offensive massive, aux résultats mesurables.

Pourquoi Bloomberg ? Dès lors que les effets nocifs de la consommation directe et passive du tabac étaient attestés, pourquoi l'État fédéral, qui bannit la marijuana, n'a-t-il jamais décrété que la nicotine était à l'origine d'un fléau national, ni envisagé à son encontre des restrictions légales ? C'est qu'aux États-Unis tout gouvernement hésite à restreindre une liberté, et que, dans cette affaire, les industries du tabac sont on ne peut plus influentes. Dans certains États, leur poids économique est décisif ; elles exercent des pressions sur les élus en investissant dans les campagnes électorales et dans les médias la bagatelle de dix milliards de dollars de publicité annuelle. Pour contourner ces industries, Michael Bloomberg, maire obsédé par la sécurité de ses administrés mais aussi par leur condition physique, a nommé Tom Frieden commissaire à la Santé en 2002. « Mon premier réflexe, dit celui-ci, fut de consulter le sociologue conservateur James Q. Wilson (qui avait inspiré la pratique policière à New York, dite de tolérance zéro). Wilson, se souvient Frieden, m'a expliqué que pour contourner le lobby du tabac, il ne fallait pas compter sur l'État, mais s'adresser à la société civile.» Ce qu'a fait Frieden avec l'appui de Bloomberg.

Bloomberg entrepreneur, Bloomberg maire, Bloomberg philanthrope : la confusion des trois rôles n'embarrasse pas les Américains aussi longtemps qu'il n'y a pas corruption avérée.

La campagne de New York

La campagne antitabac commencée à New York a gagné le monde entier, mais, à New York, les résultats sont plus spectaculaires : « Parce que nous avons frappé fort », dit Frieden. Très fort, même, contre les habitudes acquises, contre l'ignorance du sujet, y compris au sein du corps médical, et contre le lobby du tabac. Des demi-mesures seraient restées sans effet. En dix ans, de 2001 à 2011, la proportion de fumeurs adultes à New York a baissé de 21 à 14 %, et chez les adolescents de 17 à 7 %, soit quatre cent cinquante mille fumeurs de moins pour la période. Le nombre de vies sauvées à terme est estimé à cent mille du fait de la diminution du nombre de cancers du poumon et d'accidents cardio-vasculaires liés à la nicotine et par suite de la réduction du nombre des enfants exposés à la fumée du tabac. Grâce à la lutte contre le tabagisme, New York est aux États-Unis la ville où l'espérance de vie augmente le plus : de vingt-six mois sur ces dix dernières années, contre douze dans le reste du pays (mais peut-être d'autres facteurs entrent-ils en ligne de compte : il s'agit là d'estimations). Ces résultats ont été obtenus, dit Frieden, « parce qu'on sait, contre le tabagisme, ce qui marche : les impôts, l'édu-cation, l'interdiction de fumer dans les lieux publics et celle de la publicité ». On sait aussi que ces mesures ont un effet limité dans le temps, qu'il est nécessaire de sans cesse les renforcer pour que le public ne s'y habitue pas. S'il existe une accoutumance au tabac, il en est une autre à sa prohibition, qui conduit à en revenir aux habitudes antérieures ; toute campagne contre le tabagisme est ainsi vouée à l'escalade.

En Europe, le scepticisme tempère les mesures prises contre le tabagisme, mais pas à New York. Peut-être parce que aux États-Unis le gouvernement n'est pas l'acteur principal de cette campagne, le public est-il moins réticent ou moins soupçonneux ? En Europe, toute hausse des taxes sur le tabac est interprétée comme un prétexte à augmenter les recettes fiscales. À New York, toute augmentation du prix du tabac depuis dix ans se traduit sur-le-champ et dura-blement par une baisse significative de la consomma-tion, à condition que cette hausse soit substantielle. Un dollar par paquet, dit Frieden, crée une différence ; en dessous de ce seuil symbolique, le consommateur reste indifférent. Un dollar, mais pas plus : l'écono-miste Gary Becker a montré qu'une hausse excessive conduit à un déplacement des achats vers le marché noir alimenté aux États-Unis, entre autres, par les Indiens *(Native Americans)*, exemptés de taxes sur le territoire de leurs réserves. Il n'est pas exclu qu'un tel contournement par le marché noir existe déjà, mais il est marginal et n'affecte pas – à New York, en tout cas – la dissuasion par le prix.

Gary Becker objecte aussi à la hausse des prix du tabac en invoquant son caractère discriminatoire : elle coûte relativement plus aux classes modestes qui consomment plus de tabac que les riches. Frieden rétorque que les pauvres se trouvent par conséquent les premiers bénéficiaires d'une réduction des pathologies induites par la nicotine.

L'éducation aussi s'est révélée efficace, à commencer par celle des professionnels de santé qui, jusque dans les années 1980, fumaient plus que la moyenne de leurs patients, y compris dans les hôpitaux. Les preuves des méfaits de la nicotine ont modifié les habitudes dans ce milieu qui, par mimétisme, a influencé le comportement des patients.

Efficace également, l'interdiction de fumer dans les lieux publics, parce que cette prohibition inverse les normes, principale victoire acquise contre le tabac : en témoigne les films où fumer et boire étaient constants, jusqu'à devenir inacceptables. Quand les acteurs ont-ils cessé de fumer à l'écran ? Au début des années 1990, probablement un seuil fut-il franchi sans que nul en ait décidé.

Enfin la publicité est efficace, à en juger par l'expérience new-yorkaise, mais seulement si elle est agressive, voire difficile à supporter. Le plus déterminant, selon Frieden, consiste à montrer des victimes réelles de l'abus de nicotine, d'« ouvrir le rideau » pour exhiber ce que voient les médecins : les cas extrêmes diffusés par la télévision sont, de fait, insoutenables. « La campagne contre le tabagisme m'a coûté six cents millions de dollars », déclarait Bloomberg, en janvier 2013, tout en annonçant qu'il dépenserait autant pour sa nouvelle croisade contre la consommation de boissons gazeuses qui contribuent à l'obésité.

Bloomberg est devenu une sorte de despote éclairé, de « Napoléon municipal » dopé par son succès contre le tabac et qui tient à ce que ses administrés meurent en bonne santé. Mais il lui reste à démontrer les effets passifs du Coca-Cola sur celui qui n'en boit pas ! La justice, en 2013, a annulé l'interdiction municipale faite aux débits de boissons d'en servir aux clients des gobelets grand format...

Contre le tabagisme, Bloomberg a gagné une victoire que nul ne lui dénie ; l'interdiction de fumer dans les lieux publics, perçue au départ comme un acte d'autorité sans précédent, n'est plus contestée, trois ans plus tard, ni par l'industrie du tabac ni même par les organisations libertariennes, d'ordinaire hostiles à toute forme de prohibition. Il ne subsiste de critiques isolées que chez des psychiatres qui observent que toute prohibition conduit à un transfert de la transgression : cette thèse a été particulièrement développée par le psychanalyste Thomas Szasz. « Il est exact, admet Tom Frieden, qu'arrêter de fumer peut conduire à consommer plus d'alcool ou à manger trop ; mais ces transferts restent moins nuisibles pour la santé individuelle ou collective que ne l'est le tabac. » L'argument du transfert est à ses yeux irrecevable.

De la guerre éclair à la guerre mondiale

Depuis sa campagne éclair contre le tabagisme, Frieden a quitté New York. « J'ai suivi, dit-il, le conseil de Michael Bloomberg : mener une guerre éclair et partir avant que vos ennemis ne vous rattrapent. » Il est maintenant en charge de la généralisation de la lutte contre le tabagisme par le gouvernement fédéral face à l'insurmontable lobby du tabac. Bloomberg, lui, est sur le point de retourner à la vie civile après trois mandats. Mais il a décidé de porter le combat au niveau mondial : ce n'est pas un philanthrope modeste. Pour combattre le tabagisme, dit-il, il convient de le mesurer, car ce qui n'est pas mesurable ne peut être combattu. En collaboration avec la Fondation CDC, la Fondation Bloomberg finance donc une étude « mondiale » (dans quatorze pays en 2013) sur le taux de tabagisme pays par pays. Sans surprise, le plus grand consommateur, la Chine, dont le gouvernement tire du tabac des avantages fiscaux considérables, n'a pas autorisé Bloomberg à enquêter sur son territoire.

Si le tabagisme est une épidémie mondiale, ce que l'on estime être le cas au CDC, son éradication ne peut être elle aussi que mondiale. Le grand épidémiologiste du CDC, Bill Foege – l'homme qui a présidé à l'éradication de la variole –, souhaiterait non pas une impossible prohibition du tabac, mais une interdiction de toute publicité incitant à sa consommation. L'objectif ne lui paraît pas hors d'atteinte : le principal obstacle, dit-il, n'est pas la souveraineté des États, mais les réticences du contribuable américain à financer quoi que ce soit de mondial. « Il est impossible aux États-Unis, constate Foege, d'être élu à aucun mandat public si l'on fait campagne en faveur de l'aide internationale ou de la santé mondiale. » Les Américains n'ont pas compris, ajoute-t-il, qu'il n'existait plus de maladies « nationales ».

Pour contourner le contribuable et les élus, Bill Foege a eu l'idée de créer en 1995 la Fondation CDC qui permet une collaboration directe entre l'État et des philanthropes ; grâce à cette institution hybride, l'État peut coopérer avec Bloomberg. On voit ainsi se développer aux États-Unis un nouveau modèle où les philanthropes œuvrent main dans la main avec l'État pour relever des défis mondiaux que ni les États, lents et appauvris, ni les entreprises, parce que leur moteur est le profit, ne sauraient affronter séparément.

Le goût des armes, sans modération

Le 14 décembre 2012, un adolescent perturbé a assassiné sans mobile connu vingt enfants et six adultes dans une école élémentaire de Newton, dans le Connecticut. La nation en a été bouleversée ; le Président Obama a déclaré que c'était le pire jour de son mandat. Tous les dirigeants politiques s'engagèrent à agir pour que ce type de crime ne se reproduise plus.

Ce massacre n'était pas sans précédent : une ou deux fois par an, il se produit aux États-Unis quelque événement semblable, où un tireur solitaire fauche un groupe d'enfants, de passants, de clients dans un supermarché, un cinéma. Ces tueurs, souvent adolescents, se suicident après leur acte, en ne laissant aucune explication ; il ne s'en trouve sans doute pas d'autre que leur folie. Faute d'explication, la controverse se déplace vers l'instrument du crime : s'il n'y avait pas d'armes, y aurait-il eu crime ? À Newton, le meurtrier avait dérobé à sa mère, après l'avoir assassinée, une arme automatique : elle en faisait collection.

Après chacune de ces tueries, les Américains se répartissent en deux camps, selon un scénario qui se répète. Du côté des conservateurs se retrouvent ceux qui regrettent que les malades mentaux ne soient pas mieux surveillés. Leur conviction et leur slogan sont qu'une arme ne tue pas : c'est le meurtrier qui s'en sert qui tue. Du côté progressiste, on souhaite réglementer la détention d'armes.

Certains mouvements de masse semblent aller à l'encontre du sens commun : après la tragédie de Newton, deux cent cinquante mille nouveaux adhérents se sont inscrits à la National Rifle Association (NRA). La NRA, une des plus importantes associations des États-Unis, avec quatre millions de membres et un budget annuel de deux cent vingt millions de dollars, défend le droit aux armes personnelles et exerce sur l'opinion et les élus une influence incontournable. À cette ruée des nouveaux membres s'est ajouté le succès de fréquentation des foires aux armes, dans les semaines qui ont suivi le massacre, sans doute par crainte que le gouvernement ne restreigne la liberté des achats.

Trois cent cinquante millions d'armes seraient en circulation aux États-Unis, et, en vérité, les ambitions d'Obama comme ses pouvoirs présidentiels en ce domaine sont modestes : il n'a été envisagé que de généraliser l'examen des précédents criminels et psychiatriques préalable à l'achat, ce à quoi s'est opposée avec succès une association plus radicale encore que la NRA, Gun Owners of America. Gun Owners of America, qui a persuadé le Sénat, contre Obama, qu'autoriser quelque réglementation que ce soit conduirait, par enchaînement, à un « fichage » des détenteurs d'armes. Après chaque massacre, une fois le deuil accompli, les tentatives sérieuses pour contenir le libre marché des armes personnelles échouent à chaque fois, que ce soit contre la NRA, contre Gun Owners of America ou la cause qu'elles prétendent défendre : les minorités organisées l'emportent.

La NRA avance drapée dans la Constitution, texte sacré, immuable, protégé par la Cour suprême contre toute atteinte par le Président et les parlementaires s'ils étaient tentés de l'altérer par suite de circonstances conjoncturelles. Le second amendement à la Constitution autorise la détention d'armes individuelles ; à l'époque où il fut adopté, ce texte permettait à des milices de défendre la République, tout juste indépendante, contre les Britanniques. À défaut de Britanniques, restent des cambrioleurs et des criminels en puissance : la NRA considère que chaque foyer devrait disposer d'une arme à feu pour les dissuader radicalement d'agir. Une ville au moins satisfait à ce raisonnement : Kennesaw, cité résidentielle proche d'Atlanta ; un arrêté municipal y oblige chaque famille à posséder une arme à domicile, à l'entretenir et à savoir s'en servir. J'ai demandé au shérif s'il faisait respecter cette règle. Il n'y veille pas, mais fait confiance, m'a-t-il répondu, au civisme de ses concitoyens, qui sont aussi ses électeurs. Il m'a assuré qu'à Kennesaw la criminalité et les vols avaient effectivement baissé depuis l'adoption de cet arrêté.

La peur de l'autre, inavouée

Sans doute la possession d'armes à feu dispense-t-elle à la plupart des Américains un sentiment de sécurité qui nous paraît une motivation plus profonde que l'attachement au second amendement ou que le goût de la chasse, activité souvent invoquée mais rarement pratiquée. D'où vient aux États-Unis ce sentiment d'insécurité ? Bon nombre d'Américains vivent dans des résidences isolées, l'habitat dispersé est la norme ; en résulte certainement une anxiété que tempère la détention d'armes à domicile. Les derniers paysans français, dans leurs hameaux, ne sont-ils pas armés, et pas seulement contre les lapins de garenne ? Corroborant cette hypothèse, le plus faible taux de possession d'armes se constate dans les métropoles comme New York ou Chicago (hormis chez les gangs, mais c'est une tout autre histoire). Insécurité contre qui ? De l'ordre du tabou est la peur de l'autre dans cette société hétérogène. Les Blancs, quoi qu'ils en disent, ne se sentent pas à l'aise à côtoyer des immigrés récents ou à fréquenter la population noire. Le fait que la plupart des infractions soient perpétrées, pour des raisons socio-économiques évidentes, par des jeunes issus de ces groupes, conforte le préjugé et la peur. Le Président des États-Unis est noir, mais Wayne Lapierre, président de la NRA, ne l'est pas.

« L'autre », c'est aussi le malade mental : après le drame de Newton, la NRA s'est indignée non pas contre la détention d'armes, mais contre une tolérance coupable vis-à-vis des malades mentaux. Jusqu'à la fin des années 1970, aux États-Unis comme en Europe, on enfermait sans trop de formalités ceux qui, pour des raisons psychiatriques supposées, perturbaient l'ordre public ou en étaient soupçonnés. L'analyse des maladies mentales ayant progressé, des médicaments étant apparus, qui permettent de laisser en liberté ceux qui étaient naguère enfermés, un regard différent étant désormais posé sur la folie, le malade mental est devenu un citoyen comme les autres. L'enfermement est maintenant considéré par les psychiatres et par les mouvements progressistes comme une atteinte à la liberté du déviant. Les partisans de la possession d'armes à feu demandent, eux, le retour à l'incarcération des déviants : ce qui est cohérent.

L'enfermement du déviant, comme le droit à l'auto-défense, participent de la même idéologie, d'un même désir de contrôle des minorités au nom de l'ordre tel qu'il est défini par ceux qui se considèrent comme les seuls Américains vraiment « normaux », à l'exclusion de tous les autres. Derrière la défense du second amendement et du droit à posséder des armes se dissimulent, me semble-t-il, une cause plus obscure, des peurs inavouées, le malaise provoqué par la diversité croissante d'une nouvelle Amérique qui n'est plus tout à fait blanche.

Voilà une hypothèse toute personnelle, mais qui expliquerait l'influence de la NRA, laquelle n'est puissante qu'en raison du soutien inconditionnel de ses adhérents dans les États les plus blancs. Les progressistes préfèrent expliquer cette influence par l'argent : la NRA achèterait médias et élus. Peut-être, mais les progressistes ne manquent pas non plus de ressources. En 2013, d'anciens collaborateurs du Président Obama ont créé Organizing for Action, un lobby destiné à persuader les parlementaires de mettre des limites à la détention d'armes. Montant de la cotisation ? Cinq cent mille dollars. La collusion des super-riches et de la politique vaut pour les démocrates aussi bien que pour les républicains : aux États-Unis, que la cause soit bonne ou mauvaise, elle n'est jamais pauvre.

CHAPITRE XV

Les boîtes à idées

La seule hiérarchie qui vaille aux États-Unis serait-elle celle de l'argent ? La fortune confère certes, chez les Américains, une légitimité sociale plus forte qu'en Europe, mais elle est loin d'en être la seule source. Une carrière à l'université, dans le monde des arts, au sein de l'armée, dans la magistrature, dans les médias, apporte autant de « capital social » que la réussite financière. À la différence de la France, il est vrai, la haute administration n'attire pas nécessairement les meilleurs, et la classe politique américaine ne jouit pas d'un grand prestige : mais est-ce encore le cas en Europe ? La société américaine telle que l'avaient désirée les pères fondateurs peut, en fait, être définie comme une polyarchie où les pouvoirs sont en concurrence, se limitant les uns les autres, et l'argent ne l'emporte pas nécessairement sur les idées. Le rôle des fondations intellectuelles *(think tanks)*, que l'on appelle ici « boîtes à idées », illustre combien le poids de celles-ci vaut celui des fortunes.

Beaucoup d'argent pour rien

Les super-riches tentent de contrôler la vie politique, mais y parviennent-ils ? Lors des élections présidentielles de 2012 – Barack Obama contre Mitt Romney –, douze milliards de dollars furent dépensés. L'essentiel provenait d'un groupe limité de super-riches qui avaient regroupé leurs investissements, par affinités, dans des Super PACs (Political Action Committees). Par leurs campagnes de publicité, les PACs appuyaient non pas tel ou tel candidat – ce qui aurait été illégal –, mais les causes que soutenaient ces candidats, ce qui revenait au même. Par efficacité telle que l'évaluent les publicitaires, les super-PACs financent de préférence des campagnes négatives qui suscitent le rejet du candidat à abattre. La gauche proteste contre cette démocratie prise en otage, mais, tout compte fait, les démocrates bénéficient de ressources équivalentes à celles des républicains. Il se trouve à gauche autant de super-riches qu'à droite : Hollywood et Silicon Valley penchent du côté démocrate, Wall Street du côté républicain, mais avec des chassés-croisés : en 2008, Wall Street soutint Obama, puis Romney en 2012, et il est des donateurs qui soutiennent tous les candidats à la fois. À la sortie des urnes, l'argent fait-il la différence ? Les capitaux déversés probablement se neutralisent. Il est vrai qu'un candidat local ou national doit savoir lever des fonds pour financer sa campagne, et avant même de l'engager, mais ces fonds ne déterminent pas le résultat final. Nous allons voir ici que ce sont les projets, plus que l'argent, qui font la différence.

L'invention des think tanks

En Amérique, derrière tout projet politique se cache une fabrique d'idées, ce que l'on appelle un *think tank*, expression difficile à traduire, si ce n'est par la métaphore « boîte à idées ». Ces « boîtes » sont des fondations financées par des dons personnels ou par d'autres fondations engagées dans le combat idéologique, conservateur ou progressiste. La première fondation d'influence nationale engagée dans le combat politique fut certainement Ford : dans les années 1950, elle finança, contre la discrimination, les mouvements qui aboutiront à la législation sur les droits civiques en 1963. Cette orientation progressiste ne manqua pas de surprendre, puisque le fondateur, Henry Ford, fut un réactionnaire notoire ; mais les fondations mènent une vie indépendante des donateurs disparus ; leurs choix sont dictés par des managers plus sensibles à l'air du temps qu'à l'origine des fonds. La Fondation Ford soutint les recherches mesurant l'étendue de la discrimination et proposa des solutions, en particulier l'*affirmative action*. Mais les fondations entièrement consacrées à la fabrication d'idées, de leur conception à leur application, n'ont véritablement pris leur essor qu'à la fin des années 1970. Et le premier Président couvé par ces *think tanks*, qui traduisit leurs propositions en politiques, fut Ronald Reagan de 1981 à 1988.

L'héritage idéologique de Reagan, l'un des Présidents aujourd'hui les plus admirés par les Américains, peut se résumer brièvement en deux traits :

renaissance du capitalisme et refus de tout accommodement avec l'Union soviétique. La réduction des impôts pour inciter à entreprendre, la déréglementation des marchés pour réveiller l'innovation, l'élimination de l'inflation par la discipline monétaire, tout ce qu'on appelle le reaganisme avait été initialement formulé dans des boîtes à idées : Heritage et American Enterprise à Washington, Hoover Institution à Stanford. La politique étrangère qui relança la course aux armements pour faire plier les Soviétiques fut conçue à l'Institut Hoover où résidaient Milton Friedman, Edward Teller, Thomas Sowell, George Shultz et Condoleezza Rice. John Maynard Keynes avait écrit en 1930 que « les hommes politiques appliquent les théories d'économistes morts depuis longtemps, dont ils ignorent jusqu'au nom ». Ronald Reagan, lui, connaissait les économistes Milton Friedman, Robert Stiegler et Friedrich Hayek, ses inspirateurs et ses contemporains. L'adage de Keynes vaut pour des politiques plus récentes dont les maîtres d'œuvre ignorent l'origine ou préfèrent ne pas s'y référer.

Penser à droite

Considérons l'exemple de la sécurité qui, depuis les années 1990, règne dans les villes américaines. Le nombre de meurtres à New York est passé de deux mille deux cent quarante-cinq en 1990 à trois cent soixante-six en 2012 ; à Los Angeles, de mille deux cents à trois cents pour la même période. Le 28 novembre 2012, pour la première fois de son histoire, New York célébra une journée sans meurtre. Comment expliquer ce recul du crime ?

Il est parfois attribué à des causes aléatoires comme le changement d'habitudes des toxicomanes : de la cocaïne qui excite à l'héroïne qui apaise. Mais la drogue dominante à New York est devenue l'amphétamine, qui excite, sans que le nombre de crimes augmente. Dans un ouvrage populaire, *Freakonomics*, l'économiste Steven Levitt a tenté d'expliquer cette baisse de la criminalité par la légalisation de l'avortement : un nombre décroissant de mères célibataires donneraient naissance à moins d'enfants sans père connu, de ceux qui, à l'adolescence, tendent à se révéler nombreux parmi les criminels. L'hypothèse demanderait à être vérifiée, ce qui est à peu près impossible... Il se trouve aussi des théoriciens déterministes pour expliquer la baisse de la criminalité par le retour au plein emploi à partir des années 1980. Mais, depuis 2008, la récession et le chômage ne l'ont pas réveillée ; dans les villes, elle continue au contraire à baisser. Il faut en conclure que la nouvelle « idéologie » policière de la délinquance, la « tolérance zéro », telle qu'elle a été initialement mise en œuvre à New York par Rudolph Giuliani, procureur en 1975 puis maire de 1994 à 2002, est la cause principale, sinon exclusive, de la réduction massive de la délinquance.

La tolérance zéro est fondée sur un principe élémentaire : aucune infraction, si modeste soit-elle, ne saurait être tolérée par la police. Dès le début du mandat de Giuliani, la police new-yorkaise, placée sous les ordres du maire, assisté par le commissaire William Bratton, reçut l'ordre de ne plus fermer les yeux sur le franchissement impayé d'un portillon d'accès au métro ou sur une proposition non sollicitée par les automobilistes de nettoyer leur pare-brise. Ces infractions mineures conduisaient devant un juge : juge élu, sensible à l'exigence de sécurité manifestée par l'opinion. Les délinquants fauchés à l'état naissant étaient dissuadés de poursuivre leur carrière vers des formes plus violentes de criminalité ou/et se retrouvaient hors circuit : en prison. L'addition de la dissuasion et de la mise à l'écart physique des délinquants réels et potentiels explique qu'aux États-Unis le taux d'incarcération soit le plus élevé du monde occidental : sept cent trente détenus pour cent mille habitants ; soit six fois plus qu'en France.

Rudolph Giuliani n'avait pas inventé cette tolérance zéro, mais l'avait découverte grâce aux publications et conférences du Manhattan Institute, une boîte à idées new-yorkaise. Située au centre droit de l'échiquier, cette fondation favorable à l'économie de marché, plutôt tolérante sur les mœurs (on est à New York, pas dans l'Iowa...), avait été créée en 1978 par un entrepreneur britannique proche de Margaret Thatcher, pour propager aux États-Unis la révolution dite « néolibérale » en Europe et « conservatrice » aux États-Unis.

Comment fonctionne un *think tank* ? La vocation de l'Institut, explique son président Larry Mone, est de sortir des universitaires de leur tour d'ivoire, de les transformer en intellectuels publics, et de leur apporter une audience au-delà du milieu académique. L'Institut dispose des moyens financiers propres à convaincre un philosophe abscons de devenir un auteur compréhensible : le temps qu'il consacre à cette reconversion pour écrire à destination du public est rémunéré à un tarif motivant. L'Institut dispose aussi d'un service de communication capable de réécrire les textes (*edit*, dit-on en américain) en un langage clair et percutant, de les placer sous forme de « libres opinions » dans les journaux, voire d'ouvrages chez les éditeurs, et de propulser dans les studios de radio et de télévision ces nouveaux intellectuels.

La priorité du Manhattan Institute au début des années 1980 était de « sauver » New York : sous l'empire des idéologies progressistes, les dépenses sociales ruinaient la ville, et l'augmentation incessante des impôts faisait fuir les entreprises. Parce qu'ils y vivaient, les donateurs du Manhattan Institute déploraient l'insécurité, peu propice à la prospérité du commerce : restaurer la sécurité était un impératif à la fois civique et économique. Par coïncidence, un sociologue de Berkeley, en Californie, publia en 1982 une thèse révolutionnaire étayée par un énorme appareil statistique : la théorie de la fenêtre brisée. James Q. Wilson y montrait comment la détérioration des centres-villes américains était un phénomène cumulatif : la première fenêtre brisée par un jet de pierre conduisait à une seconde, puis à une série ininterrompue, jusqu'à transformer l'immeuble en taudis, sauf à réparer sur-le-champ la toute première fenêtre et à interpeller, voire à incarcérer l'auteur du délit, si minime fût-il. L'étude de Wilson contredisait la mode du temps qui vantait la libération des mœurs et les bienfaits des hallucinogènes avec une grande déférence pour toutes déviations considérées comme créatives. À la demande du Manhattan Institute, James Q. Wilson et le sociologue George Kelling acceptèrent de résumer leurs travaux en un essai digeste qu'il publièrent dans *City-Journal*, le magazine de la fondation. C'est là que Giuliani en fit la découverte ; puis il appliqua la théorie, suivi en cela par son successeur, Michael Bloomberg.

À partir de sa mise en œuvre en 1994, la tolérance zéro a conduit en deux ans à une baisse de 39 % pour les crimes, et de 31 % pour les vols.

Après l'attentat du 11 septembre 2001 qui détruisit le World Trade Center, Rudolph Giuliani se tourna spontanément vers le Manhattan Institute pour contrer le nouveau défi terroriste. Au terme d'une réflexion commune entre l'Institut et le nouveau commissaire Raymond Kelly, la méthode qui avait prouvé son efficacité contre le crime ordinaire fut étendue au terrorisme : repérer le terroriste potentiel en amont, à l'occasion de délits mineurs tel un vol d'arme ou de voiture, ou la prolongation illégale d'un pseudo-séjour « touristique ». En s'attaquant à ces symptômes avant-coureurs, conformément à la doctrine du Manhattan Institute, la police, dit Ray Kelly, a déjoué la plupart des attentats qui, sans cela, auraient été perpétrés à New York.

Fort de ses succès contre l'insécurité, l'Institut est passé en 1984 à une nouvelle étape de sa campagne contre le déclin de New York en s'attaquant à un sujet plus délicat encore : la dépendance sociale. Dans les années 1980-1990, New York ployait sous le nombre des bénéficiaires d'allocations de toutes sortes, en particulier l'aide automatique aux mères célibataires. Cette aide participait d'une évidente générosité, mais, par un effet involontaire, ne favorisait-elle pas des comportements asociaux ? Le nombre de mères célibataires ne cessait d'augmenter ; les pères étaient d'autant plus absents que les services de l'aide sociale se substituaient à eux ; ces mères restaient durablement au chômage et les enfants avaient tendance à devenir délinquants.

Un certain Charles Murray, sociologue à l'American Enterprise Institute à Washington, autre fondation conservatrice, avait publié en 1982 un bref essai sur ce thème de la dépendance à l'aide sociale : une fois tombés dans cette « trappe de pauvreté », les assistés n'en sortaient plus, et leur dépendance se reproduisait d'une génération à l'autre. Au Manhattan Institute for Policy Research, on trouva la thèse de Charles Murray suffisamment étayée pour qu'on lui commandât un livre sur le sujet. La fondation lui versa l'équivalent de deux ans de salaire d'un professeur d'université pour qu'il ait toute liberté d'écrire à son rythme : le résultat devint le best-seller de 1984, *Losing Ground*. Preuve de son influence au-delà des cercles conservateurs : le Président Bill Clinton devait supprimer en 1996 l'allocation aux mères célibataires et réduire la durée de l'allocation des indemnités de chômage. Clinton avait-il jamais entendu parler de Charles Murray ? Pas nécessairement, ainsi que l'avait pressenti Keynes, mais ce livre avait provoqué un débat d'ampleur nationale autour de la notion de dépendance et de la nécessité de restaurer la responsabilité chez les plus pauvres pour leur permettre d'échapper à la pauvreté.

L'essai de Wilson comme celui de Murray, explique Larry Mone, répondaient à la mission du Manhattan Institute : « influencer les influents », provoquer des débats gravitant autour des idées conservatrices plutôt qu'autour de celles des progressistes. Dans les années

1980 à 2000, le livre était encore le meilleur vecteur ; depuis l'apparition du web et des médias sociaux, les messages doivent épouser les nouvelles habitudes de lecture – ou de moindre lecture – chez ces influents à influencer. Pour conserver un temps d'avance sur la concurrence progressiste, l'Institut continue à diffuser ses propositions par les livres qu'il commandite et par *City Journal*, mais davantage encore sur le web, avec production d'articles clés en main pour la presse électronique, et par la publication de Livres blancs destinés aux experts. Les sites web de l'Institut sont répartis entre ceux qui s'adressent à un public généraliste *(City Journal)* et d'autres destinés à des audiences spécialisées dans le droit, l'éducation, l'énergie ou le management de la Santé publique.

L'influence d'un *think tank* exige d'assurer à la fois des contenus originaux et le marketing de ces contenus grâce à des équipes de qualité rémunérées au-dessus du niveau du marché : les vingt-cinq chercheurs à temps plein du Manhattan Institute perçoivent des émoluments équivalents à ceux de professeurs d'une université de renom. Dans une université, leur carrière serait certes plus prestigieuse, mais le Manhattan Institute leur permet de devenir des intellectuels publics et d'espérer voir, de leur vivant, leur théorie se muer en politique. Comme leur nom ne le révèle pas, le rôle des *think tanks* est en effet de changer le monde, pas seulement de le penser : ce qui implique des ressources.

De taille moyenne à l'échelle américaine, le Manhattan Institute requiert douze millions de dollars par an, qu'il appartient au *Board* de trouver. Il est présidé par l'un des financiers les plus chanceux de New York, Paul Singer, dont la fortune est estimée à

cinquante milliards de dollars. Le *Board*, dit Paul
Singer, est heureux de soutenir la seule fondation
conservatrice de New York, et l'une des rares aux
États-Unis à exercer une influence droitière sur la vie
politique. « Il nous arrive, dit Singer, d'être en désaccord avec telle ou telle publication, parce que
nous l'estimons trop conservatrice ou pas assez, mais
l'éthique de la philanthropie interdit au *Board* de s'en
mêler. » Le seul désaveu possible serait de ne plus
financer le Manhattan Institute. Mais, à New York, souligne Paul Singer, nous sommes en « terrain ennemi »,
cernés par les anticapitalistes et les sociaux-démocrates,
« ce qui incite à serrer les rangs ». Pour ses donateurs,
le Manhattan Institute est un îlot de résistance à la
domination intellectuelle de la gauche new-yorkaise
et de son bastion médiatique, le *New York Times*.

Mission accomplie et passant d'une cause à l'autre,
le plus récent projet du Manhattan Institute est la
refonte de l'éducation publique. Les progressistes autant
que les conservateurs admettent que celle-ci se dégrade,
comme en témoignent les tests en mathématiques et en
anglais : aux États-Unis coexistent les meilleures universités du monde et les écoles élémentaires et les
lycées parmi les plus médiocres. Les progressistes
imputent la dégradation de cet enseignement public à la
discrimination : les enfants de la bourgeoisie se retrouvent entre eux, dans les mêmes quartiers et les mêmes
écoles, publiques ou privées. Cette homogénéité facili-
terait un enseignement de qualité, mais destiné à eux
seuls. Les pauvres, les Afro-Américains, les immigrés
récents sont affectés à des écoles publiques hétéro-
gènes ; leur diversité et leurs origines sociales rendant
la tâche impossible aux enseignants.

Au Manhattan Institute, cette analyse est rejetée comme confondant les conséquences avec les origines de la dégradation des écoles publiques : c'est parce que celles-ci sont mauvaises que les meilleurs élèves les fuient. Les conservateurs considérant les notions de marché, de concurrence et de libre choix comme indépassables, le projet alternatif du Manhattan Institute se résume à « la liberté de choix ». Dans un monde conservateur idéal, explique Charles Sahm, directeur du Centre pour l'éducation du Manhattan Institute, chaque famille recevrait de l'État dont elle dépend un chèque-éducation *(voucher)* lui permettant d'affecter ses enfants à l'école de son choix, qu'elle soit privée ou publique. Les écoles placées en concurrence rivaliseraient d'imagination pour atteindre les meilleurs résultats et obtenir que le plus grand nombre de leurs élèves entrent à l'université. Ce « libre choix », conçu par Milton Friedman dès les années 1970, est appliqué dans plusieurs districts scolaires (en particulier à Milwaukee), mais sans résultats aussi probants qu'en rêveraient les conservateurs. La raison de cet échec relatif, selon Charles Sahm, tiendrait à la pauvreté de l'offre, qui limite le choix. En dehors des villes où les écoles catholiques proposent aux familles à revenus modestes une véritable alternative, l'option reste théorique : la plupart des districts ne disposent que d'une seule école publique.

Par suite, le Manhattan Institute a ouvert un second front : l'amélioration des écoles publiques existantes. Le modèle promu par l'Institut, également emprunté à l'arsenal de l'économie de marché, est la *charter school* : une école publique sous contrat dont le directeur dispose d'une liberté totale en matière de programmes, de recrutement et de licenciement des enseignants. Aux chapitres précédents, nous en avons visité à Harlem (Promise Academy) et à Boston (Unlocked Potential). Mais toutes les *charter schools* ne sont pas nécessairement supérieures à toute école publique. Selon une étude publiée en 2013 par le Center for Research on Education Outcome, de l'université de Stanford, 17 % de *charter schools* obtiennent des résultats meilleurs que ceux des écoles publiques, mais dans 37 % d'entre elles ces résultats sont moins bons. La qualité d'une *charter school* dépend de son gestionnaire : le meilleur est celui qui reproduit un bon modèle, en particulier la Fondation Kipp, chaîne proche du Manhattan Institute, qui gère cent vingt écoles dans vingt États. Comme le déclare Dave Levine, fondateur de Kipp, le succès requiert « 3 F » : *Freedom*, *Funding*, *Facility* – soit la liberté, des ressources et des équipements. Les sept cents enseignants gérés par Kipp sont rémunérés à 20 % au-dessus des salaires du public, grâce à des dons faits par d'autres fondations conservatrices à la Fondation Kipp : les *charter schools* obtiennent de meilleurs résultats que les écoles publiques à condition que des philanthropes les subventionnent...

Charles Sahm en conclut modestement que la clé unique permettant d'améliorer l'éducation publique reste introuvable. Sans doute n'existe-t-elle pas et convient-il de multiplier les approches pour espérer faire remonter le niveau scolaire de l'ensemble des jeunes Américains. En plus de la liberté de choix par le chèque-éducation et de la liberté de gestion pour les *charter schools*, le Manhattan Institute propose de mieux former les directeurs d'école afin qu'ils deviennent de véritables managers ; certaines fondations telles que la Fondation Eli Broad en Californie et la fondation de la famille Walton proposent ce type de formation. Sous l'influence du journaliste Sol Stern, on est également partisan, au Manhattan Institute, de restaurer les programmes d'études classiques qui enseignaient la discipline, la morale, les grands auteurs, le civisme. Enfin le Manhattan Institute soutient qu'il faut rémunérer les enseignants au mérite en indexant leur salaire sur les résultats de leurs élèves, seule mesure objective de leur efficacité : ce qui a été appliqué par Michael Bloomberg aux écoles de New York.

Ces projets alternatifs du Manhattan Institute, que l'on trouverait en Europe radicalement à droite, ne font pourtant pas l'unanimité parmi les conservateurs américains. Une frange extrémiste, connue sous le nom de Tea Party (allusion à la rébellion en 1776 contre la taxe sur le thé imposée par les colonisateurs britanniques), estime que l'école publique est haïssable en soi, parce que laïque, et préfère « scolariser » les enfants au sein de leur famille. Alors que le Manhattan Institute soutient l'enseignement en maternelle *(pre K education)*, peu répandu aux États-Unis en dehors des familles fortunées, le Tea Party estime dangereux d'ôter les enfants à leurs parents à l'âge où se constituent valeurs familiales et coutumes religieuses. Par-delà ces controverses internes à la droite, le projet éducatif du Manhattan Institute reste le seul influent dans les villes et les États dirigés par des républicains.

En face, du côté progressiste, à partir d'une vision du monde aux antipodes de celle du Manhattan Institute, les boîtes à idées sont tout aussi vigoureuses...

Penser à gauche

L'écrivain Tom Wolfe, proche du Manhattan Institute dans les années 1960, inventa l'expression *radical chic*, qui pourrait se traduire rapidement en français par « gauche caviar », et qui désigne la bourgeoisie, l'élite, qui aiment se penser à gauche. Manhattan est l'épicentre de cette attitude particulièrement répandue dans la bourgeoisie juive, progressiste par histoire et par culture. Les médias new-yorkais *(New York Times, New Yorker, Huffington Post)*, les chaînes de télévision NBC et CNBC, partagent cette inclination que les conservateurs américains qualifient volontiers de « socialiste » – ce qui est très excessif. Le socialisme tel qu'on le pratique en Europe n'a, aux États-Unis, aucune représentation politique, et ne se réclament du marxisme que de rares universitaires perçus comme des provocateurs distrayants. La gauche américaine est acquise à l'économie de marché, mais souhaiterait qu'elle soit assortie d'une meilleure équité sociale. Les conservateurs estiment que le marché suffit à apporter la prospérité et l'équité, pourvu que l'État ne s'en mêle pas. La gauche progressiste attend de l'État qu'il rectifie les distorsions du marché. À droite, le progrès social passe par moins d'État ; à gauche, par la confiance en l'État. Autour de ces deux idéologies, s'organise le débat public américain et se répartissent les boîtes à idées.

Le plus grand nombre de *think tanks* se concentrent à Washington, mais ils y sont moins voués à la réflexion qu'à faire pression sur le gouvernement et le Parlement : Heritage et American Enterprise Institute à droite, Center for National Progress, Brookings Institute à gauche, sont davantage des lobbies ou des écuries pour futurs politiciens que des laboratoires d'idées. À New York, en raison de la domination démocrate sur la ville, on s'attendrait que les *think tanks* « progressistes » soient les plus nombreux : il n'en est rien. Sans doute, observe Greg Anry, qui dirige la Century Foundation, parce que les pages d'opinion du *New York Times* déterminent en grande partie la pensée progressiste.

Century Foundation est à New York le plus ancien des *think tanks* américains : bien que progressiste, il partage avec le Manhattan Institute conservateur bien des traits communs : tous deux préparent l'alternative du lendemain en étant aussi imaginatifs que possible, puisque la classe politique, c'est bien connu, n'a pas le temps de penser et que, par temps de crise, elle se trouve démunie pour affronter l'imprévu. Pour « influencer les influents », la Century Foundation recourt aux mêmes méthodes de diffusion que le Manhattan Institute, elle s'adapte de même manière à l'évolution des médias. La commande de livres qui façonnaient les débats dans les années 1980 a là aussi cédé le pas à des techniques d'irrigation du web et des médias sociaux par des propositions claires, novatrices, frappantes. La Century Foundation bénéficie d'un avantage apparent sur le Manhattan Institute : à sa création en 1919, elle a été dotée par un entrepreneur progressiste, Edward Filene, d'un capital dont les revenus assurent ses frais de fonctionnement : quatre millions de dollars par an. Ce capital garantit-il une liberté de recherche plus ample qu'au Manhattan Institute où les fonds doivent être levés chaque année ?

Les administrateurs du Manhattan Institute sont hostiles à la dotation en capital, non par avarice, ni pour contrôler son orientation, mais par principe : adeptes de la concurrence, hostiles à toute rente de situation, ils considèrent que l'obligation de lever chaque année des fonds oblige l'Institut à rester compétitif. Dans l'esprit de son *Board*, le marché des idées obéit au même principe que le marché économique : la preuve de l'utilité de l'idée, comme de celle du produit, doit être réitérée. Le président du Manhattan Institute, Larry Mone, estime que ce mode de financement contribue à stimuler l'énergie intellectuelle de sa fondation et à ne rien gaspiller en dépenses administratives.

Le Manhattan Institute risquerait-il, en raison de son financement annuel, de devenir l'otage de quelque donateur privé ? « Risque théorique », observe Larry Mone, puisque les dons sont répartis entre mille cinq cents adhérents, et qu'aucun ne dispose d'une influence suffisante pour y contraindre le Manhattan Institute. Aucun donateur ne souhaiterait d'ailleurs exercer trop d'influence, de crainte d'être épinglé par les médias pour avoir « acheté » un *think tank*. Il resterait enfin à démontrer que l'origine des fonds détermine les orientations des chercheurs. Le Manhattan Institute, il est vrai, critique peu l'industrie financière, tandis que, pour Greg Anry, Wall Street incarne l'ennemi. Mais ne penserait-on pas ainsi, de toutes les manières, dans ces deux fondations, quelle qu'ait été l'origine de leur financement ? On ne saurait prouver ni contredire cette hypothèse ressassée, dite « gramscienne ».

À suivre Greg Anry, ce qui menace vraiment tout *think tank*, c'est la nostalgie de sa grande époque, celle où il dictait sa politique au gouvernement fédéral. Pour la Century Foundation, les grandes époques furent le New Deal de Franklin Roosevelt, puis les années 1960, quand la législation pour les droits civiques fut grandement inspirée par la fondation. Depuis les années 1980, la révolution conservatrice a placé la Century Foundation sur la défensive, tandis que Reagan, Bush et Clinton puisaient leur inspiration du côté du Manhattan Institute. L'élection et la réélection de Barack Obama ont-elles retourné la donne au profit du progressisme ? « Pas encore » : comme tous les penseurs de gauche, mais aussi certains conservateurs, Greg Anry considère que le financement des campagnes électorales par les super-riches interdit aux Présidents, fussent-ils démocrates, de s'en prendre aux privilégiés : la justice sociale attendra. De fait, il n'est pas nécessaire d'être progressiste pour constater la proximité dérangeante entre les grandes entreprises américaines, manufacturières et financières, et les élus démocrates autant que républicains. Barack Obama n'a jamais critiqué que superficiellement les abus de Wall Street, et n'a nullement envisagé d'y mettre un terme. Estimerait-il que ce qui est bon pour Wall Street est bon pour les États-Unis, à l'instar du ministre d'Eisenhower Charles Watson déclarant que ce qui était « bon pour General Motors (dont il avait été président) était bon pour les États-Unis », et réciproquement ? Du fait du financement privé des campagnes électorales, il paraît difficile de concourir contre Wall Street ou sans Wall Street. Pour cette raison même, la Century Foundation place au premier rang de ses projets la réforme du financement des campagnes, de manière à rendre les élus indépendants de l'argent privé. Cette proposition visant à interdire le financement privé des campagnes électorales ne suscite guère l'enthousiasme, pas même chez les démocrates. Ce qui n'émeut pas trop Greg Anry : « La mission d'un *think tank* est d'avoir une bataille d'avance. »

On a vu qu'au cœur idéologique du Manhattan Institute était la liberté de choix, concept friedmanien à partir duquel se déclinent tous les projets. À la Century Foundation, les fondements sont la justice sociale et la restauration de la citoyenneté. Les progressistes regrettent que le capitalisme dominant depuis les années 1980, s'il profite certes aux consommateurs en abaissant les prix et aux investisseurs s'ils sont habiles, le fasse au détriment de la stabilité de l'emploi et de l'équité. En dépit des gains de productivité et de l'amélioration des profits des entreprises, les revenus de la classe moyenne ont progressé moins vite, depuis trente ans, que ceux des super-riches. C'est un fait. À la Century Foundation on propose donc de renforcer par la loi les pouvoirs de négociation des syndicats de manière à augmenter la part salariale plutôt que celle des profits. Greg Anry admet qu'au terme d'un rééquilibrage des forces entre employeurs et syndicats le consommateur et l'investisseur y perdraient, mais que la classe moyenne dans son ensemble recouvrerait un sentiment de stabilité et de citoyenneté qu'elle a perdu sous l'emprise du conservatisme.

Pour l'enseignement public, qui préoccupe aussi bien conservateurs, progressistes que les fondations de toute appartenance, la Century Foundation propose de restaurer la mixité sociale. La solution progressiste appliquée dans les années 1970, le *busing* (transport obligatoire des écoliers afin que chaque école publique ait une composition homogène) ayant été aboli par les tribunaux, la Century Foundation avance des alternatives qui seraient constitutionnelles et conduiraient au résultat souhaité : les districts de Chicago et de Charlotte expérimentent ces stratégies en attirant tous les élèves, tous milieux confondus, dans des écoles publiques d'excellence appelées *magnet schools*.

Ces propositions progressistes paraîtront bien traditionnelles, moins innovantes que celles des conservateurs : la gauche américaine serait-elle tout à la fois au pouvoir et à bout de souffle, comme le sont parfois les socialistes européens ?

Plus créatif est le combat de la Century Foundation dans la défense des libertés, que la lutte contre le terrorisme a ébréchées depuis le 11 septembre 2001. « Rappeler les droits d'un terroriste incarcéré aux États-Unis n'est pas une cause populaire », admet Greg Anry. Mais un *think tank* n'est pas en quête de popularité, il n'entretient pas de lien institutionnel avec quelque parti politique que ce soit : la seule relation des chercheurs de la Century Foundation – comparable en cela avec le Manhattan Institute – avec des politiciens consiste à les inviter à venir les écouter et à prendre des notes. Et c'est ainsi que ce qui, initialement, passe pour une proposition incongrue, peut se révéler, avec le temps, la solution que ni les médias ni la classe politique n'avaient envisagée.

En 2007, la Century Foundation avait recommandé que le gouvernement américain négocie avec les talibans pour pouvoir quitter l'Afghanistan : une stratégie adoptée en 2009. La fondation avait une longueur d'avance.

Les « boîtes à idées » américaines jouent-elles le rôle décisif auquel elles prétendent dans ce pays réputé pour être si peu intellectuel ? « Notre rôle n'est décisif qu'en temps de crise », observe Larry Mone. « La crise financière de 2008 nous a donné raison, confirme Greg Anry, car nous ne cessions de mettre en garde contre la déréglementation. » Quand l'inattendu survient – et il finit toujours par advenir –, la classe politique se précipite sur les alternatives, si possible d'application immédiate. On assiste parfois, on l'a vu, à des chassés-croisés : un démocrate, Bill Clinton, a supprimé les allocations aux mères célibataires, ainsi que le proposaient les boîtes à idées conservatrices, tandis qu'un conservateur, Mitt Romney, a appliqué en 2006, dans le Massachusetts, l'assurance maladie généralisée que préconisait la Century Foundation.

À trop opposer l'Amérique conservatrice à l'Amérique progressiste, on néglige le fait que la créativité peut l'emporter sur l'idéologie : la « longueur d'avance », plus que l'argent, est ce qui fait gagner, mais les idées n'en doivent pas moins être financées.

CHAPITRE XVI

L'Empire du bien

Souvent dressés les uns contre les autres à cause de leurs allégeances politiques, communautaires, religieuses, les Américains, par-delà toutes leurs divisions, sont habités par une commune certitude : les États-Unis sont une Terre promise. Peu remettent en cause cet exceptionnalisme : si le progrès est envisageable, aux yeux de la quasi-totalité des Américains c'est aux États-Unis qu'il peut se manifester. De cette conception messianique de la nation découle la volonté d'influencer le reste du monde : par esprit de mission pour ceux qui l'exercent, par impéralisme pour ceux qui le subissent et le dénoncent.

L'isolationnisme a rarement été américain : dès l'origine, Jefferson, troisième Président, avait défini en 1801 son pays comme « impérial » – dans son esprit : « un Empire de la liberté ». Cet impérialisme s'exerce par les armes, par l'économie, par la culture populaire, mais aussi par la philanthropie, cet amour de l'homme qui s'étend à tous les hommes, y compris ceux qui n'en demandent pas tant. Sur notre planète qui rétrécit, comment, si l'on n'est pas citoyen américain, cohabiter avec les États-Unis ? Nombreux de par le monde sont ceux qui aspirent à y immigrer ; d'autres sont entrés en résistance contre eux ; le plus grand nombre doit s'accommoder de cette hyperpuissance, omniprésente dans notre culture, notre destin économique et stratégique.

Nous rangeant ici, par choix personnel, du côté du bien tel qu'il est aujourd'hui défini par les Américains, soit du côté de la démocratie libérale, de l'économie libre, de l'égalité des sexes, de la liberté religieuse, partons à la rencontre de quelques institutions qui, à partir des États-Unis, concourent à étendre cette version du bien au reste du monde.

Ford, agent secret

En septembre 1990, pour sa première visite aux États-Unis, Václav Havel, passé du rôle de dissident à celui de Président de la Tchécoslovaquie, se rendit à New York dans les modestes bureaux d'une organisation non gouvernementale, US Helsinki Watch. « Sans vous, y déclara-t-il, nous n'aurions pas fait la révolution. » À qui s'adressait ce « vous » ?

Après la signature en 1975 du traité d'Helsinki entre l'Union soviétique et les États européens, les démocrates de Russie et d'Europe de l'Est s'étaient engouffrés dans l'une des clauses de cet accord à laquelle ni les Soviétiques ni les Occidentaux n'avaient attaché une grande importance : en échange de la reconnaissance des frontières acquises par l'Armée rouge en 1945, les Soviétiques reconnaissaient le libre exercice des droits de l'homme et la liberté d'expres-

sion des religions et des croyances. Le traité prévoyait
une évaluation annuelle de son application par les
États signataires. Pour les Soviétiques, cette référence
aux droits de l'homme, termes nouveaux dans le vocabulaire diplomatique, n'était qu'une concession formelle. Mais ceux qu'on appela les dissidents – Václav
Havel à Prague, Lech Wałęsa et Jacek Kuron à
Gdańsk, Andreï Sakharov à Moscou – repérèrent là
une brèche dans le système totalitaire. Dans tous les
pays sous tutelle soviétique, ces dissidents créèrent
des organisations non gouvernementales qui reçurent
aussitôt l'appui de la Fondation Ford à New York.

Dans ces mêmes circonstances, George Soros avait
créé dans sa Hongrie natale, en 1984, puis à Kiev,
Prague et Varsovie, des centres culturels alternatifs à
l'idéologie officielle, sous le nom d'instituts pour une
société ouverte. Tolérés par les gouvernements communistes, ces lieux de débat contribuèrent à l'émergence d'un discours démocratique, d'une pensée
critique et d'une nouvelle classe ralliée à la société
ouverte. Après l'effondrement de l'Union soviétique,
les instituts Soros, devenus inutiles, ont fermé ; sauf
à Budapest où la démocratie reste fragile, et à Moscou
où ils ont été interdits. Les ONG qui étaient soutenues
par Ford ont de leur côté fusionné pour constituer
Human Rights Watch, la plus influente association au
monde à débusquer et dénoncer les atteintes aux droits
de l'homme.

On disputera à l'infini des causes de l'effondrement
de l'URSS : la faillite de l'économie, la pression militaire américaine, la prise de parole des dissidents ?
Mais, pour avoir assisté à Moscou à la libération de la
parole que fut la perestroïka, la légitimation des droits

de l'homme par le traité d'Helsinki et l'usage qu'en firent les dissidents m'avaient paru, sur place, essentiels : c'est ce que rappela Hável à New York. Son « vous » s'adressait aux instigateurs de ces ONG et aux soutiens américains qui avaient accompagné leur développement, la Fondation Ford en premier lieu.

Jusqu'à la création de la Fondation Melinda et Bill Gates en 2000, Ford était la plus généreuse des fondations américaines ; maintenant en seconde position, elle dépense chaque année 5 % de son capital, soit quatre cents millions de dollars. Cent millions vont aux importantes dépenses, internes à la fondation, que ses dirigeants justifient par un réseau de représentations implanté dans douze pays et par des programmes qui requièrent d'être suivis par des agents compétents : Ford est une institution lourde, à caractère quasi diplomatique, dont le siège est symboliquement situé en face de l'ONU. À l'inverse de Gates et d'autres institutions philanthropiques plus récentes, Ford est d'une grande discrétion ; c'est à peine si l'on en connaît le président et les administrateurs. Il n'est pas aisé d'enquêter sur ses programmes et leurs résultats : l'incontournable service de communication inonde les curieux de rapports en couleurs et les renvoie à un site web triomphaliste. Sans doute parce que l'histoire de la fondation est longue, nul, chez Ford, n'éprouve le besoin de se mettre en avant ; on se garde de la philanthropie spectacle et on préfère s'engager dans des actions à très long terme. Le champ d'action de la fondation est circonscrit par une charte qui oriente les dons vers le « progrès humain », vaste ambition qui se décline entre la défense de la démocratie, les droits des femmes et ceux des minorités, le développement économique mondial. Dans les années 1950, la fondation fut soupçonnée de travailler

avec la CIA à faire progresser les intérêts américains ;
les historiens ont conclu qu'au cœur de la guerre froide
les objectifs de Ford coïncidaient tout bonnement avec
ceux des États-Unis et de ce qu'on appelait alors le
« monde libre ».

Le tournant qui a modelé la Fondation Ford telle
qu'on la connaît à présent fut, dans les années 1960,
le combat des Noirs et de leurs alliés pour faire recon-
naître à tous les droits civiques aux États-Unis. Sous
l'impulsion de son président, petit-fils de l'industriel
Henry Ford, la fondation prit parti en finançant la
défense légale des militants des droits civiques.
Depuis lors, la fondation est paradoxalement passée
dans le camp progressiste, alors que Henry Ford fut
sympathisant des régimes fascistes et un antisémite
déclaré ! Le cas n'est pas isolé de fondations ainsi
« détournées » par leurs managers après la disparition
du donateur : Pew Charitable Trust, créé par un pétro-
lier, Joseph Pew, soutient aujourd'hui les écologistes,
et Nathan Cummings Foundation, héritée d'un fondateur de Sara Lee, soutient les actionnaires activistes qui
perturbent les assemblées générales des entreprises
capitalistes.
Après la disparition de Henry Ford, ses héritiers, en
1950, décidèrent de se retirer complètement du conseil
d'administration et d'adopter une charte rédigée par un
consultant extérieur, Rowan Gaither ; il revient à
Gaither d'avoir défini la stratégie progressiste qui inspire désormais la fondation. Le combat pour les droits
civiques détermina aussi le choix de carrière de bien
des étudiants qui, au sortir de l'université, choisirent
de travailler pour Ford. Susan Berresford, présidente de
1995 à 2005, qui a passé toute sa vie professionnelle

à la fondation, me confie l'avoir rejointe par idéalisme : les rémunérations de la fondation sont certes
confortables, mais très inférieures à ce qu'elle aurait pu
gagner au sein d'une entreprise.

Une génération plus tard, c'est encore par idéalisme
que l'on rejoint une fondation, mais, en général, après
avoir suivi des études destinant à cette profession particulière. Les *business schools* des universités américaines, à Stanford en particulier, et dans un *college*
réputé comme Claremont McKenna, proposent aux
étudiants des formations spécialisées en gestion des
institutions philanthropiques.

À Susan Berresford il revient d'avoir ajouté au programme de la fondation l'égalité des sexes et l'éducation
sexuelle des femmes aux États-Unis et dans le monde.
Dans la plupart des universités d'Amérique latine,
d'Afrique et d'Asie, chaque fois que l'on rencontre un
département d'études féminines, il y a toutes chances
que Ford en assure le financement.

La chute de l'URSS ? Susan Berresford ne l'attribue pas à Ford : plus modestement, elle considère que
« la fondation a eu de la chance de se trouver du bon
côté de l'histoire ». De même que Ford a eu de la
chance ou du flair en soutenant en Afrique du Sud les
militants anti-apartheid, contribuant à la libéralisation
du pays et à l'émergence d'une nouvelle classe politique noire. La méthode, explique Susan Berresford,
est identique dans tous les pays où sévit la répression :
les agents de la fondation repèrent des hommes et des
femmes de qualité acquis à la démocratie. Ford les
soutient avec des bourses aussi longtemps que nécessaire, parfois plusieurs dizaines d'années. Avec « un

peu de chance », les agents de Ford repèrent un Václav Havel à Prague, un Muhammad Yunus à Dhaka, au Ghana un Kofi Annan qui deviendra secrétaire général de l'ONU. Ce soutien est discret, de manière à ne pas nuire aux « boursiers » et de ne pas donner prise aux accusations d'espionnage ou de clientélisme au bénéfice des États-Unis.

Ford n'est pas une officine de la CIA, mais sa stratégie recoupe la vision américaine du monde. La fondation exporte des valeurs que l'on qualifiera, au choix, d'américaines ou d'universelles : démocratie, liberté d'expression, droits de l'homme.

L'aspect le plus singulièrement « américain », dans les programmes de Ford, me paraît être la confiance illimitée accordée au droit : la société américaine est dominée par des juristes, magistrats et avocats ; le combat pour les droits civiques s'est joué devant les tribunaux. Ce légalisme vaut-il dans des cultures différentes où la notion d'État de droit est encore floue ? En Afrique du Sud, la tradition britannique aidant, le soutien de Ford aux commissions pour la vérité et la réconciliation est parvenu à désamorcer les conflits ethniques. En finançant la formation de juristes et la création de tribunaux, Ford a réussi à étendre le concept américain d'État de droit au-delà de son aire d'origine. Le soutien de la fondation à la création d'un tribunal pénal international – projet conçu par Ford, mais non ratifié par le gouvernement américain – a désamorcé les règlements de comptes interethniques dans les Balkans.

Imprégné par les valeurs américaines, Ford accorde ses dons par priorité aux organisations non gouvernementales, à la société civile, rarement à des institutions politiques : dans les pays qui émergent d'une dictature ou d'une guerre civile, on considère à la Fondation Ford que les ONG sont les instruments grâce auxquels la société se répare. Quand on parcourt la longue liste des dons accordés par la fondation, on constate que les orientations sont bien en accord avec la charte : aide aux ONG qui travaillent sur les archives policières (en Argentine, au Chili), sur les lieux de mémoire (en Russie), sur la réconciliation (Rwanda), sur la recherche de la vérité, de la réconciliation (Afrique du Sud, Corée du Sud) et de la justice (en Yougoslavie).

Le piège de l'innocence

L'inattention portée aux cultures locales ou le désir d'être « politiquement correct » peuvent aussi conduire les donateurs de Ford à des choix désastreux. Sitôt après les attentats du 11 septembre 2001 à New York et Washington se tint à Durban, en Afrique du Sud, une conférence de triste mémoire, contre le racisme, où les organisations non gouvernementales furent conviées à jouer le rôle principal en tant que représentantes de la société civile. Cette conférence dégénéra en manifestation antisémite : la motion finale adoptée par une assemblée hétéroclite conclut qu'il n'existait pas au monde de pire forme de racisme que le sionisme ! Ce putsch avait été préparé de longue main par des ONG palestiniennes, en particulier The Palestinian Society for the Protection of Human Rights, subventionnée par la Fondation Ford à hauteur de 1,1 million de dollars par an, et Palestine NGO Network qui recevait pour sa part cinq cent mille dollars. La fondation avait été manipulée ; ses représentants à Durban présentèrent des excuses publiques aux organisations juives, et Ford suspendit ses dons aux ONG racistes.

Ce fiasco révélait une certaine naïveté conduisant à croire à l'universalité des droits de l'homme ; Ford n'en persiste pas moins, en particulier en Chine.

Disposant d'un bureau permanent à Pékin, Ford applique à ce pays les principes qui avaient réveillé la société civile en URSS. Mais les autorités chinoises, informées de ce précédent, veillent à ce que les mêmes méthodes n'ébranlent pas la dictature de leur Parti. En Chine, les ONG indépendantes sont interdites, toute association agissant hors du Parti sévèrement réprimée, et les leaders démocrates comme Liu Xiaobo, Prix Nobel de la paix en 2010, et son épouse Liu Xia sont incarcérés. Ford en Chine feint d'ignorer ces contraintes : à en croire les rapports publiés par la fondation, elle soutiendrait comme ailleurs les institutions qui contribuent à la « transparence » gouvernementale, à l'« efficacité » de la justice, à l'« éducation sexuelle » et au « développement durable ». Or la réalité chinoise est à l'opposé de ces bonnes intentions : le gouvernement y est opaque, la justice aux ordres, l'infanticide des filles y est courant et l'environnement détruit par l'industrialisation forcée.

En fait, la Fondation Ford paie le prix de son maitien en Chine : ses intentions affichées se monnaient par des dons à des institutions que l'État contrôle et à des recherches à caractère académique approuvées par le Parti communiste.

« En dehors de la Chine aussi, se défend Susan Berresford, les programmes de Ford doivent être approuvés par les gouvernements locaux. » Mais, au Liberia ou au Bangladesh, l'État est faible, et les bureaucrates sensibles au financement dispensé par Ford. Ce n'est pas le cas en Chine où le gouvernement n'est en rien influencé par les quarante millions de dollars annuels qu'y dépense la fondation.

Les autorités chinoises exigent aussi que tous les programmes de Ford obéissent à un principe de réciprocité : quand Ford accorde des bourses à des étudiants ou à des chercheurs américains pour séjourner en Chine, les dirigeants chinois exigent de Ford un programme équivalent pour un nombre identique d'étudiants et de chercheurs chinois qui se rendront aux États-Unis. Quand Ford envoie des médecins chinois étudier les maladies sexuellement transmissibles dans des hôpitaux américains, la fondation doit soutenir leur réinsertion dans le système de santé chinois. Dans ce théâtre d'ombres, chacun estime trouver son avantage : les Chinois se félicitent d'améliorer leur connaissance de l'Occident grâce à Ford ; Ford considère (ce qui coïncide avec les convictions de l'administration Obama) qu'il est de l'intérêt des États-Unis de tisser des relations serrées avec la Chine pour éviter malentendus et conflits futurs.

Le non-dit de Ford, c'est que le système autoritaire chinois n'est pas viable, à terme : la fondation parie que les individus et les organisations qu'elle soutient développeront un esprit critique qui renforcera la société civile et conduira à la démocratie. Comme l'explique Susan Berresford, à l'origine de ce programme et qui parle librement parce que à la retraite, Ford « parie sur des individus en espérant que ce soient les bons », et espère, dans l'hypothèse d'une démocratisation de la Chine, que ses boursiers, à l'instar d'un Václav Havel ou d'un Kofi Annan, se révéleront les acteurs déterminants d'une société nouvelle.

Ford, acteur ou otage ?

La démocratie en Chine, à l'horizon de combien d'années ? Darren Walker, vice-président de la fondation, responsable des programmes éducatifs et culturels, répond en 2013 en privé : « Des dizaines d'années. » En attendant, la fondation recourt à une batterie d'indicateurs, non publiés, qui mesurent l'efficacité de ses interventions. Les boursiers de Ford font-ils carrière dans l'administration chinoise, les associations aidées recrutent-elles et agissent-elles conformément à leurs engagements, les médecins formés aux États-Unis font-ils progresser l'hygiène sexuelle, une des priorités de la fondation ? On supposera que le gouvernement chinois tient une comptabilité parallèle pour veiller à ce que ces pionniers de la société civile n'ébranlent pas le monopole du Parti communiste. Qui aura raison de l'autre dans ce qui fait inévitablement penser à une partie de go se jouant sur plusieurs décennies ? La seule alternative, admet Susan Berresford, serait de « quitter la Chine après publication d'un communiqué tonitruant pour dénoncer le régime » ; mais Ford a choisi de rester.

Cette compromission – ou ce compromis – avec le régime chinois a provoqué une scission au sein de l'association Human Rights Watch que Ford avait créée. Les partisans de l'intransigeance ont fondé Human Rights in China, présidé par Andrew Nathan, sinologue à l'université Columbia : un défi à la fois aux autorités chinoises et à Ford. Sur un mode conciliant, les dirigeants de Ford (qui ne souhaitent pas être cités) considèrent que cette scission correspond à une répartition des tâches : la Fondation Ford à l'intérieur, Human Rights in China à l'extérieur poursuivraient le même objectif, l'avènement de la démocratie en Chine.

Entre ces deux stratégies, comment juger ? On observera que contrairement à l'Afrique du Sud, au Chili, à l'URSS où Ford a sans conteste contribué à la démocratisation, en Chine les dirigeants sont parfaitement indifférents aux jugements portés sur eux par l'Occident. La méthode Ford implique des valeurs partagées jusqu'à ce que le despotisme s'effondre par manque de légitimité, y compris dans l'esprit même du despote ; la Chine risque de marquer les limites de la méthode Ford.

Certains critiques se montrent plus radicaux : Robert Bernstein, éditeur d'Andreï Sakharov et de Václav Havel, fondateur de Human Rights in China, et les dissidents chinois réfugiés aux États-Unis (comme Wei Jinsheng et Yang Jianli) considèrent que la présence de Ford en Chine cautionne le statu quo – jugement que l'auteur, ici, n'est pas loin de partager.

Le meilleur ancien Président

En Chine s'échouent aussi les meilleures intentions d'une autre institution philanthropique dont la doctrine légaliste est voisine de celle de Ford. Jimmy Carter, son créateur, est toujours à la barre. Après un mandat présidentiel (1976-1980) perturbé par une récession, un embargo sur le pétrole et la révolution islamiste en Iran, Carter fut évincé de la Maison-

Blanche en piteux état par Ronald Reagan. Fut-il un mauvais Président ? Il est certain qu'il n'a pas eu de chance. Il entama alors une seconde carrière, plus brillante que la précédente, récompensée par un prix Nobel de la paix mieux mérité que ceux décernés au cynique Al Gore et à un Barack Obama tout juste élu. Faute d'avoir été le meilleur des chefs d'État en exercice, Carter devint, selon sa propre définition, « le meilleur des anciens Présidents ». À la tête de sa fondation, le Centre Carter (Carter Center), établi à Atlanta, il poursuit avec obstination l'universalisation des principes qu'il avait tenté d'appliquer depuis la Maison-Blanche : l'exportation des droits de l'homme et de la démocratie. Non sans nostalgie, puisque son bureau d'Atlanta est une reproduction à l'identique de celui qu'il occupait à Washington. À ce détail troublant près, Carter, à quatre-vingt-huit ans, conserve en 2013 l'affabilité sudiste qui a fini par lui valoir, le temps passant, une certaine estime chez ses compatriotes.

Le Centre Carter ne disposant pas, et de loin, de ressources comparables à celles de la Fondation Ford, il se contente de prodiguer une assistance technique aux États qui souhaitent sortir de la guerre civile ou d'imbroglios politiques par le choix de la démocratie. Les collaborateurs de Carter – diplomates, universitaires, politiciens en retraite – accompagnent les balbutiements de ces démocraties naissantes au Liberia, au Népal, en Côte d'Ivoire... Le centre aide à dresser les listes électorales, établir des bulletins de vote, instaurer des processus électoraux honnêtes et – le plus difficile, dit Carter – à respecter les droits de l'opposition une fois les élections passées. Dans ces démocraties naissantes, on sait que l'estampille apportée par Carter vaut certificat international de légitimité. Souvent sollicité, le centre ne répond pas favorablement quand il lui paraît que les conditions d'un scrutin honnête ne sont pas réunies. Il est aussi des élections que Carter contribue à organiser mais dont il ne sanctionne pas les résultats dès lors qu'ils lui paraissent douteux : ce fut le cas au Nigeria en 2007.

Ce mode d'intervention paraîtra modeste, comparé aux aides à long terme de la Fondation Ford, mais il a éteint des conflits qui paraissaient sans fin. Le Népal est l'exemple dont Carter est le plus satisfait. Il se félicite aussi d'avoir créé un modèle qui inspire l'Union européenne quand elle dépêche des observateurs dans des scrutins à risques, avec l'acquiescement d'acteurs politiques locaux en quête de reconnaissance.

Le Centre Carter, dit son directeur, John Hardman, est limité par ses ressources, mais aussi parce qu'il ne souhaite pas créer une bureaucratie à la manière de Ford, Gates ou Rockefeller : il se borne à jouer un rôle de fournisseur de logiciels. En Afrique, par exemple, dans le domaine de la santé, le centre ne se substitue pas aux gouvernements, comme le fait la Fondation Gates, mais il les aide à créer des modes de gestion fonctionnels. Hardman cite le cas de l'Éthiopie où un gouvernement despotique mais efficace a créé, avec le soutien logistique du Centre Carter, une administration de la santé publique considérée comme exemplaire.

Revenons-en à la Chine, parce qu'elle témoigne des limites de la méthode Carter comme de celle de Ford, et parce qu'il m'a été donné d'y suivre l'intervention du premier. En 2005, le gouvernement chinois avait entrepris d'appliquer sa propre Constitution, qui se réfère aux droits de l'homme et à la démocratie : le ministère des Affaires civiles fut chargé d'organiser, à titre expérimental, l'élection des maires, auparavant désignés par le Parti communiste, dans les villages ruraux. Les dirigeants chinois, n'ayant jamais organisé d'élections, firent appel au Centre Carter qui aida à l'élaboration des listes électorales, à l'organisation de campagnes électorales et fournit gracieusement les urnes. Tout parti étant interdit en Chine en dehors du Parti communiste, le Centre Carter s'accommoda de scrutins auxquels pouvaient se présenter aussi bien les représentants du Parti que des candidats indépendants. Si l'expérience se révélait concluante, le gouvernement chinois envisageait de la généraliser non sans circonspection, en passant d'abord des villages aux cantons, puis en finissant par les villes. Dans tous les cas, il n'était question que de scrutins locaux pour désigner des élus qui se contenteraient de gérer les affaires locales : peut-être le but était-il moins d'apprendre la démocratie que de désamorcer les conflits entre population locale et apparatchiks du Parti, chefs de village désignés, fréquemment autoritaires et vénaux.

J'assistai en 2005 avec John Hardman à plusieurs de ces élections soutenues par Carter : chaque fois, au terme d'une brève campagne (rarement plus d'une journée), et après un scrutin effectivement secret, le candidat du Parti communiste fut battu par un indépendant. Il n'est pas certain que les dirigeants du Parti aient été mécontents de ces résultats qui leur permettaient d'évincer des apparatchiks impopulaires. Mais, depuis lors, le Centre Carter n'a plus été associé à ce type d'élections : elles se poursuivent, cahin-caha, sans se généraliser, et jamais le gouvernement n'en a organisé dans des collectivités de plus de cinq mille habitants. Alexis de Tocqueville a écrit que les mairies étaient les écoles de la démocratie : eh bien, les dirigeants chinois, qui connaissent parfois l'œuvre de Tocqueville, ne souhaitent pas que cette école-là prospère. Attendaient-ils du Centre Carter un brevet de bonne conduite plutôt qu'une aide logistique ? L'hypothèse n'est pas à écarter.

Par-delà l'ambiguïté de ces élections locales, Jimmy Carter et John Hardman furent encore plus troublés par la fermeture intempestive, en 2012, du site web du Centre Carter en Chine : depuis 2006, celui-ci rendait compte des élections locales, des efforts de transparence de certaines administrations, de la lutte intermittente contre la corruption des bureaucrates, des progrès de l'État de droit. Le site étant interactif, on peut supposer que les commentaires des Chinois agaçaient les censeurs plus encore que les informations diffusées par le centre. Lorsque Jimmy Carter demanda une explication au nouveau président Xi Jinping, fin 2012, il lui fut répondu que le gouvernement avait été contraint de fermer le site parce que la loi interdisait les organisations non gouvernementales étrangères en Chine et que le Centre Carter était une ONG. En somme, Carter était victime de l'État de droit qu'il souhaitait voir triompher en Chine...

Jimmy Carter traîne avec lui une réputation de naïveté ; elle n'est pas fondée. L'homme est roué, et, comme la Fondation Ford, il avance ses pions, parfois les recule, habité par la même conviction, absolument américaine, que la démocratie, les droits de l'homme, l'État de droit tels qu'on les conçoit aux États-Unis constituent la seule fin possible et souhaitable de l'histoire. Seule l'échéance reste incertaine.

Après Carter, le Centre Carter deviendra la Fondation Carter et poursuivra obstinément le même but, ou la même chimère : ce qui est à l'honneur de Jimmy Carter, homme de cœur à qui la chance a peu souri.

Jésus-Christ l'Américain

Dans l'analyse de nos sociétés, nous ne regardons pas toujours au bon endroit ; nous privilégions ce qui nous paraît moderne, laïc, rationnel, et bénéficie de l'approbation des puissants et des médias. Ford ou Carter changent peut-être le monde au nom de la philosophie des Lumières, mais il se trouve en 2013 environ cent quarante mille missionnaires chrétiens américains hors des États-Unis. Qui en parle, qui s'interroge sur leur influence ? Entre un bureau de représentation de la Fondation Ford à Pékin et les milliers (l'effectif est tenu secret) de missionnaires évangélistes – baptistes, en particulier – dispersés à travers toute la Chine, qui se font passer pour des professeurs d'anglais, qui changera la société chinoise, qui en transformera les valeurs pour la rapprocher éventuellement de l'Occident ? Ford peut échouer, les baptistes être expulsés quand leur identité aura été découverte ou quand les Chinois estimeront ne plus avoir besoin de professeurs d'anglais. Mais, si j'en crois les statistiques consultées au siège des Missions baptistes à Richmond, en Virginie, il se trouverait aujourd'hui en Chine quelque soixante millions de chrétiens convertis à la version évangélique du

christianisme que répandent les baptistes : une
évangélisation qui invite à suivre le Christ sans ériger
nécessairement une Église, ni désigner un pasteur, ni
tenir des offices. L'unité de mesure de Richmond, ce
sont les « communautés de foi » qui assemblent des
chrétiens pour étudier la Bible et vivre selon ses préceptes.

Pourquoi Richmond, petite ville bien trop paisible
pour qu'en vienne un basculement du monde ? Capitale de la Confédération sudiste avant la guerre de
Sécession, elle est restée la capitale spirituelle des
baptistes du Sud. Ceux-ci, présents sur tout le territoire américain en dépit de leur dénomination qui
remonte à une scission, intervenue en 1845, sur la
question de l'esclavage, constituent, en concurrence
avec l'Église catholique, le groupe religieux dominant
aux États-Unis. New York est la seule enclave à résis-
ter à l'influence de cette mouvance radicale du calvinisme. Né en Grande-Bretagne, le baptisme s'est
véritablement formalisé et imposé au XIXᵉ siècle
comme religion américaine ; il invite chaque fidèle à
vivre avec Jésus-Christ, non pas seulement durant
l'office, mais davantage encore en dehors. Les baptistes
du Sud refusent de se définir par leur lien avec une
Église : ils ne suivent aucun pasteur, Jésus seul guide
leurs pas. Aux États-Unis et en mission hors des
États-Unis, ils ne tentent pas de rallier chrétiens « éga-
rés » et non-chrétiens au baptisme en tant que religion
instituée, mais de les persuader d'étudier les Évan-
giles par eux-mêmes et d'en appliquer les principes.
À l'image des jésuites d'autrefois, dont les méthodes
les inspirent, « les missionnaires, m'explique-t-on à
Richmond, cherchent à se défaire de leur identité
baptiste et de leur identité américaine » en épousant

les mœurs locales pour devenir de simples serviteurs du Christ.

Si nous privilégions ici les baptistes du Sud, c'est que, depuis deux siècles, ils sont les plus nombreux à partir en mission, les mieux préparés, et ceux qui essaient le plus assidûment de devenir des porte-parole du Christ dans toutes les langues et toutes les cultures. Il y a cinquante ans, un couple de pasteurs baptistes s'invitait dans la forêt africaine, un archipel polynésien ou une province chinoise, en général pour la vie, et tentait par son exemple, sa vertu, ses bonnes actions, de convertir les « infidèles ». Dans les années 1950-1960, le plus célèbre des prédicateurs baptistes, Billy Graham, prêcha en Europe en anglais sans s'interroger sur la capacité du public à comprendre ses sermons. Ce temps-là est révolu : de même que les baptistes du Sud ont rejeté l'esclavage, ils rejettent aujourd'hui l'impérialisme culturel. Du moins essaient-ils. David Hooten, qui a passé sa vie au Rwanda, enfant de pasteurs baptistes puis à son tour missionnaire, estime que, contrairement à ses parents, il ne cherche pas à convertir les Rwandais au mode de vie américain ; il apprend des Rwandais comment former ensemble des « communautés de foi ». Peu lui importe que ces Rwandais se déclarent catholiques, protestants ou païens ! S'ils suivent Jésus, ils figureront sur la vaste carte du monde affichée au siège des Missions, à Richmond : chaque point représente cinq mille fidèles, et le nombre de points ne cesse d'augmenter.

Cette carte révèle la théophanie singulière à laquelle adhèrent les baptistes du Sud, qui leur vaut chez les non-baptistes une réputation d'intégristes et d'illuminés. Selon eux, notre époque serait le théâtre d'un vaste conflit préapocalyptique entre trois forces : les disciples de Jésus-Christ, l'islam et les athées. Les soldats de Jésus seraient les missionnaires baptistes à la reconquête des chrétiens tièdes et des hérétiques, comme les mormons. Les musulmans ? « Au moins croient-ils en Dieu », déclare Jim Haney, rencontré à Richmond, qui fut missionnaire au Ghana. Les catholiques ? Pour Loonie Reynolds, qui fut cadre dirigeant chez General Electric avant de « répondre à l'appel du Christ », l'Europe et l'Amérique latine sont des terres de reconquête ; en Espagne et en Allemagne où il fut en mission, il lui semble que « les peuples sont à la recherche de Jésus-Christ, mais les Églises instituées font barrage entre ce désir de Dieu et Dieu ». Partant de cette analyse, Reynolds est parvenu en Espagne à créer des communautés de croyants résolus à suivre Jésus. Fonder une Église ? Pas encore. Il est vrai que, pour les baptistes, les bâtiments comptent peu.

Je n'ai pas rencontré Jim Haney, Loonie Reynolds et David Hooten sur leur terre de mission en Espagne, au Rwanda ou au Ghana, mais au centre de formation, à Richmond : de passage, ils forment des missionnaires sur le départ, au cours d'une session de six semaines, à des méthodes modernes et expérimentales. Le plus difficile, avoue Loonie Reynolds, est de les rendre le moins américains possible. À Richmond, chaque candidat « appelé par Dieu » se familiarise avec les rudiments de la langue et de la culture de son pays de destination : « Suivre Jésus, ce n'est plus suivre Jésus comme un Américain, mais suivre Jésus ensemble, quoique américain », leur explique Jim Haney. Un missionnaire évangélique américain cesset-il d'être américain en atterrissant au Rwanda ou en Espagne ? Le missionnaire baptiste est-il défini par son message, par son comportement ou par la perception qu'en a l'infidèle ?

Les missionnaires mormons qui se fondent peu dans la culture locale me semblent convertir ceux qui désirent devenir américains, autant qu'ils les rallient à l'Église de Jésus-Christ des saints des derniers jours ; j'ai l'expérience de la Polynésie où devenir mormon est vécu comme un préalable à l'émigration vers les États-Unis, une « carte verte » allégorique. Pour les baptistes, la situation varie selon les terres de mission. Au Rwanda, David Hooten admet qu'il s'évertue à se fondre dans la culture locale (il est agronome et prodigue des conseils) et à ne jamais parler des États-Unis, tandis que les Rwandais, eux, ne cessent de l'interroger sur l'Amérique plus souvent que sur le Christ. « Ces Rwandais, regrette-t-il, aspirent au mode de vie américain et parfois ne rejoignent Jésus que pour s'en rapprocher. » En Espagne, la situation est inverse : Reynolds rallie autour de lui des convertis bien qu'il soit américain.

Et en Chine ? Si je me fie à mes observations – fragmentaires –, il me semble que l'influence des baptistes l'emporte sur les autres missions chrétiennes et sur les fondations laïques. Les baptistes ont l'avantage de s'introduire au plus profond de la société chinoise, sous couvert de contributions techniques, en tant qu'ingénieurs et enseignants. Ils n'affichent ni leurs intentions ni leurs résultats ; ils n'édifient rien de visible. Leur progression ne se mesure que par le nombre de disciples qui se réunissent discrètement pour étudier la Bible et en appliquer les préceptes. Quiconque a passé quelque temps dans des universités chinoises peut témoigner de la vitalité de ces cercles d'étude biblique.

Doit-on en conclure à une christianisation de la Chine, particulièrement chez les étudiants ? Le bouddhisme et le taoïsme progressent eux aussi dans les milieux éduqués et les couches populaires. Notre interprétation de l'influence des baptistes différera donc de leur propre comptabilité : ce qui me paraît décisif, dans les communautés évangéliques, c'est peut-être moins le message christique que la manière d'approcher le Christ, la forme plutôt que le contenu. En Chine où il est interdit de se réunir hors des institutions approuvées par le Parti communiste, les cercles d'étude de la Bible constituent une résistance de fait à la dictature. Étudier la Bible, en discuter les interprétations dans un cercle amical, revient à aiguiser son esprit critique dans une société où toute vérité est en principe imposée d'en haut. Le fait que le christianisme progresse sur le mode baptiste, individualiste, critique et démocratique, plutôt que sur le mode catholique, révèle chez les Chinois une aspiration à la « société ouverte » peut-être encore plus qu'à la société chrétienne. Je ne sais si Jésus, tel qu'il s'introduit dans la société autoritaire en Chine, dans une société tribale en Afrique, ou paternaliste dans le monde arabe, ouvre les portes du paradis, mais il rapproche les peuples de la « Société ouverte ». Si notre interprétation laïque est fondée – les baptistes la réfuteront –, la carte du monde affichée à Richmond décrit l'avancée de l'esprit démocratique au moins autant que celle de la foi évangélique. En dépit de leur travail sur eux-mêmes, les missionnaires américains américanisent le monde.

Encore un siècle américain

L'esprit de mission anime les fondations américaines, laïques, conservatrices ou progressistes, qu'elles agissent aux États-Unis ou dans le reste du monde : toutes partagent une doctrine implicite, l'« exceptionnalisme américain ». Implicite, car leurs animateurs ne doutent à aucun moment de l'universalité du « progrès » qu'elles diffusent : le relativisme n'est pas américain. Avec quelques bonnes raisons : l'État de droit, la démocratie, l'égalité entre les sexes, le respect des minorités, la liberté religieuse, la croissance économique me semblent des valeurs supérieures à la dictature, à la discrimination, à la pauvreté de masse. L'américanisation du monde à laquelle participe cette philanthropie contrarie avant tout les intégristes, les nationalistes, les dictateurs.

Existerait-il d'ailleurs un autre modèle qui se réclame du bien et du progrès ici-bas ? La Chine comme modèle, la Russie comme utopie, l'islamisme comme idéologie sont à usage local. Les dirigeants chinois n'envisagent pas de siniser le monde, le gouvernement russe n'entend pas nous russifier, les islamistes ne font que combattre les musulmans qui ne sont pas fondamentalistes. À s'obnubiler sur ces défis à l'Amérique qu'incarnent notamment la Chine et l'islam, on en vient à oublier que l'économie américaine représente toujours un tiers de l'économie mondiale, pour seulement 5 % de la population de la planète, et que l'armée américaine détient à elle seule une puissance de feu supérieure à celle de la Chine, de la Russie et de l'Inde réunies. Il n'existe pas non plus, ailleurs qu'aux États-Unis, d'institutions laïques ou religieuses, ni même d'entreprises qui exportent des valeurs rivales ou antagoniques des valeurs dites américaines. Et à s'inquiéter de la montée en puissance de nouvelles religions – de nouvelles idéologies, on n'en voit pas –, on en vient à oublier que les Églises qui convertissent aujourd'hui le plus grand nombre de fidèles sont les cultes américains, baptistes, pentecôtistes et mormons. Nous avons mis l'accent sur quelques fondations américaines particulièrement actives pour exporter la démocratie, mais, au total, elles disposent de moins de ressources que les Églises, et envoient moins de missionnaires qu'elles. Quand Ford accorde quelques milliers de bourses à des Chinois porteurs d'avenir, nous avons vu qu'il se trouve en Chine soixante millions de protestants organisés sur le modèle des Églises baptistes. L'esprit démocratique en Chine – mais c'est aussi le cas en Russie, en Amérique latine, en Afrique de l'Ouest – progresse du fait de ces pratiques souterraines plus rapidement que grâce aux programmes philanthropiques. Des sociétés civiles s'y constituent autour de la lecture de la Bible, comme une reproduction, avec quelques siècles de décalage, de ce que fut l'expérience américaine des origines. Mais la fin reste imprévisible.

Le siècle dernier fut américain, le siècle présent le reste. Pour ce qui suivra, on citera Friedrich Nietzsche : « Ce qui est révolutionnaire arrive sur des pattes de colombe. »

Une pensée modeste

Au terme d'une année d'enquête sur le « cœur américain » et au cœur de l'Amérique, notre parcours s'est révélé plus accidenté que ce qui avait été envisagé au départ. Le troisième secteur, ni État ni marché, est plus divers, plus complexe, plus impénétrable aussi que toute idée générale sur le sujet. Chaque fois que l'on estime avoir compris comment fonctionnent une fondation, une Église, une institution charitable, on en découvre une autre, dans la même ville ou un autre État, qui obéit à des principes différents : extrapoler se révèle impensable, mais telle est la richesse de ce monde où tout est autorisé dans le cadre de lois qui n'orientent ni ne brident l'imagination.

Ce voyage a duré un an, de juin 2012 à juin 2013 – contrainte arbitraire fixée dès le départ –, mais il pourrait continuer des années encore, d'autant plus qu'il se crée chaque jour aux États-Unis de nouvelles fondations. L'odyssée fut aussi compliquée par l'absence de guide : peu de livres, peu de journaux, peu de publicistes ou d'universitaires couvrent ce domaine de manière exhaustive. Embrasser tout le troisième secteur exigerait plus qu'une encyclopédie.

Quiconque s'y intéresse traite donc de la philanthropie
en Amérique sous un angle particulier : l'étude des
motivations des donateurs, ou le management des fondations, ou leurs erreurs, ou une monographie sur tel
ou tel milliardaire. Notre choix aura consisté à traiter
de la philanthropie au travers du regard critique d'un
Européen.

Aussi gênante au moins que l'absence de guide fut la
surabondance artificielle des sources autorisées : parce
que la plupart des institutions philanthropiques sont en
quête permanente de financements, elles confient à des
services de communication le soin de clamer leurs
succès mirobolants et de dissimuler leurs gaspillages.
Toute connaissance véritable du monde philanthropique
exige de se frayer un chemin parmi une propagande qui
devient plus pernicieuse au fur et à mesure que l'on
s'approche des très grandes institutions ou des plus
secrètes, qu'elles soient laïques et religieuses. Faute de
données vérifiables en suffisance, l'analyse est nécessairement impressionniste et subjective.

Ces difficultés d'accès ne rendent pas la philanthropie moins intéressante ni moins utile à la société
américaine, mais on doit l'aborder comme on analyse
l'État ou le marché : avec circonspection ; tout n'est
pas juste dans la philanthropie sous prétexte que tout
philanthrope prétend agir pour le bien de l'humanité.
La philanthropie est aussi complexe que les hommes
qui l'administrent, et la prétention de certains à faire
le bien est aussi critiquable que les proclamations
équivalentes d'un homme d'État ou d'un entrepreneur. Tous n'en sont pas moins indispensables à la vie
en société.

Mais la philanthropie est-elle nécessaire ? Notre enquête montre combien la plupart des interventions philanthropiques aux États-Unis s'exercent dans des champs qui sont couverts, en Europe, par l'État providence. Faut-il en inférer que la philanthropie est d'une efficacité supérieure à l'État providence pour encourager par exemple la création culturelle, élever le niveau éducatif, compenser les inégalités sociales, combattre des discriminations ? Les conservateurs américains et les philanthropes en général le prétendent. Mais une telle comparaison ne peut être conduite honnêtement : dans un même lieu, devrait-on couper une population par moitié, confier l'une à l'État, l'autre à la philanthropie, laisser passer dix ans et peser les résultats ? Cette confrontation étant inconcevable, les idéologues se substituent aux chercheurs, et chacun de proclamer l'efficacité supérieure de l'État, du marché ou de la philanthropie.

La véritable légitimité de la philanthropie, me semble-t-il, est ailleurs : elle apporte à celui qui donne autant qu'à celui qui reçoit. Je ne parle pas ici seulement de la vanité satisfaite du super-riche qui, faisant le bien, inscrit son nom au fronton d'un musée ou d'une université ; c'est plutôt au bénéfice social, humain, psychologique de tous ceux qui donnent de leur temps en plus de leur argent, pour des causes qu'ils estiment justes, que l'on pourrait mesurer la vertu du don. La philanthropie confère un surplus de citoyenneté, un supplément d'âme, peut-être, à ceux qu'elle implique : donateurs, volontaires, gestionnaires aussi bien que récipiendaires.

Pour ces derniers, on objectera en Europe et parfois aux États-Unis que la neutralité de l'État providence dispense aux plus démunis une dignité que leur dénie la charité privée. L'objection n'est pas recevable, car il faudrait s'assurer que l'arrogance du bureaucrate, la complexité de la réglementation publique, l'arbitraire partisan valent mieux que l'action des fondations, associations et Églises en faveur d'un changement systémique visant à éliminer les causes de la pauvreté et de la dépendance. Certes, nul philanthrope ne peut, à ce jour, se vanter d'avoir éliminé les causes de la misère, de l'échec scolaire et de la discrimination, mais aucun gouvernement non plus. L'avantage du philanthrope est qu'il expérimente avec le devoir d'innover et un droit à l'erreur que les États ne peuvent se permettre d'invoquer.

On se gardera d'opposer la philanthropie à l'État ni au capitalisme : elle est véritablement un « troisième secteur » en soi, qui s'ajoute, et à l'État, et au marché. Ce tiers secteur essaie de générer du progrès autrement que ne le font l'État et le marché, et par là, il exalte la citoyenneté et la solidarité. L'introduction de la philanthropie, le volontariat, le mécénat, dans la gestion des affaires publiques crée de la démocratie participative en un temps où les institutions représentatives sont en panne de légitimité populaire et d'imagination : telle est la vertu du don, échange symbolique ni politique ni marchand.

Vertu suprême : la philanthropie ne prétend pas au monopole de la vérité, tandis que le socialisme et le capitalisme, expressions idéologiques de l'État et du marché, sont confiscatoires par nature. Des philanthropes, George Soros dit avec justesse : « Nous sommes très arrogants parce que nous voulons changer le monde, mais aussi très modestes parce que nous ne savons pas de quelle manière y parvenir ; nous essayons donc diverses solutions. »

Parce que la philanthropie est cette pensée modeste et expérimentale, elle peut nous inspirer ; comme le Bonheur en son temps, c'est une idée neuve.

New York – Paris, juin 2013.

INDEX DES NOMS

ALLEN, Woody : 154

American Enterprise Institute (Fondation) : 287

ANNAN, Kofi : 307, 310

ANRY, Greg : 294-299

ARNHOLD, Henry : 90, 94

Ashoka (Fondation) : 69-72

ASHOKA, roi : 69

Atlantic Philanthropy : 98

B Lab (Fondation) : 251-253

BAKKER, Jim et Tammy : 174-175

BARRO, Robert : 216-217, 221, 223

BECKER, Gary : 142-144, 261, 269

BELL, Daniel : 143-144

BENIOFF, Marc : 240-241, 251

BERNSTEIN, Robert : 312

BERRESFORD, Susan : 180, 305-306, 309-311

BIDEN, Joe : 247

BISHOP, Matthew : 216

Blackstone (groupe) : 101

BLONSKY, Douglas : 24-25

BLOOM, Howard : 132

Bloomberg (Fondation) : 272

BLOOMBERG, Michael : 60, 267-268, 270-273, 286, 292

BONO : 222-224

BORLAUG, Norman : 218-219

BORNSTEIN, Daniel : 8

Boston Community Foundation : 203-207, 210

BOUSTANY, Charles : 59, 184-185

BOYLE, Greg (père) : 56

BRAHMS, Johannes : 158

BRATTON, William : 283

Brigham Young (université) : 123-124

Broad, Eli (Fondation) : 292

BUFFETT, Warren : 99, 171

BUIK, Elise : 211

BURWELL, Sylvia : 247-248

BUSH, George H. W. : 20, 114, 296

BUSH, George W. : 110, 142

CALATRAVA, Santiago : 110-111

CANADA, Geoffrey (dit Geff) : 35-42, 44-45, 59

Carlyle (groupe) : 101, 103

Carnegie (Fondation) : 75

CARNEGIE, Andrew : 12, 49, 90, 94-95, 100, 103, 215

Carter (Centre) : 313-317

CARTER, Jimmy : 312-317

Center for Disease Control and Prevention, (CDC) (Fondation) : 265, 272

Central Park Conservancy : 22, 25-26

Century Foundation : 294, 296-298
CHANDLER, Raymond : 181
Charity Navigator (Fondation) : 62
CHEN, Steven : 209-210
Cinq Perles (Fondation) : 46-49
Clinton (Fondation) : 228
CLINTON, Bill : 114, 137, 139, 213, 226-230, 287, 296, 299
COEN GILBERT, Jay : 251-253
COFFIN, Brent : 140
COHODES, Sarah : 205
COLLINS, Cynthia : 137
CRÈVECŒUR, Hector St-John de : 187-188
Croix-Rouge américaine : 179, 228
Cummings (Fondation) : 98, 305

DALE, Harvey : 169-170
DECHERD, Robert : 111-112
DIPPY, Michael : 64-65
DIXON, Monique : 198
DOBBIE, Will : 43-44
Doe (Fondation) : 52-62, 184
DOE, Mama : 51-52
DORFMAN, Aaron : 180-182
DRAYTON, Bill : 63, 67-72
DRUCKER, Peter : 182-183
DUFLO, Esther : 222, 234

Église de Jésus-Christ des saints des derniers jours : 117-129
EISENHOWER, Dwight David : 135, 296
EVERETT (famille) : 97

FEENEY, Charles : 98-99
Fellowship Bible Church : 133-136, 138-141, 145-146
FILENE, Edward : 294
Fisher House (Fondation) : 11
FISHER, Richard : 105, 108
FLEISHMAN, Joel : 176-177
FOEGE, Bill : 272
Ford (Fondation) : 32, 75, 98, 163, 180, 189, 193, 209, 216, 226, 234-235, 281, 303-314, 316-317, 324

FORD, Henry : 281, 305
FOSTER, Norman : 111
FRANKLIN, Benjamin : 8-9
FRICK, Henry Clay : 215
FRIEDEN, Tom : 265-271
FRIEDMAN, Milton : 240-242, 255, 261-263, 282, 290
FRUMKIN, Peter : 236
FRYER, Roland : 43-44

GAITHER, Rowan : 305
GANDHI, Mohandas Karamchand : 223
GAO XINGJIAN : 167
GARRETT, Laurie : 85
GATES, Bill : 49, 99, 170, 213-222, 224-226
GATES, Melinda : 214
Gates, Bill et Melinda (Fondation) : 10, 14, 85, 189, 193, 216-220, 222-226, 247, 304, 314
GETTY, Jean-Paul : 215
GILDER, Richard : 22-23
Gill (Fondation) : 265
GINSBERG, Allen : 261-262
GINSBURG, Scott : 97
GIULIANI, Rudolph : 283-284, 286
GIVEN, Scott : 207-208
GLAZER, Nathan : 38
GOLDSMITH, Marc : 65
Google (Fondation) : 251
GORDON, Mary : 70
GORE, Al : 213, 230-233, 313
GRAHAM, Billy : 319
GRAY, Elder : 127-128
GRIFFIN, Naze : 55
GROGAN, Paul : 202-206, 208
GUGGENHEIM, Davis : 231
Gun Owners of America : 274-275

Haas, Walter & Elise (Fondation) : 265
HANCOCK, Ralph : 124-125
HANEY, Jim : 320
HARDMAN, John : 314-316

Harlem Children's Zone (HCZ) : 35-36, 39-40, 42-44
HARRINGTON, Sybil : 158
Haüy, Valentin (Fondation) : 9
HAVEL, Václav : 302-304, 307, 310, 312
HAYEK, Friedrich : 94, 282
HESSELBEIN, Frances : 183
HILL, Fitzgerald : 140
HOOTEN, David : 319-321
HOPKINS, Johns : 197
Hopkins, Johns (université) : 197
HU JIA : 229
HUNT, Ray : 109-111, 113
HUNTSMAN, John : 122
HUSOCK, Howard : 140, 172

IGNACE DE LOYOLA : 71
ISAÏE : 132
ISHERWOOD, Charles : 97

JAMES, Henry : 200
JEAN (saint) : 121
JEFFERSON, Thomas : 71, 141, 301
JOBS, Steve : 215
JOLIE, Angelina : 223-224
JONES, Paul Tudor : 36, 73-76
JOSÉ : 56
JUDD, Donald : 112
Justice Policy Institute (Fondation) : 198

KELLING, George : 285
KELLY, Raymond : 286
KENNEDY, Jacqueline : 25
KENNEDY, John F. : 27, 33, 112
KEYNES, John Maynard : 282, 287
KING, Martin Luther : 19
KIPLING, Rudyard : 224
Kipp (Fondation) : 291
KOCH (frères) : 166-167
KOCH, Edward : 22
KOPP, Wendy : 27-29, 31-34
KRAVIS, Marie-Josée : 151-152

KROC, Joan : 110
KURON, Jacek : 303

LADAY, Sharon : 48-49
LAMB, Brian : 67
LAMB, Geoff : 220-221
LAMORTE, Debra : 162-164
LAPIERRE, Wayne : 276
LA TOUR, Georges de : 89
LEVINE, Dave : 291
LÉVI-STRAUSS, Claude : 12
LEVITT, Steven : 283
LEVY, Reynold : 154-157, 173
LEWINSKY, Monica : 227
Lighthouse International (Fondation) : 46
LIU XIA : 309
LIU XIAOBO : 309
LOWRY, Glenn : 150-152
LYLE, Bobby : 109

MADISON, James : 141
MADONNA : 223
MAGUIRE, Cary : 116
Maguire, Centre : 116
MALMENDIER, Ulrike : 11
MALRAUX, André : 157
MANDEL, Jerry : 166
MANDEVILLE, Bernard de : 94
Manhattan Institute for Policy Research (Fondation) : 287-293, 295-298
Marks, Paneth & Schron (cabinet comptable) : 61
MARLOWE, Philip : 181-182
MARRIOTT, Willard J. : 122
MAUSS, Marcel : 144
McDERMOTT, Margaret : 110, 115
McDONALD, George : 51-54, 56-62
McKECHNIE KLAHR, Suzanne : 65-66
McKINSEY (entreprise de conseil) : 69
MÉDICIS (les) : 110-112
MELLON, Andrew : 100

MELVILLE, Herman : 119
Mo Ibrahim (Fondation) : 225
MOÏSE : 120
MONE, Larry : 284, 287, 295, 299
MONSON, Thomas S. : 118
MOORE, Bruce : 136
MORMON (prophète) : 119
MORONI (ange) : 119, 127
MORRIS, Diane : 194
MORRIS, Philip : 266
MOYNIHAN, Patrick : 38
MUENNIG, Peter : 79
MURPHY, Kevin : 159-160, 165
MURRAY, Charles Alan : 38, 287

NADELMANN, Ethan : 263
NATHAN, Andrew : 311
National Endowment for the Art :
    157
National Rifle Association, (NRA)
    (Fondation) : 274-277
NEHEMIAH : 134
NEWMAN, Paul : 254
NIETZSCHE, Friedrich : 324
NIXON, Richard : 67
NORML (Fondation) : 259-260, 264

OBAMA, Barack : 11, 19, 21, 37,
    48, 141, 171, 183, 235, 273-274,
    277, 280, 296, 310, 313
OBAMA, Michelle : 11
OLMSTED, Frederick Law : 22, 25
Open Society Institute (OSI) : 190,
    192-200

PACHAURI, Rajendra : 231, 233
PATHAK, Parag : 205
PAULSON, John : 26
PEMBERTON, Cheryl : 45-47, 49
PEROT, Ross : 28, 30
PEROT, Ross Jr. : 110, 114-115
Pew (Fondation) : 98
PEW, Joseph : 305
PIANO, Renzo : 111
PIERRE (saint) : 118

PITT, Brad : 223
POPPER, Karl : 99, 189-191
PORTER, Robert : 118, 121, 126-128

RAWLINGS, Michael : 107
REAGAN, Ronald : 261, 281-282,
    296, 313
REICH, Robert : 101, 242
REINGOLD, Daniel : 66
REMBRANDT, Harmenszoon van
    Rijn : 89-90
REVEL, Jean-François : 149
Revson (Fondation) : 92, 96-97
REYNOLDS, Loonie : 320-321
RICE, Condoleezza : 282
Robert Wood Johnson Founda-
    tion : 267
ROBERTS, Greg : 19-21
Robin des bois (Fondation) : 36,
    40, 42, 74, 76-77, 79, 81-85, 87
Rockefeller (Fondation) : 75, 216-
    218, 226, 234, 252, 314
ROCKEFELLER, John D. : 9, 11, 32,
    93, 95, 100, 103-104, 161, 215,
    225
ROCKEFELLER, John Jr. : 155
ROGERS, Elizabeth (dite Betsy) :
    21-24
ROGERS, Tom : 158
ROMNEY, Mitt : 117, 122, 280, 299
ROOSEVELT, Franklin : 296
ROOSEVELT, Theodore : 187
ROTH, Philip : 154
ROTHKO, Mark : 112
ROY, Bunker : 223
RUBENSTEIN, David : 103

S., Harold : 113-114
SACHS, Jeffrey : 222-224
SAHM, Charles : 290-291
SAKHAROV, Andreï : 303, 312
SALTZMAN, David : 75-77
SANDORF, Julie : 92, 96
SANTOS : 54-58
SAY, Jean-Baptiste : 141

SCHERVISH, Paul : 100
SCHULTZ, George : 261
SCHWARZMAN, Stephen : 91-97, 104
SERRA, Richard : 112
SHAKESPEARE, William : 158
SHULTZ, George : 282
Simon, William (Fondation) : 67
SINGER, Paul : 288-289
SKOLL, Jeff : 231
SMITH, Adam : 69, 94
SMITH, Joseph : 119-120
Soros (Fondation) : 85-86, 190, 193
Soros (groupe) : 101
SOROS, George : 84-87, 98-99, 189-193, 195-196, 199-200, 303, 328
SOROS, Tivadar : 190
SOWELL, Thomas : 282
STANIAR, Nancy : 153
STANLEY, Morgan : 28
STERN, Sol : 292
STIEGLER, Robert : 282
STONE, Chris : 85-87
STROUP, Keith : 258-266
SWAMINATHAN, M.S. : 219
SZASZ, Thomas : 271

Teach for America (Fondation) : 28-33
TEILHARD DE CHARDIN, Pierre : 233
TELLER, Edward : 282
THATCHER, Margaret : 284
THEROUX, Paul : 223
TOCQUEVILLE, Charles Alexis Clérel de, dit Alexis de : 13, 53, 69, 94, 113, 141, 147, 211, 257, 316

United Way (Fondation) : 210-211
Unlocked Potential (Fondation) : 207, 291

VAUX, Calvert : 22

VEBLEN, Thorstein : 93-94
VERMEER, Jan, dit Vermeer de Delft : 89-90
VINCI, Léonard de : 215
VOGEL, David : 253-255

WAGNER, Richard : 158
WALKER, Darren : 311
WALLACE, Henry : 229-230
Walmart (Fondation) : 247-250
WALTON (famille) : 246, 249, 292
WALTON, Alice : 249
WALTON, Jim : 246
WALTON, Sam : 244
Walton Family Foundation : 249
WAŁĘSA, Lech : 303
WARREN (Mme) : 107
WARREN, Kelcy : 106
WARREN, Klyde : 106-108
WASHINGTON, George : 141
WATSON, Charles : 296
WEI, Jinsheng : 312
WEINSTEIN, Michael : 77-79, 87
WESTERN, Bruce : 60-61
WILL, George : 245
WILLIAMS, Ray : 132-135, 137-140
WILSON, James Q. : 267, 285, 287
WILSON, Robert Julius : 37
WINFREY, Oprah : 213, 235-237
WINTHROP, John : 8
WOLFE, Tom : 91, 293
WUTHNOW, Robert : 143-144, 177

XI JINPING : 316

YANG JIANLI : 312
YOUNG, Brigham : 120, 128
YUNUS, Muhammad : 233-234, 307

ZANGWILL, Israel : 187-188
ZINGALES, Luigi : 102

INDEX DES LIEUX

Afghanistan : 299
Afrique : 16, 85, 217-218, 220-222, 224-225, 233, 306, 314, 322
Afrique de l'Ouest : 324
Afrique du Sud : 237, 306-308, 312
Alabama (université de l') : 160
Allemagne : 160, 320
Amérique latine : 128, 243, 306, 320, 324
Angleterre : 108, 128
Argentine : 308
Arizona : 177
Arkansas : 132-137, 139, 141, 244, 248
Asie : 243, 306
Asie du Sud : 233
Atlanta : 20, 265, 275, 313
Austin : 112

Balkans : 307
Baltimore : 87, 188-189, 191-197, 199-200, 212
Bangladesh : 33, 233-235, 243, 246, 309
Bentonville : 249
Berkeley (université) : 11, 164, 242, 253, 285

Bermudes : 98
Bethesda (université) : 12
Bibliothèque centrale de New York : 91
Bilbao : 155
Birmanie : 190
Boston : 143, 188, 200-210, 212, 291
Brésil : 101, 218
Brigham Young (université) : 123-124
Broadway : 77, 123, 150, 187
Bronx : 28-29, 36, 54
Brooklyn : 25-26
Budapest : 303

Calcutta : 189
Californie : 66, 70, 134, 158, 161, 164-165, 241, 259, 261-262, 285, 292
Canaan : 120
Canada : 70
Canton : 244
Central Park (New York) : 21-26, 35
Centre Pompidou (Paris) : 150-151
Charlotte : 298
Chicago : 21, 106, 178, 236-237, 276, 298

Chicago (université) : 38, 102, 159, 161, 225
Chili : 308, 312
Chine : 33, 101, 103, 156, 167, 218, 229-230, 244, 272, 309-312, 314-317, 321-324
Cincinnati : 250
Cleveland : 210
Colorado : 199, 258, 260-262, 265
Columbia (université) : 79, 98, 154, 162, 222, 311
Connecticut : 22, 52, 73, 191, 273
Corée du Sud : 308
Cornell (université) : 31, 160-161, 163-164
Côte d'Ivoire : 313
Crystal Bridges (musée, Bentonville) : 249

Dallas : 27-28, 105-112, 114-116, 165
Delaware : 252
Dhaka : 234, 307
Dresde : 90
Duke (université) : 176
Durban : 308-309

Écosse : 95
Emory (université) : 195
Espagne : 320-321
Éthiopie : 314
Europe : 7, 13, 15-17, 24, 31, 62-63, 67, 74, 81, 103-104, 144, 149, 153, 156-157, 160-161, 169, 185, 187, 201, 208, 210, 212, 215, 224, 264, 267, 269, 276, 279, 292-293, 302, 319-320, 327
Europe centrale : 51
Europe de l'Est : 86, 98

Fayetteville : 248
Florence : 110
Florida State University : 167
Floride : 64

Fort Worth : 112
France : 7, 9, 13, 21, 30, 33-34, 87, 142, 151, 160, 167, 200, 209-210, 229, 240, 279
Frick (musée) : 89-91

Gdańsk : 303
Georgetown (université) : 97
Ghana : 218, 307, 320
Grand Central : 51-53
Grande-Bretagne : 11, 33, 79, 318
Greenwich : 73
Guggenheim (musée) : 155

Haïti : 179, 227-228
Harlem (New York) : 23, 34-45, 47-49, 54, 56, 76, 81, 205, 228, 291
Harvard (université) : 36-37, 43, 60, 69, 85, 92, 140, 143, 160-162, 164, 205, 214, 216, 236
Henan : 229-230
Hollywood : 105, 232, 255, 280
Hongrie : 86, 189-190, 303
Houston : 112, 195
Howard (université) : 46

Inde : 16, 68, 101, 217-220, 235, 323
Indiana : 168
Indiana (université) : 171
Iowa : 284
Iran : 190, 312
Irvine (université) : 164-166
Israël : 121, 190

Jérusalem : 120, 132, 134

Kennesaw : 275
Kenya : 218
Kiev : 303

Lafayette : 184
Liban : 33
Liberia : 309, 313
Lille : 210

Lincoln Center (New York) : 154-157, 171, 173
Little Rock : 132-137, 140, 146
Londres : 154, 189
Los Angeles : 29, 56, 155, 211-212, 255, 282
Louisiane : 59, 184
Louvre (musée du) : 152

Magadan : 229
Maison-Blanche : 110, 137, 226, 248, 312-313
Malaisie : 218
Malawi : 215, 219, 222-223, 225
Manhattan (New York) : 21-22, 28, 35, 42, 46, 51, 91, 96, 99, 227, 293
Maryland : 12, 191-192, 196-200
Massachusetts : 122, 206, 245, 299
Massachusetts Institute of Technology (MIT) : 205, 222
Maurice : 218
Metropolitan Museum (New York) : 152-153
Mexique : 218, 234, 247
Michigan University : 161
Milwaukee : 290
Minnesota : 266
Mississippi : 141, 249
MoMA (New York) : 150-152, 154
Moscou : 303

Nantucket : 245
Nasher (musée, Dallas) : 110
Nashville : 232
Népal : 33, 313-314
Nevada : 114
New Jersey : 29, 51
New York : 21, 24-26, 28, 37, 40, 42, 51, 53-54, 56, 58-60, 69, 75-77, 79, 82-83, 85, 87, 91, 95, 105-106, 141, 150-153, 155, 162-163, 171, 179, 184, 190-191, 204, 225, 228, 231, 245, 262, 265, 267-269, 271, 276, 282-286, 288-289, 292, 294, 302-304, 308, 318
New York (État) : 119
Newhaven : 191
Newton : 273-274, 276
Nigeria : 314
Nouvelle-Orléans (La) : 28, 30, 74, 179
NYU : 162-164, 167, 169

Oakland : 70
Opéra Bastille (Paris) : 155
Orange County : 158
Oregon : 179
Orlando : 64

Palo Alto : 66
Paris : 9, 153-154
Pays de Galles : 128
Pékin : 167, 230, 309, 317
Perot (musée, Dallas) : 110
Philadelphie : 251
Philippines : 128
Pittsburgh : 95
Pologne : 190
Polynésie : 321
Port-au-Prince : 227
Prague : 303, 307
Princeton (université) : 27-29, 31, 161, 164, 177
Prospect Park : 25
Provo : 123, 125
Purdue (université) : 168

Qatar : 232

Richmond : 317-320, 322
Rikers Island : 65, 82-83
Rio Grande : 28
Rockefeller (université) : 225
Rogers : 244
Russie : 86, 187, 302, 308, 323-324
Rwanda : 308, 319-321

Salt Lake City : 118, 120-123, 125, 127-128
San Antonio : 191
San Francisco : 265
San José : 241
San Salvador : 192
São Paulo : 189
Shanghai : 168
Sicile : 124
Silicon Valley : 66, 280
Sion : 120
Soudan : 225
South Boston : 201
Southern Methodist University (Dallas) : 110, 116
Stanford : 282
Stanford (université) : 71, 161, 163, 291, 306

Tchécoslovaquie : 302
Tennessee : 74, 231-232
Texas : 29, 105, 108-110, 112-116, 165, 191
Toronto : 70

UCLA : 161, 165
Ukraine : 190

URSS : 303, 306, 309, 312
Utah : 118-119, 122, 124, 128

Varsovie : 303
Vatican : 118, 126
Vermont : 253
Vietnam : 243, 258
Virginie : 317

Wall Street : 26-27, 34-36, 42, 45, 77, 95, 101-102, 151, 280, 295-296
Walmart (Fondation) : 184, 243-250, 254
Washington : 19-20, 23, 46, 108, 115, 180, 185, 191, 198, 215, 258-259, 282, 287, 293, 308
Washington (État) : 199, 259-262
World Trade Center : 286
Wyoming : 124

Yale (université) : 31, 160-162, 165
Yougoslavie : 308

Zhengzhou : 229

BIBLIOGRAPHIE

Prologue :
• *Philanthropy in America: A Comprehensive Historical Encyclopedia*, Dwight F. Burlingame, ABC-CLIO, 2004, 3 vol.
• *De la démocratie en Amérique*, Alexis de Tocqueville, Robert Laffont, collection « Bouquins », 2013.
• *Le Temps des philanthropes. La philanthropie parisienne des Lumières à la monarchie de Juillet*, Catherine Duprat, « Annales historiques de la Révolution française », 1993.

Chapitre PREMIER :
• *One day, All Children: The unlikely triumph of Teach for America and what I learned along the way*, Wendy Kopp, PublicAffairs, New York, 2003.
• *Why Don't They Just Get a Job? One Couple's Mission to End Poverty in Their Community*, Liane Phillips, Echo Montgomery Garrett, Aha ! Process, Inc., 2010.

Chapitre II :
• *Whatever it Takes: Geoffrey Canada's Quest to Change Harlem and America*, Paul Tough, Mariner Books, 2009.

Chapitre III :
• *How to Change the World: Social Entrepreneurs and the Power of New Ideas*, David Bornstein, Oxford University Press, USA, 2007.

Chapitre IV :
• *The Robin Hood Rules for Smart Giving*, Michael M. Weinstein, Ralph Bradburd, Columbia University Press, New York, 2013.

Chapitre V :
• *Why Philanthropy Matters: How the Wealthy Give, and What It Means For Our Economic Wellbeing*, Zoltan Acs, Princeton University Press, 2013.
• *Autobiography of Andrew Carnegie*, Andrew Carnegie, John Charles van Dyke, Ulan Press, 2012.
• *Titan: The life of John D. Rockefeller, Sr.*, Ron Chernow, Vintage, 2004.

Chapitre VII :
• *Le Livre de Mormon. Un autre témoignage de Jésus-Christ*, version française, L'Église de Jésus-Christ des saints des derniers jours, 1998.

Chapitre VIII :
• *The Church of Irresistible Influence: Bridge building stories to help reach your community*, Robert Lewis, Rob Wilkins, Zondervan, 2002.

• *To transform the city: whole Church, Whole Gospel, Whole City*, Eric Swanson, Zondervan, 2010.
• *The American Religion*, Harold Bloom, Chu Hartley Publishers Llc., 2006.

Chapitre IX :
• *Yours for the asking: an indispensable guide to fundraising and management*, Reynold Levy, John Wiley & Sons Ltd, 2009.
• *L'Obsession anti-américaine*, son fonctionnement, ses causes, ses inconséquences, Jean-François Revel, Plon, 2002.
• *De la culture en Amérique*, Frédéric Martel, Gallimard, 2006.

Chapitre X :
• *Give Smart: Philanthropy That Gets Results*, Thomas J. Tierney, Joel L. Fleishman, PublicAffairs, New York, 2011.
• *Faith and Giving, from Christian Charity to Spiritual Practice*, Robert Wuthnow, Center of Philanthropy at Indiana University, 2004.
• *The God Problem: Expressing Faith and Being Reasonable*, Robert Wuthnow, University of California Press, 2012.
• *Money Well Spent: A Strategic Plan for Smart Philanthropy*, Paul Brest, Hal Harvey, Bloomberg Press, 2008.
• *The Foundation: A Great American Secret; How Private Wealth is Changing the World*, Joel L. Fleishman, PublicAffairs, New York, 2009.
• *With Charity for All: Why Charities Are Failing and a Better Way to Give*, Ken Stern, Doubleday, New York, 2013.

Chapitre XI :
• *Comeback Cities: A Blueprint for Urban Neighborhood Revival*, Paul S. Grogan, Tony Proscio, Westview Press Inc, 2000.

Chapitre XII :
• *Strategic Giving: The Art and Science of Philanthropy*, Peter Frumkin, University of Chicago Press, 2006.
• *Great Philanthropic Mistakes*, Martin Morse Wooster, Hudson Institute, Washington DC, 2010.
• *Just another emperor? The Myths and Realities of Philanthrocapitalism*, Michael Edwards, The Young Foundation, 2008.
• *Philanthrocapitalism, How the rich can save the world*, Matthew Bishop, Michael Green, Bloomsbury Publishing PLC, 2008.
• *Letters from an American Farmer*, J. Hector St. John de Crèvecœur, Dover Publications, INC, 1782. Traduction française, Cuchet, Paris, 1787, 3 vol.

Chapitre XIII :
• *Compassionate Capitalism, How corporations can make doing good an integral part of doing well*, Marc Benioff, Karen Southwick, Career Press, New Jersey, 2004.
• *The Market for Virtue, The Potential And Limits of Corporate Social Responsability*, David Vogel, Brookings Institution, 2005.
• *Supercapitalism*, Robert Reich, Knopf Doubleday Publishing Group, 2008. Traduit en français sous le

titre *Supercapitalisme : le choc entre le système économique émergent et la démocratie*, Vuibert, 2008.

Chapitre XIV :
• *Politics, Markets and America's Schools*, John E. Chubb, Terry M. Moe, Brookings Institution, 1990.

Chapitre XVI :
• *Philanthropy in America: A History*, Olivier Zunz, Princeton University Press, 2011.
• *American Foundations, Roles and Contributions*, Helmut K. Anheier, David C. Hammack (editors), Brookings Institution, Washington 2010.

TABLE

Prologue. Éloge du don 7
I. Les volontaires 19
II. De Wall Street à Harlem 35
III. L'entrepreneur social 51
IV. La révolution quantique 73
V. Les super-riches 89
VI. Dallas 105
VII. La dîme 117
VIII. Quand la foi remplace l'État 131
IX. La culture à son juste prix 149
X. Un paradis fiscal ? 169
XI. Réparer le *melting pot* 187
XII. La philanthropie spectacle 213
XIII. Moraliser le capitalisme 239
XIV. Des causes bonnes et mauvaises 257
XV. Les boîtes à idées 279
XVI. L'Empire du bien 301
Épilogue. Une pensée modeste 325

Index des noms 331
Index des lieux 337
Bibliographie 341

Imprimé en France
FRHW011524120521
27160FR00025B/397

9 782213 670805